C000000577

JOANA, A LOUCA

Rainha Joana I de Espanha

LINDA CARLINO

JOANA, A LOUCA

Rainha Joana I de Espanha

Tradução de
Isabel Nunes

EDITORIAL PRESENÇA

FICHA TÉCNICA

Título original: *That Other Juana*
Autora: *Linda Carlino*
Copyright © 2007, Linda Carlino
Os direitos de Linda Carlino como autora da obra estão certificados.
Todos os direitos reservados
Tradução © Editorial Presença, Lisboa, 2009
Tradução: *Isabel Nunes*
Fotografia: © *Getty Images*
Capa: *Filipa Costa Félix / Editorial Presença*
Composição, impressão e acabamento: *Multitipo — Artes Gráficas, Lda.*
1.ª edição, Lisboa, Outubro, 2009
Depósito legal n.º 299 266/09

Reservados todos os direitos
para Portugal à
EDITORIAL PRESENÇA
Estrada das Palmeiras, 59
Queluz de Baixo
2730-132 BARCARENA
E-mail: info@presenca.pt
Internet: http://www.presenca.pt

ÍNDICE

Joana, *a Louca*

Rainha Joana I de Espanha

**Uma história de amor obsessivo e paixão incontrolável...
e de traição cruel e cínica.**

A rainha Joana era filha de Fernando e Isabel e irmã de Catarina de Aragão. Foi fundamental na criação das poderosas casas de Habsburgo de Espanha e da Áustria, que perdurariam durante séculos.

Ao longo da sua vida, Joana viu ser-lhe cruelmente negado o acesso ao poder pela parte de três homens: o seu marido, Filipe, o pai, Fernando, e o filho, Carlos.

Enfrentou a crueldade implacável de todos, tanto física como mental, com coragem e determinação, e a sua resistência incansável mereceu-lhe o injusto cognome pelo qual é recordada: Joana, *a Louca*.

ENQUADRAMENTO HISTÓRICO

A história de Joana decorre entre 1496 e 1555, sobretudo em Espanha, mas também nos Países Baixos e brevemente em França e em Inglaterra.

Passa-se no período em que o rei Fernando de Aragão e a rainha Isabel de Castela, os Reis Católicos, tentam fortalecer o recém-formado reino de Espanha. Com este objectivo em mente, tentam proteger o seu país de ameaças externas e estender a sua influência ao estrangeiro por meio de casamentos reais estratégicos, celebrados nas pessoas dos seus filhos. O mais conhecido da história inglesa foi o da filha Catarina de Aragão com Henrique VIII. As mortes inesperadas dos filhos mais velhos dos reis teve como consequência o facto de Joana, a menos adequada a um casamento político e à sucessão ao trono, se ver obrigada a carregar ambos esses fardos.

Os factos históricos foram fielmente respeitados, com ligeiras excepções destinadas a realçar e a simplificar a história. Os diálogos e os pensamentos, assim como algumas acções das personagens, são na sua maioria produto da minha imaginação, intuição e visão, mas seguem sempre de perto os factos conhecidos.

AGRADECIMENTOS

Agradeço muito a todos os que, através do seu apoio em Espanha, tornaram possível este livro.

Tenho de agradecer em especial à Biblioteca Nacional e à Ópera de Madrid pelo acesso às suas magníficas biblioteca e arquivos.

Também em Madrid, agradeço a todos os meus amigos, mas em especial a António García, Miguel Ruiz-Borrego y Arabal e Josep M. Sanmartí, pelo seu encorajamento e ajuda ao longo dos anos.

Os meus agradecimentos vão igualmente para a British Library e a Biblioteca do Condado de Durham, por todo o seu apoio.

Agradeço à minha editora Elspeth Sinclair, pelas suas inúmeras correcções e sugestões.

Um obrigada especial à nossa querida amiga Lucía Alvarez, de Toledo, pois sem a sua ajuda e apoio iniciais talvez este livro não tivesse sido concluído.

E, por fim, agradeço ao meu querido marido, Charles. Percorreu um número infindável de igrejas, palácios, castelos e museus em toda a Espanha, sentou-se a meu lado dias inteiros em bibliotecas e leu criticamente todos os rascunhos do manuscrito, nunca deixando de ser infinitamente paciente.

ÁRVORE GENEALÓGICA

ISABEL = FERNANDO

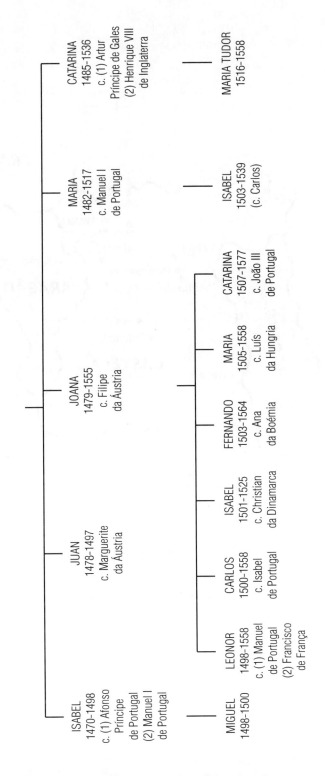

ISABEL
1470-1498
c. (1) Afonso
Príncipe
de Portugal
(2) Manuel I
de Portugal

MIGUEL
1498-1500

JUAN
1478-1497
c. Marguerite
da Áustria

LEONOR
1498-1558
c. (1) Manuel
de Portugal
(2) Francisco
de França

CARLOS
1500-1558
c. Isabel
de Portugal

ISABEL
1501-1525
c. Christian
da Dinamarca

FERNANDO
1503-1564
c. Ana
da Boémia

MARIA
1505-1558
c. Luís
da Hungria

CATARINA
1507-1577
c. João III
de Portugal

JOANA
1479-1555
c. Filipe
da Áustria

MARIA
1482-1517
c. Manuel I
de Portugal

ISABEL
1503-1539
(c. Carlos)

CATARINA
1485-1536
c. (1) Artur
Príncipe de Gales
(2) Henrique VIII
de Inglaterra

MARIA TUDOR
1516-1558

FRANÇA

Corunha

Laredo

Burgos

NAVARRA

Valladolid

Almazán

Tordesilhas

Saragoça

Medina del Campo

ARAGÃO

Madrid

Toledo

CASTELA

Badajoz

PORTUGAL

Granada

NORTE DE ÁFRICA

**A PENÍNSULA IBÉRICA
NO TEMPO DE
FERNANDO E ISABEL**

MAR DO NORTE

PAÍSES BAIXOS

Condado
da
Holanda

Domínio
de Utreque

Condado
de Gueldres

Condado
de Zeeland

Middleburg

Bergen op Zoom

● Bruges

● Gent

● Bruxelas

Condado
de Limburgo

Ducado de Brabant
Ducado
de Hainaut

FLANDRES

Condado
de Artois

Condado da Flandres

Condado
de Namur

Condado
de Liège

IMPÉRIO

GERMÂNICO

Ducado do
Luxemburgo

FRANÇA

«Filipe, Arquiduque da Áustria por graça de Deus,
Duque da Borgonha, Brabant... Limburgo, Luxemburgo,
Gueldres, Conde da Flandres... Artois e...

BORGONHA
Ducado
da
Borgonha

Parte I
Casamento

CAPÍTULO 1

A cabeça de Joana era uma amálgama de esperança e de medo, próprios de uma jovem que ainda não fizera dezasseis anos. O aperto que sentia na garganta quase a impedia de respirar.

Saiu dos seus aposentos e apressou-se ao longo da galeria do primeiro andar, seguida pelas aias e pela escrava Zayda. Os seus pensamentos estavam concentrados na Sala do Conselho e mal reparou nos cortesãos e nos guardas, que trocavam olhares e abanavam a cabeça, compreensivos. O agradável perfume da lavanda, o seu preferido, que se erguia do soalho de carvalho e dos pesados baús, recentemente encerados, não a cativou.

Sabia por que motivo a rainha sua mãe a mandara chamar. É claro que sabia. Desde a assinatura do contrato, havia ainda pouco tempo que ansiava e receava simultaneamente a chegada daquele momento, ainda na esperança vã de que não se concretizasse nos anos mais próximos.

Todavia, naquela fria manhã de Janeiro de 1496, uma data que iria certamente ficar gravada para sempre no seu coração, fora convocada para uma audiência formal. Não havia dúvidas quanto ao seu propósito: não podia ser mais nada senão informá-la de que se haviam concluído as negociações do casamento e de que se marcara a data da sua partida.

Uma pressão dolorosa esmagava-lhe o peito. Era como se tivesse recebido uma sentença de morte que desfizera os sonhos maravilhosos que alimentara, sonhos sobre um príncipe triste e infeliz que recuperaria a felicidade perante a visão do seu belo rosto.

— Zayda, vou ser exilada de Espanha... banida. — As palavras saíam-lhe estranguladas por entre arquejos. — Como poderei viver num país tão longínquo? A viagem de barco é tão longa e perigosa!

Sei que me vão separar de tudo o que amo. Nunca mais verei a minha família, tenho a certeza. Ficarei perdida, esquecida para sempre.

Deteve-se na esquina, onde a escadaria se erguia do pátio, lá em baixo, e inspirou o ar invernoso e gelado que subia furtivamente. Nervosa, sacudiu a saia de veludo verde com dedos agitados.

Zayda envolveu-lhe as mãos para as acalmar.

— Coragem, minha Senhora, coragem — pediu à sua bela menina.

É que Joana era bela em todos os sentidos: fisicamente, na graciosidade dos seus movimentos, na musicalidade da voz. Era de altura mediana, magra e muito bem proporcionada. Grossas tranças de um cobre dourado coroavam-lhe o rosto oval, mas, naquele momento, as lágrimas ameaçavam saltar-lhe dos olhos cor de avelã, sempre prontos a cintilar de inteligência, alegria, calor e amor. Os lábios, acostumados a sorrir e a rir, apertavam-se de medo.

As aias esperavam a uma curta distância.

— Que devo fazer? — perguntava-lhes Joana. — Estou tão assustada. Podeis prometer-me que serei feliz na Flandres e, se sim, por quanto tempo? E, se não, que será de mim?

— Minha Senhora, ninguém pode saber. Temos de confiar em Deus.

— Espero que Ele tenha piedade de mim. A minha irmã Isabel diz que se quer retirar para um convento. Achais que devo dizer à minha mãe que tenciono igualmente ser freira? Impossível! Essa vida não é para mim. Digo as minhas orações, vou à confissão e à missa, e é mais do que suficiente.

Exclamações chocadas das aias interromperam-na.

— Só disse isso pelo facto de a Flandres ser tão longe. Se estivésseis no meu lugar, diríeis exactamente o mesmo! Mas como me atrevo a demorar-me aqui? Os meus pais tratarão logo de me acusar de relutância e desobediência.

Joana ergueu as pesadas saias do traje, fez uma vénia, benzeu-se apressadamente defronte do tríptico anichado na esquina e dirigiu-se à Sala do Conselho para ser informada do seu destino, seguida pelas aias, que se detiveram brevemente para também se benzerem.

Sabia há já um ano da proposta de união e das diversas negociações que rodeavam o seu casamento com o arquiduque Filipe, filho do sacro imperador romano. Ingénua, pensara que se passariam vários anos antes da realização do casamento, mas em breve se tornou evidente que não seria assim. Durante todo o ano haviam tido lugar constantes idas e vindas de embaixadores e o casamento por procuração, no início do mês, e a sua assinatura, declarando-a ligada a todas as cláusulas do contrato de casamento, gritavam a iminência da partida. Seguiu-se, então, uma série de rumores sobre a preparação de uma frota especial no Norte. Joana parara defronte das portas da Sala do Conselho. O que a esperaria do outro lado? Sabia apenas que não tinha escolha, que não havia alternativa.

As aias atarefaram-se a prender-lhe madeixas que se haviam soltado dos cabelos castanho-dourados, enfiando-as sob a fita verde que lhe cruzava o cimo da cabeça e verificando o estado da trança enrolada que lhe caía pelas costas até à cintura. Dobraram também as largas mangas a fim de expor o forro de cetim vermelho e alisaram-lhe as pregas das saias.

Zayda sorriu.

— Os meus pensamentos acompanham-vos para vos dar força, mesmo que não esteja a vosso lado.

Joana sobressaltou-se quando as portas se abriram. Chegara o momento. Soltando pequenos soluços de dor, forçou-se a entrar na sala, dando os primeiros passos de um futuro desconcertante.

O salão resplandecia de vermelhos, brancos e dourados, desde as paredes até às cornijas e à talha pintada no tecto. Ricas tapeçarias realçavam o esplendor. A todo o comprimento da Sala do Conselho perfilavam-se os nobres, os prelados e os embaixadores. Estava presente quase toda a corte.

Joana ficou profundamente intimidada, detendo-se após alguns passos, pois as suas pernas recusavam-se a mover-se.

Ao fundo daquela esplêndida reunião de testemunhas e convidados, a rainha Isabel e o rei Fernando sentavam-se nos seus tronos, sob um dossel de veludo vermelho com o escudo de Espanha, cujo brasão declarava orgulhosamente o poder da união das duas casas reais. Em vez dos trajes simples de todos os dias, que preferiam, os monarcas envergavam brocados dourados, cetins vermelhos e sedas.

Joana lançou um olhar nervoso na sua direcção antes de baixar a cabeça, ansiosa por evitar tantos olhares inquisidores. Enquanto observava os ladrilhos do chão, tudo se tornou subitamente claro. Tratava-se de uma reunião de despedida. Amuou, manifestando em silêncio o desapontamento pelo facto de aquilo não se poder comparar com as extravagantes exibições de torneios e banquetes organizados para a irmã. Era tão injusto! Seria bem mais fácil perder-se no seio de uma multidão de folgazões do que estar ali, sozinha, perante o escrutínio de tanta gente.

A rainha Isabel percorreu a sala com o olhar e pensou quanto tempo a filha tencionaria permanecer ali com aquele seu ar desolado. O facto de Joana se sentir intimidada com a situação começava a aborrecê-la. Era lamentável que a filha ainda não tivesse desenvolvido um porte real, deixando-se assustar com tanta facilidade. Aquela jovem de cabeça curvada e dedos que mexiam, nervosos, na faixa, não era certamente a mesma que a desafiava, teimosa, a filha voluntariosa que se vira forçada a repreender ainda recentemente.

Porém, a falta de dignidade de Joana não era a única preocupação de Isabel. Havia a sua tendência crescente para se isolar (assustadoramente semelhante à da avó, e que contribuiu para o seu estado de confusão mental). Tinha esperança de que não passasse de mais um sintoma da fase rebelde tão própria de jovens da sua idade.

Joana ergueu por fim a cabeça. Fez uma vénia aos pais e deu início ao longo caminho que levava aos tronos. Pelo canto do olho, viu alguns amigos, incluindo o seu preferido, o professor de latim. Os seus sorrisos calorosos encorajaram-na e manteve a cabeça erguida até avistar Cisneros, ao lado da mãe. Era o recém-nomeado arcebispo de Toledo e primado de toda a Espanha. Joana tinha um medo terrível dele. Era muito mais que o chefe da Igreja, era um homem poderoso, dono de um intelecto penetrante e de um zelo incansável em questões de fé. Aquele padre era capaz de influenciar, persuadir e guiar a rainha, ousando mesmo dirigir-se-lhe como igual. De espantar, o facto de a rainha não se ofender com a sua audácia, o que revelava bem o seu poder e fazia Joana tremer ainda antes de encarar o longo rosto cadavérico e os olhos encovados. Estava bem ciente de que Cisneros lhe sondara profundamente a alma e a achara indigna.

Os seus lábios começaram a tremer. Ajoelhou-se rapidamente aos pés dos pais, baixando a cabeça, não fosse alguém testemunhar os olhos cheios de lágrimas. Apertou o medalhão da Virgem, adornado de jóias, um presente da mãe, que pendia junto do peito ansioso.

Isabel e Fernando levantaram-se e desceram juntos os três degraus, a fim de a cumprimentarem. Andavam ambos na casa dos quarenta. Vários anos de uma luta sem tréguas para forjar uma nova nação haviam tido um preço alto, especialmente para Isabel, que suportara também o fardo de seis partos. Deixara de ser a jovem alta, magra e elegante que encantara Fernando. A sua pele clara mostrava-se agora macilenta, o rosto longo com o seu queixo firme inchara e amolecera. As tranças castanhas haviam perdido o brilho e a rainha cobria-as agora com um véu fino. Uma pequena coroa repousava no topo em honra da audiência.

Fernando tivera mais sorte. O rosto, bronzeado e curtido pelo tempo passado nos campos de batalha, era ainda forte e belo, e o hábito de montar a cavalo e caçar ajudara-o a manter o corpo firme e musculado.

Pegaram ambos nas mãos de Joana para a ajudarem a subir. A jovem viu os sorrisos e ficou convencida de que se deviam à satisfação de terem completado satisfatoriamente os acordos matrimoniais dela própria e do seu irmão João. Os laços entre o Sacro Império Romano e Espanha haviam sido duplamente reforçados com este duplo matrimónio, apertando o cerco em volta do inimigo, a França, e contrariando as suas ambições expansionistas.

Joana casaria com Filipe e o irmão desposaria a irmã daquele, Margarida. Com os tratados conseguidos com estes dois casamentos e outros em boas vias de concretização com Inglaterra (dependentes, porém, do casamento de outra filha, Catarina, com o filho de Henrique VII), a França ficaria completamente cercada.

O rei Fernando declarou:

— Querida filha, completámos todas as disposições relativas ao vosso casamento e a espera e a incerteza chegaram ao fim. Casar-vos-eis em Outubro, tornando-vos esposa de Filipe, arquiduque da Áustria, duque de Borgonha, conde de...

Joana precisou de todas as suas forças para não lhe gritar que sabia tudo aquilo, que pouco lhe interessava. O que desejava saber, embora o receasse, era a data da partida. As palavras de uma canção ressoavam-lhe nos ouvidos, como que escarnecendo dela:

Dizem-me que devo casar,
Mas não quero um marido, não.

Palmas corteses enchendo o salão e a voz da rainha Isabel, que parecia chegar de muito longe, interromperam-lhe os pensamentos.

— Deveis partir para a Flandres em Julho.

Joana entrou em pânico. Não podia ser em Julho, era demasiado cedo!

— Será uma aventura para vós e chegará demasiado depressa. Temos de escolher criados fiéis para vos acompanhar. Temos também de decidir que padres são os mais indicados para a vossa confissão e apoio espiritual.

Iria partir daí a poucos meses, na companhia de criados e padres escolhidos pela mãe, que ignoraria as suas preferências. Lágrimas escaldantes começaram a arder-lhe nos olhos. Pensou em fugir e em esconder-se algures, ou mesmo implorar piedade aos pais, pedir-lhes que a deixassem ficar em casa, no seio da família.

As palavras saíram-lhe por fim, salvando-a daquele embaraço.

— Vossa Alteza Real, farei o meu melhor para vos agradar, para ser digna... — Sufocava, o corpo sacudido pelo desespero.

A atenção do público centrou-se de súbito nas portas, que se abriram perante um jovem de dezassete anos. Era João, pálido e de aspecto doentio, que durante toda a infância necessitara da presença constante dos médicos. Era o membro especial da família, o mais querido de Isabel. Seria por se tratar do único filho que Deus lhe dera? Ou porque, em criança, a sua ligação à vida se mostrara tão ténue? Ou dever-se-ia à sua determinação em ultrapassar as fraquezas? Talvez fossem as suas palavras e actos bondosos ou uma combinação de tudo isso. Fosse qual fosse a razão, Isabel via-o como o seu anjo e tratava-o por esse nome.

Joana observou o irmão magro e louro caminhar lentamente em direcção ao estrado, disfarçando o seu coxear com o longo manto de veludo vermelho e um passo estudado. Adorava-o e desejava ser como ele, que descobria prazer em tudo o que o rodeava e fazia amizade com todos. Procurava sempre agradar e mostrava-se constantemente alegre.

Isabel e Fernando, diplomatas treinados, hábeis em esconder as emoções, não conseguiram disfarçar a alegria em ver o filho.

— Vossas Maj-jestades. — João ajoelhou nas almofadas colocadas aos pés dos reis. Depois ergueu-se e beijou primeiro a mão da mãe, seguindo-se a do pai.

— Querido filho, nosso amado príncipe, temos boas notícias. A arquiduquesa da Áustria chegará na segunda metade deste ano. Viajará com a armada que regressa depois de acompanhar a vossa irmã ao seu novo lar.

João ficou deliciado e os olhos cintilaram-lhe. Anuiu com um gesto de cabeça e olhou em seu redor como que a convidar a corte a partilhar a sua felicidade.

— S-senhores e S-senhoras, não é mar-ravilhoso? Já não falta muito para termos connosco a minha esposa Margarida. Que af-fortunados somos por ganhar um tal prémio.

O público curvou-se. Poucos o haviam compreendido, pois as palavras que saíam da sua boca retorcida e marcada eram praticamente ininteligíveis e a maior parte das pessoas não conseguia entender os seus murmúrios.

Fernando fez um gesto de cabeça e as trompetas anunciaram a procissão de porta-estandartes que tomaram os seus lugares de ambos os lados dos dois tronos e nos degraus do estrado. Via-se primeiro o de Isabel, com cinco setas douradas atadas em fundo verde, seguido pelos jugos dourados sobre fundo negro de Fernando. Seguiam-se os cavaleiros-chefes das três ordens militares, trajando capas brancas e transportando insígnias com as suas cruzes. Por fim, o brasão real, dividido em quatro partes que representavam Castela, Leão, Aragão e a Sicília, às quais se havia acrescentado a romã estilizada de Granada, recentemente reconquistada.

Fez-se uma pausa e logo, acompanhados da música dos saltérios e alaúdes dos jograis, os cortesãos desfilaram perante a família real para o beija-mão, felicitando-os e despedindo-se de Joana. Em seguida, observaram cópias dos acordos de casamento, escritos em latim e em francês, com os nomes dos noivos a ouro. Numa orla de folhas entrelaçadas lia-se: *Et qui quispiam praevalent contra unum, duo resistant ei...* (Se um não prevalecer, dois conseguirão resistir-lhe...)

A cerimónia terminara e a maior parte da corte fora dispensada. Afinal, não fora aterrador e Joana até acabara por gostar.

Com um braço sobre os ombros do filho, Fernando levou João até à lareira, onde crepitava um fogo acolhedor. Ficaram aí juntos a falar e a rir tão à vontade um com o outro que o crepitar vivo dos troncos parecia realçar a sua boa disposição.

Joana ficou a olhar até a mãe a chamar com um gesto.

— Vinde, minha filha, sentemo-nos aqui por uns momentos.

— Isabel baixou-se, sentando-se num divã, e Joana dispôs alguns almofadões em redor dela, um ou dois feitos pela própria rainha em momentos de lazer.

— Contai-me, minha mãe, contai-me tudo que sabeis sobre Filipe. Tendes mais notícias. Recordai-me o seu aspecto. Dizei-me, irá gostar de mim? Sou suficientemente bonita para ela?

— Devagar, devagar, Joana, são muitas perguntas ao mesmo tempo. Sentai-vos e já falaremos. — Isabel esperou que a filha estivesse confortavelmente instalada a seus pés. — Como já sabeis, Filipe é alto, de belas feições, tem olhos azuis e as suas feições granjearam-lhe o cognome de *Philippe, le Beau,* Filipe, *o Belo*. Tendes a sua miniatura, que diz tudo.

— Oh, sim. — Joana fechou os olhos, embalando-se suavemente. Ia casar-se com um príncipe chamado Filipe, *o Belo*, apenas um ano

27

mais velho, alto e bonito. Como desejava estar com ele imediatamente. Viu-se num vestido de bela seda branca, com um manto verde-escuro. Corria, trazendo nos pés chinelas prateadas, sobre prados tocados pela geada e transportando ofertas de rosas e limões e uma pequena gaiola de aves canoras. Ele virava-se para a acolher de braços estendidos.

«Contai-me mais. Que faz ele? De que gosta? Em que é que é bom?

Isabel deteve-se. As histórias e os rumores da Flandres sobre os namoros do jovem voltaram a preocupá-la em nome da sua jovem filha.

— Acho que podemos dizer que Filipe goza a vida no seu todo. Adora caçar, dançar e todos os desportos. Mostra grande talento no jogo da pelota. Também aprecia serões de convívio na companhia dos seus inúmeros amigos. — Omitiu o facto de ele ser um jovem arrogante e detestável com um feitio irascível, facilmente despertado.

— Mãe, como deve ser maravilhoso ser alguém tão excepcional, tão popular. E pensar que vai ser meu, todo meu. Danço com graciosidade, tenho uma boa voz, toco bem vários instrumentos, ou assim me dizem os professores. Mas serei suficientemente bonita? Um homem assim tem de ter uma esposa bela. Sou bonita, mãe?

Isabel ficou alarmada. Não teria Joana ainda compreendido a verdadeira natureza dos casamentos reais? Como era possível, depois de todas as discussões? Preocupava-a ver a mente da sua inocente filha de dezasseis anos ainda cheia de ideias românticas idiotas. O resultado, sem dúvida, de andar com o nariz sempre enterrado em livros.

Todavia, todas as apreensões sobre aquela união tinham de ser postas de lado. O filho, como herdeiro de toda a Espanha e seus domínios, era fundamental para as negociações. Porém, para dizer a verdade, por mais dolorosa que fosse, a sua saúde não era boa. A segurança da Espanha tinha de ser mantida e o seu poder aumentado. Portanto, era vital que o contrato com o imperador Maximiliano se referisse aos dois casamentos, não fosse o de João não dar em nada. O casamento com a sua filha mais velha, Isabel, fora recusado. Maria tinha de ser mantida em reserva para qualquer contingência que pudesse surgir. Catarina, a mais nova, estava prometida ao príncipe de Gales. Infelizmente, tinha de ser Joana.

A filha puxou-lhe pela mão.

— Mãe, estou à espera que me digas se sou suficientemente bonita. Estais a levar bastante tempo a decidir.

— Oh, sim, sois suficientemente bonita, minha filha. — A rainha Isabel afagou-lhe a cabeça. Por um breve momento sentiu uma onda de culpa perante o sacrifício do mais belo e mais fraco dos seus cordeiros.

CAPÍTULO 2

A rainha Isabel predissera que a data da partida de Joana chegaria «num abrir e fechar de olhos». Desde aquele frio dia de Janeiro, os meses haviam passado a correr e Joana encontrava-se agora sentada na companhia da mãe a fazer as últimas verificações dos itinerários. Não estava particularmente bem-disposta.

Todo aquele assunto se tornara bastante desagradável. Começara bem, com a discussão do inventário da mobília e dos materiais para o seu novo e magnífico guarda-roupa. Ficara encantada com o conteúdo da caixa de jóias, prenda dos seus pais. Como se divertira a modelar as fiadas de pérolas, os fios de ouro, os belíssimos brincos. Com os dedos carregados de anéis, fizera-os dançar, quais borboletas, em volta da mãe, com as pedras preciosas nos seus aros de ouro a cintilar. Pareciam duas raparigas. Seguiram-se assuntos mais sérios, começando pela pensão que receberia para si própria e o seu pessoal. Seria atribuída pelo marido, tal como João daria a Margarida uma quantia semelhante. Era uma anuidade de vinte mil escudos, extremamente avultada, mas não era necessário maçar-se com os pormenores, pois disporia de um tesoureiro que trataria das contas fastidiosas.

A escolha das damas de companhia irritara-a a tal ponto que insistira em adiar a decisão até mais tarde, quando fosse, talvez, possível chegar a um compromisso.

Assim, nenhuma ficou surpreendida quando, ao ouvir a escolha da mãe relativa ao seu confessor, Joana se tivesse revoltado, e recusasse, gritando:

— Não! Não o quero. É a vossa escolha, não a minha. Nunca me confessaria a ele. Não gosto nem confio nele. Mãe, insisto em ter alguém que eu saiba que me apoiará e não uma pessoa escolhida apenas para me espiar. Havei-lo escolhido porque não confiais em mim!

— Joana, lembrai-vos de quem sois, e do que estais... — principiou Isabel.

O bater de cascos em tropel sobre o empedrado que encheu o pátio pôs felizmente fim à discussão.

— Deve ser João! — exclamou Joana, e Isabel concordou com um aceno de cabeça; seria uma bênção, pois era impossível fazer qualquer progresso naquele dia.

Joana fez menção de se levantar, mas viu-se impedida pela pressão da mão da mãe sobre o seu pulso, exigindo-lhe que ficasse sentada. Olhou para Isabel com uma expressão que era um misto de ira e desespero e a mãe cedeu, retirando a mão e deixando-a ir. Como um animal libertado de uma armadilha, Joana ergueu-se de um salto.

Lá em baixo, no pátio, João e o seu escudeiro desmontaram e entregaram as rédeas aos cavalariços que haviam acorrido, ávidos da honra. Os outros membros da sua casa continuavam a chegar, cada um cumprimentado e recebido da mesma forma. Joana correu pela galeria, lançando breves olhares à excitação lá em baixo. Então, demasiado impaciente para esperar, debruçou-se sobre a balaustrada e bateu as palmas, chamando-o. Ele ergueu o olhar, viu-a e lançou-lhe um grande sorriso. Acenou com o enorme chapéu de viagem, fingindo ter de evitar a nuvem de pó saída da imensa aba antes de lhe fazer uma vénia exageradíssima. Joana riu-se, levando os dedos à boca, e correu para o seu quarto, para junto da mãe, a discussão já esquecida.

Isabel esperava de pé, determinada, e avisou-a:

— Continuaremos este assunto noutro dia, Joana. Ainda temos muito de que falar. E, perante o vosso comportamento desta manhã, estou ainda mais decidida a que tenhais bons conselheiros na vossa companhia. De momento, porém, desçamos para dar as boas-vindas ao nosso anjo.

— Sim, o nosso abençoado anjo — concordou Joana.

O pátio estava agradavelmente fresco, apesar do sol de Julho. Isabel, Fernando e a família achavam os meses de Verão no Norte de Espanha muito mais a seu gosto que no Sul, onde o calor intenso e o sol abrasador tornavam a vida quase insuportável. Naquele ano, haviam decidido ir até Almazán. A partir daí, seria mais conveniente para Isabel no que dizia respeito a supervisionar os pormenores relativos à viagem para a Flandres, enquanto Fernando podia visitar a corte em Saragoça as vezes que entendesse, especialmente naquele período conturbado entre Aragão e a França.

Fora ali, havia apenas uns dias, que João, herdeiro do trono, fora investido como príncipe das Astúrias, o que lhe concedera as cidades, as terras e os rendimentos pertencentes ao título. Aquele castelo, erguido no alto de um monte com vista para um vale belíssimo, fazia parte do dote e João começara já a mobilá-lo a seu gosto, uma residência de Verão para si próprio e para a sua noiva.

As duas damas passaram da sombra para o calor da luz do Sol naquele princípio de tarde. O doce perfume estival do jasmim e das rosas que se enroscavam em volta das colunas da arcada espalhava-se no ar.

João e o escudeiro supervisionavam o descarregamento de tapeçarias, enormes baús com baixela de ouro e de prata e grandes candelabros. Isabel aproveitou a oportunidade para afagar o pêlo castanho do pescoço da montada do filho. Os seus pensamentos recuaram no tempo, recordando os aromas húmidos e terrosos dos dias em que ia caçar javalis nas florestas sombrias, iluminadas por clarões de ouro outonal. Conseguia ainda ouvir o bater diligente dos cascos, o ranger do cabedal, o tilintar dos arreios e dos freios, o resfolegar dos cavalos, ansiosos pela caçada. Nada se comparava àquele regozijo, àquela excitação. Agora era demasiado velha. Suspirando, deu palmadinhas no flanco do animal.

João avistou a mãe e veio beijar-lhe as mãos estendidas. Os criados detiveram-se, baixando respeitosamente a cabeça, até terminarem as saudações e poderem continuar a descarregar as carroças, antes de levarem os bois.

— Sede bem-vindo, meu anjo. O meu coração anima-se ao ver-vos organizar o lar para Margarida.

— Querida mãe, é precisamente isso que desejo. Quero um lar e não um castelo para a minha noiva. M-mana Joana, também vós deveis achar estes dias excitantes, faltando já pouco p-para a vossa p--partida... — calou-se ao ver como o caloroso sorriso da irmã se desvanecia e os seus lábios se torciam de tristeza. — N-não estais triste, pois não, Joana?

— Agora não, querido — intrometeu-se Isabel —, todos temos imenso que contar, mas mais tarde, por favor. Estais cansado, sujo e cheio de sede.

Colocou-se no meio dos filhos a fim de evitar uma birra de Joana, pois não queria que o filho se indispusesse com as explosões da irmã, estando já exausto. O gaguejar incontrolável era sinal do seu cansaço e preocupava-a o facto de uma viagem de meio dia o deixar em tal estado.

— Vamos preparar-nos para o almoço e depois toda a gente vai descansar. — Não era uma sugestão, mas sim uma ordem. — Hoje à noite teremos o tempo necessário para trocarmos novas e nessa altura encontrar-nos-emos já refrescados. Vinde!

— *Bruto*, em posição! — ordenou João a um cão de caça preto e branco com um ar bastante escanzelado, que de imediato correu desajeitadamente, cortando o ar com a cauda irrequieta e montando guarda ao lado da rainha.

João ofereceu a mão à mãe, não sem antes descrever com ela um elegante arco. Ela aceitou-a, inclinando exageradamente a cabeça num gesto gracioso. Adorava aqueles momentos preciosos e ficara feliz ao ver que, afinal, o filho não estava assim tão cansado. Joana foi alvo de um dos sorrisos compreensivos do irmão e apertou-lhe a mão, agradecida.

— *Bruto*, em frente, marchar! — Com grande pompa e dignidade e cantarolando uma fanfarra, ele e *Bruto* escoltaram as damas, que daí a pouco já se riam. A amargura da manhã estava esquecida... de momento.

* * *

Ao serão, terminado o jantar, a família reuniu-se nos aposentos da mãe. Sentaram-se apressadamente nas almofadas que cobriam o chão, aguardando com impaciência a primeira pergunta dela a fim de poderem fazer as suas. Isabel sentara-se no cadeirão de couro, o seu preferido, enquanto as quatro raparigas e o adorado filho formavam um círculo em volta da braseira, mandada trazer para afastar o frio que costumava fazer-se sentir no quarto, mesmo nas noites estivais.

O aposento tinha uma dimensão confortável, suficiente para a família, não sendo tão grande que perdesse a intimidade. Tapeçarias flamengas transformavam as paredes de pedra em grandes extensões de bosques tranquilos. O tremeluzir das tochas, presas nos candelabros de parede, e pesadas cortinas corridas de forma a impedir correntes de ar contribuíam para o aconchego. João sentara-se aos pés da mãe, pronto para a sua primeira pergunta.

— Estais satisfeito com o vosso escudeiro?

— Oh, sim. Compreendemo-nos perfeitamente. É claro que o vosso treino atento me ajudou imenso. Estou confiante em como serei capaz de governar uma casa. É raro necessitar de lhe pedir conselho. E sabeis, mãe, é uma pessoa muito agradável, com excelentes maneiras e simpático. Também é excelente companheiro para cavalgar.

Isabel estremeceu.

— João, tomai muito cuidado. Não lhe podeis permitir intimidades. Deveis lembrar-vos de que vós sois o príncipe e ele apenas o escudeiro. Não podem existir momentos de amizade. Como já disse, vós sois o amo e ele é o criado. Desejo que nunca o esqueceis. Ele não pode jamais esperar de vós mais que aquilo que lhe ordenardes. Assim sendo, é decisão vossa quando e onde conceder favores.

— Sim, sim, querida mãe, compreendo, mas acreditai que ele conhece bem o seu lugar e sempre assim será, mas por favor, não sejamos tão sérios.

— Pois, mãe, não sejamos tão sérios. Tenho algo a pedir a João — interrompeu Catarina, que, com os seus dez anos, achava que a sua pergunta era mais urgente que tudo o que a mãe ou os outros tivessem intenção de abordar. — Quero saber se vos sentis diferente, agora que sois príncipe das Astúrias.

— É verdade que parece grandioso, Catarina, e admito que acho que me faz sentir mais velho, se não me tornar mais sábio. — E fingiu sussurrar-lhe um segredo especial, apenas para ela: — Mas o melhor é que agora tenho mais dinheiro para mim e para a minha noiva.

Catarina riu-se.

— Ficaria tão orgulhosa se tivesse um título. Sei como ficarei conhecida. Imaginai, terem de me chamar Catarina, princesa de Aragão e princesa de Gales. Não soa bem? — Levantou-se, alisando apressadamente as saias, e caminhou, altaneira, em volta do círculo, cumprimentando com um gesto de cabeça os seus humildes súbditos. Fez uma vénia à mãe antes de a abraçar e de voltar para a almofada, com as faces coradas.

— Sim, querida, um dia tereis um título só vosso, quando chegar a altura. Então, podereis dizer-nos qual é a sensação. De momento, não fica bem fingirdes que o tendes, nem mesmo a brincar. Desta vez, perdoo-vos, filha.

— Sim, sim, perdoai — apressou-se ela a pedir —, mas, João, não é maravilhoso irdes casar com uma jovem linda? Acho que é a melhor notícia de todas.

— Tendes razão, querida Catarina, é uma excelente notícia. Mas o que mais desejo é ter alguém que seja feliz e que descubra a felicidade nas coisas mais comuns. Que me dizeis, querida irmã Isabel?

— O que dizeis é, sem dúvida, verdade. — Um sorriso iluminou--a brevemente, morrendo de imediato e deixando a tragédia claramente expressa no jovem rosto descarnado. — É importante encontrar juntos a felicidade, por mais banal que seja o motivo, mas é ainda mais importante que ambos partilhem um amor profundo a Deus; só assim encontrarão uma felicidade... perdoai-me. — Baixou a cabeça para esconder as lágrimas da família, passando os dedos pelo bordado da faixa, como se esperasse descobrir ali algum conforto. Já haviam passado sete anos, mas a dor causada pela morte prematura do marido, um cristão devoto, ainda não se desvanecera.

A mãe abanou a cabeça.

— Isabel, tendes de vos esforçar mais, muito mais. Desapontais--me tanto!

A resposta de Isabel foi um ataque de tosse que lhe abalou o corpo magro, quase o destroçando com a sua violência.

Joana pensou no comentário duro da mãe, na infelicidade de Isabel, na inocência refrescante de Catarina e no seu próprio futuro sem esperança.

— Não me respondestes, Joana. — O irmão curvava-se sobre ela.

— Pensámos que havíeis adormecido, tão imersa estáveis num mundo só vosso.

— Perdão, não me apercebi de que tínheis falado comigo. — Olhou, nervosa, do irmão para as irmãs e, por fim, para a mãe. Quantas vezes teria João tentado chamar-lhe a atenção antes de se ter levantado e aproximado dela? — Peço-vos perdão... estava a pensar... perdoai-me, que dizíeis?

— Gostávamos de saber quais as vossas ideias para um casamento feliz.

— Bem — começou ela, refreando o desejo de dizer que, dada a possibilidade de escolha no assunto, provavelmente nenhum casamento seria de todo melhor. — Creio que um casamento feliz depende inteiramente do facto de o casal ser belo, sendo-lhes, assim, mais fácil amarem-se na totalidade, não só com o espírito, mas também com o corpo. Partilhar...

A rainha Isabel não acreditava no que ouvia, espantada que uma dama pudesse falar assim. Ficou furiosa com o atrevimento da filha.

— Joana, creio que haveis esquecido quem sois. Desta vez, haveis ido longe demais.

Silêncio, total e insuportável. Mal se podia respirar.

— Não, mãe, não fui longe demais — retorquiu ela com ousadia, sabendo muito bem que era verdade, mas esperando que um pensamento inspirado lhe evitasse a censura severa que a esperava —, pois inspirei-me em vós e no pai, o casal perfeito.

Talvez tivesse sido audaz, mas deu resultado. Os irmãos, libertos da terrível apreensão de mais um conflito entre a mãe e Joana, aplaudiram, concordando, nervosos, enquanto a rainha observava a filha, duvidosa. Seria aquilo um sinal da crescente superficialidade e precocidade da filha e, se assim fosse, iria trazer mais problemas ao casamento com Filipe?

João convidou Maria a falar.

— Ainda não tivestes a vossa oportunidade. Vá lá, qual a vossa opinião?

Maria sabia que ele se lembraria de que ainda nada lhe fora perguntado. Naquelas tertúlias e discussões familiares, era comum ela ser deixada para último, mas nunca era excluída, pois João não o permitia.

— Creio que temos de ser filosóficos — interrompeu-se para causar efeito, esperando até os presentes se terem apercebido bem da nova palavra recentemente aprendida, prosseguindo depois. — Com esta abordagem, é mais que certo encontrarmos a felicidade em geral e no casamento em particular. — O olhar cintilou-lhe e corou até à raiz dos cabelos, enquanto repetia para si aquela profunda declaração, deliciada. Olhou para a mãe em busca de uma confirmação da sabedoria dos seus catorze anos.

Batendo palmas e rindo-se, João pediu-lhe que se explicasse.

— Quero dizer que temos de ser positivos. Não devemos procurar problemas e dificuldades, nem discutir mal-entendidos. Uma coisa assim. — Virou-se de novo para a mãe, desta vez em busca de apoio, o qual recebeu sob a forma de um sorriso caloroso e de um suspiro.

Naquela noite, porém, Isabel não tinha ânimo para uma reunião de família, nem para o rumo que a conversa parecia seguir e precisava desesperadamente de falar com João. Não queria ouvir mais. Desejou boa noite às filhas e mandou-as retirarem-se.

Assim que elas saíram, Isabel revelou o que sentia.

— Meu anjo, sei bem que deveis estar extenuado da viagem e deste cansativo serão, mas tolerai a vossa pobre mãe mais uns momentos, enquanto ela vos pede um favor.

— Querida mãe, não tendes necessidade de pedir, sou o vosso servo mais obediente e disponível. Dar-me-á a maior alegria fazer tudo para vos agradar. Vejo a preocupação no vosso olhar. Como posso ajudar?

— Falai com Joana. Apelai à sua boa natureza. Trata-se da escolha dos membros da sua casa. Ela está convencida de que desejo impor a minha vontade em todos os casos apenas por interesse pessoal. Não é assim. Procuro apenas dar-lhe o melhor apoio. Esta manhã, quando sugeri o deão de Jaen para a ajudar nas suas preces e confissões, recusou veementemente. — Ergueu-se e começou a andar pelo quarto.

— Noutras circunstâncias, eu cederia. Mas, João, ouvimos rumores tão inquietantes sobre Filipe e os seus hábitos devassos. Isto e, digamos, a pouco convicta dedicação e apego à nossa fé por parte de Joana, juntamente com a sua juventude, convenceram-me de que as pessoas que escolhi, em especial os conselheiros espirituais, são essenciais. Dar-lhe-ão alguma estabilidade no que poderão vir a revelar-se tempos extremamente difíceis.

— Sim, claro que falo com ela. Sei que me contará quais as suas objecções e tenho a certeza de que conseguirei afastá-las como sendo infundadas e injustificadas. Isso é decerto verdade em relação ao deão, que é um padre tão bondoso e afável. Depois, dou-lhe algumas sugestões. Ela costuma respeitar as minhas ideias, portanto não será difícil persuadi-la. Se me derdes uma lista de quem desejais que a acompanhe, podeis deixar o resto por minha conta. Não temeis, ela não saberá que sou vosso emissário. Agirei apenas como um irmão preocupado.

— Se pudésseis fazer isso pela vossa mãe. Sois o único que podeis dissuadir Joana das suas escolhas insensatas.

— Farei tudo o que estiver ao meu alcance para vos dar paz de espírito. Tal como vós, também eu desejo apenas que Joana tenha a seu lado aqueles de quem verdadeiramente precisa.

— Deus vos abençoe, meu anjo.

CAPÍTULO 3

O vivo sol matinal entrou furtivamente no pátio sem oferecer qualquer ponta de calor, e tanto os viajantes como os amigos congratularam-se pelas suas capas àquela hora madrugadora.

Tinham-se reunido havia já algum tempo, pensando que a partida teria lugar cedo, mas Isabel e Fernando ainda não tinham aparecido. Os cavalos e as mulas remexiam-se, impacientes por partirem, e os criados e soldados, cansados, apoiavam-se ora num, ora noutro pé, enquanto Joana sofria.

Olhava fixamente as portas que permaneciam vazias e perguntou:

— O que poderá estar a demorá-los, Zayda? Tanto tempo! Quero que isto acabe rapidamente.

Joana estava desesperada pelo início da viagem, uma vez que era obviamente inevitável. Mexia com dedos nervosos no chapéu de viagem de veludo vermelho, puxando pela enorme aba e fazendo e desfazendo os laços. Aconchegou o manto vermelho ao corpo, mas como isso não a aqueceu, abraçou-se na esperança de sentir algum conforto.

As gargalhadas das irmãs mais novas fizeram-na erguer o olhar. Aborrecidas pela falta de acção, haviam decidido praticar passos de dança, acabando tudo numa grande trapalhada, o que causara o riso.

Joana invejava-as, ciumenta da sua alegria despreocupada. Centrou rapidamente a atenção no irmão, que falava com um ar muito sério com a irmã Isabel. *Bruto*, sentado a seus pés, inclinara a cabeça, escutando atentamente todas as suas palavras e olhando para João, enquanto raspava o chão com as patas da frente, como se se sentisse impaciente por tomar parte na conversa.

— Querido *Bruto* — chamou-o Joana. — Meu lindo cão. Talvez não sejas muito bonito, mas és muito inteligente. Vou ter saudades tuas e das tuas habilidades.

João e Isabel vieram ao seu encontro, seguidos por *Bruto*.

— Tende coragem, Joana. — Isabel apertou-lhe as mãos. — Acreditai em mim, em breve a Flandres será o vosso lar.

— Mas estarei sozinha!

— Tereis uma corte espanhola, quase cem pessoas, um pequeno reino de Espanha só vosso!

Joana não se deixou convencer e Isabel tentou de novo.

— Joana, não fiqueis ansiosa. Não vai ser a provação que imaginais. Não sejais pessimista. Creio que é errado da vossa parte pensardes que Filipe e os flamengos são todos uns monstros. E já haveis esquecido as vossas ideias românticas de um casamento feliz? Vós e um cavalheiro belo e jovem chamado Filipe correspondereis certamente aos vossos desejos.

— Oh, Isabel, se ao menos eu fosse corajosa. Estou tão assustada que acho que o meu coração vai parar de bater. Vede como bate. Santo Deus, sinto-me doente.

João interrompeu-a.

— Estais a dizer disparates, Joana! Acabámos agora de comentar como invejamos a vossa força. Nunca estivestes doente!

A irmã ia protestar, mas João deteve-a.

— Nunca! Portanto, vá lá, querida irmã, já chega.

— Mas estou mesmo doente, a sério...

— Não se trata de uma doença, é a vossa recusa em enfrentar os factos — prosseguiu João, ignorando-a. — Não tendes escolha no que toca à pessoa com quem casais, nem ao local onde ides viver. Não há mais nada a discutir. E devo acrescentar que fazeis toda a gente infeliz com estes melodramas e há muitos que já se sentem cansados. Sabeis que vos amo do fundo do coração e não desejo ser duro, só falo assim para vosso próprio bem.

— Mas, João, pensei que ao menos vós compreenderíeis. — Estava destroçada, pois contara com o apoio dele.

— Querida irmã, apenas disse que possuís uma força extraordinária, algo que me foi negado. — Ergueu-lhe o queixo, forçando-a a olhar para ele, e brincou com o lábio inferior que Joana esticara num pretenso amuo. — Tendes força e ânimo para vos opordes a todas as adversidades! — Ignorou a refutação dela e insistiu: — Mostrai-me a Joana que nunca se dá por vencida. Mostrai-ma!

Ela olhou para ele com tristeza. Parecia que ninguém compreendia a intensidade do seu sofrimento por deixar a família, por não ter a seu lado um único amigo. Supunha que as damas de companhia eram aceitáveis, mas só as admitira com grande relutância; e, quanto aos padres, não eram do tipo de animar o espírito. Não conseguia invocar uma única história de amor, nem uma imagem de uma união alegre com o seu belo príncipe que a livrasse da sua desolação. Fungando baixinho, murmurou qualquer coisa sobre concordar com ele racionalmente, estando, porém, o seu coração demasiado ferido e destroçado para o aceitar.

— Que Deus vos abençoe. — Segurando-lhe o rosto entre as mãos, João passou-lhe os dedos pelas lágrimas que lhe cobriam as faces e beijou-a na testa. — Desejo-vos uma viagem segura e rápida. Quanto mais cedo chegardes à Flandres, mais depressa a frota regressa com a minha Margarida. Perdoai-me o egoísmo. — Riu-se, abraçando-a ternamente.

Ela devolveu-lhe os beijos e os abraços, agarrando-se a ele. Foi a última vez que se abraçaram.

Uma pancada seca da vara do camareiro deteve-lhe o pranto. O rei Fernando e a rainha Isabel atravessavam o pátio, dirigindo-se para Joana.

Fernando abraçou-a.

— Desejamos-vos o melhor, querida filha. Nunca vos podeis esquecer de que o vosso dever enquanto esposa e confidente de Filipe será de extrema importância para os vossos pais e para a Espanha. Confiamos em como vos mantereis leal no apoio ao vosso país e esperamos que aproveiteis todas as oportunidades para favorecer as suas causas. Que nunca se diga que haveis sido negligente.

E foi tudo. Não houve mais nada. Onde estavam as palavras de calor e afeição do pai que adorava?

Joana lamuriou-se:

— Continua a ser-vos impossível vir ao porto de Laredo?

— Joana, sabeis que não posso. Tenho de estar com as minhas tropas, a minha presença é imperativa e não posso desviar-me do meu dever. O dever para com o nosso país tem de vir sempre em primeiro lugar. Já devia ter partido, mas roubei uns dias para me despedir de vós.

Joana soluçou com o rosto coberto pela capa, mas algumas lágrimas escorreram até à mão enluvada do pai, poisando como diamantes entre os dedos cobertos de jóias. Dirigiu-se depois à mula, sendo ajudada a sentar-se na sela por figuras indistintas, enevoadas pelas lágrimas. Instalou-se, meia curvada, a infelicidade oculta pelo chapéu de abas largas, desejando que a mãe desse o sinal de partida.

Ouviu-se um ruído desordenado de ferraduras que escorregavam sobre o empedrado e os cavalos e mulas partiram, adquirindo rapidamente um ritmo regular, levando os cavaleiros para longe do castelo, arrancando Joana ao seio da família.

— Dir-vos-ei adeus da galeria — bradou João por cima do clamor dos cascos ruidosos.

Passaram pelo meio das duas enormes torres que guardavam a Porta Herreros, deixando Almazán para trás, em direcção ao desfiladeiro que os esperava.

De cabeça baixa, Joana mordeu o lábio, sem olhar quer para a direita, quer para a esquerda, pensando apenas no seu sofrimento. Magoava-a que, para os pais, não passasse de um peão do seu jogo de xadrez político. Como poderia alguma vez recuperar do golpe que fora aquela despedida?

Todavia, passado algum tempo, recordou-se das palavras de João e tomou uma decisão: a partir daquele momento seria mais positiva e assertiva; afinal, já não era uma criança a quem pudessem ralhar ou manipular. A partir de então era uma mulher, uma princesa, uma arquiduquesa, que o mundo tinha de ter em conta.

Inspirou fundo, endireitou-se na sela, satisfeita por a terem feito recordar-se do seu outro eu. Virou-se para olhar de novo o castelo, a torre da igreja mesmo ao lado, e acenou várias vezes. Talvez houvesse algumas figuras na galeria e uma delas fosse João.

A sua disposição melhorou e observou as montanhas atravessadas pelo caminho que seguiam. A vista era admirável: montes a perder de vista, cobertos de pregas de veludo verde, salpicadas aqui e ali por manchas castanhas, cinzentas e roxas. O seu olhar ergueu-se, acompanhando as encostas arborizadas, os rochedos, as escarpas e as cavidades sombrias e encobertas. Um belo fio de água prateada descia até ao vale, alargando à medida que caía, até desaparecer numa nuvem iridescente num lago muito azul. As águias elevavam-se, mergulhando e voltando a erguer-se sem esforço. Haveria certamente uma lição na sua vigilância, na espera constante, na sua capacidade de agarrar subitamente uma presa, segurando-a com tal tenacidade. Joana, porém, duvidava de que ela própria viesse alguma vez a ser assim paciente.

CAPÍTULO 4

O porto de Laredo nunca presenciara tanta gente, animais e barcos. Nunca se ouvira tanto barulho, nunca tivera tanta actividade. A vista da janela da cabina oferecia cenas incessantes de idas e vindas. Rapazinhos cambaleavam sob o peso de sacas cheias de mantimentos de última hora. Encarregados corpulentos atiravam pragas aos bois inquietos que não conseguiam manter as carroças imóveis. Sob o gemido colérico de guinchos e molinetes, os oficiais berravam ordens aos marinheiros. De todo o lado se ouviam pragas por causa de carga entornada, enquanto os embarcadiços que haviam descoberto as jarras de vinho demasiado cedo serpenteavam por entre os barris e os baús que enchiam o cais, numa cantoria desafinada. Os soldados, cujos deveres não haviam ainda começado, vagueavam por entre a multidão, gozando as gargalhadas bem-dispostas e as palmadas nas costas dos seus camaradas.

Joana, deliciada com a algazarra e decidida a não perder nada de tanta actividade, corria de uma janela para outra, encostando o rosto ao vidro. A sua cabina, à popa do galeão recentemente construído, ficava tão alta que lhe proporcionava uma posição privilegiada. Usando as janelas dos três lados, avistava bastante longe, tanto para a direita como para a esquerda.

A comitiva real chegara a Laredo havia várias semanas, mas ficara detida até disporem de vento favorável, esperado finalmente para o dia seguinte, 22 de Agosto de 1496, o que explicava a incessante actividade exterior.

Deteve-se para olhar para a carta talvez pela centésima vez. Era de Filipe e datava de 7 de Julho. Fora enviada à mãe, que lha dera. Sim, era uma carta do seu futuro marido, impaciente pela chegada da noiva. O tom ousado aborrecera a rainha, mas encantara Joana. Falava-lhe do desejo de um amante em estar com a sua amada e o seu coração palpitava sempre que lia as palavras que exigiam a sua partida imediata; senão, enviaria o embaixador espanhol para que a fosse buscar, pois recusava-se a esperar mais.

Beijou a carta antes de a entregar a Zayda, pedindo-lhe que a lesse de novo. Depois, aquele tesouro sem preço foi de novo guardado na sua caixa de jóias.

— Agora podemos tratar disto. — Joana pegou nos documentos que o almirante lhe deixara nessa manhã. A mãe insistira com ela para que tomasse parte em alguns dos preparativos da frota e ali estava o mais recente e último, segundo esperava. Os outros papéis haviam-se revelado completamente desinteressantes, meras listas dos tipos e nomes dos navios: a sua tonelagem, os capitães, as tripulações, o número de soldados e se eram da cavalaria, infantaria, ou arqueiros e por aí fora. *Ad infinitum* ou *ad nauseam,* como comentara com o tio, o almirante.

Apesar disso, Joana lera-os atentamente, sentindo algum conforto em saber que a França ficaria tão intimidada pelo poder e dimensão da frota que nunca se atreveria a pensar num confronto militar. Por outro lado, Filipe e os seus conterrâneos sentir-se-iam sem dúvida profundamente impressionados por aquela amostra do poder e da riqueza de Espanha.

A lista daquele dia era de provisões. Deu uma olhadela pelas colunas bem alinhadas e começou a lê-las ao conselho ali reunido, ou seja, a Zayda e a duas cadeiras vazias:

— Senhores, vejo que temos biscoitos de Sevilha; excelente. Azeite, sim, isso é importante, precisaremos sem dúvida de azeite. Peixe salgado e carne seca; óptimo, não poderia faltar. Que foi, Zayda? Não gostas. Diz aqui pêssegos, compotas e farinha, soa muito melhor, pensa só nos maravilhosos bolos, tartes e pão acabado de cozer. E que teremos nesta folha? Bem, o suficiente para uma festa: galinhas, ovos, manteiga e vinho.

— Minha Senhora, creio que podemos felicitar o almirante por estas excelentes escolhas que deliciarão o nosso paladar.

— É claro, tens toda a razão. Agradeço-vos a todos, cavalheiros.

— Deixou cair os papéis sobre a mesa, sacudindo das mãos aquela obrigação. Ainda pouco habituada ao leve movimento sob os pés, deu alguns passos tímidos até ao convés e agarrou a amurada para se equilibrar. Zayda envolveu-lhe os ombros com um xaile.

A chuva matinal dera lugar ao sol. A brisa brincava com as bandeiras e os pendões enrolavam-se e desenrolavam-se, as suas cores sobressaindo da floresta de mastros e cordame que subia e descia, oscilando suavemente no ondular lânguido. Joana não parava de se espantar com o número de embarcações. O almirante dissera-lhe que havia mais de cem, das quais vinte haviam sido construídas nesse ano. Pareciam todas novas, com a sua tinta e verniz brilhantes. Os gemidos suaves mas profundos da madeira e o rangido mais agudo das espias eram rudemente interrompidos pelos gritos furiosos das gaivotas mal-humoradas. Todos bradavam pela liberdade, impacientes pela busca de aventura.

Joana absorveu as vistas, sons e cheiros, repletos de estranheza. Relinchos e o ruído de cascos fizeram-na olhar para o cais. Os cavalos de João, a sua prenda para Filipe, estavam a ser embarcados num galeão ancorado ali perto. Os olhos encapuçados, incapazes de ver, tornavam-nos mais nervosos, resistindo à deslocação. Os criados incitavam-nos a subir a rampa instável com palmadas, festas e palavras doces, enquanto outros esticavam com força as cordas que os amarravam. Outros cavalos relinchavam bem alto o seu medo ao serem içados para bordo sem cerimónias, suspensos em faixas.

— Pobres animais. Tenho compaixão por eles, Zayda, é exactamente assim que me sinto. Estou a ser levada para terreno inseguro com os olhos vendados, mas que podemos fazer? Somos forçados a obedecer. Com o olhar, mirou para lá dos cavalos, ansiosa por avistar a mãe, que devia já estar a caminho. — A minha mãe não tem sentimentos. Aqui estou eu, pronta a ser despachada para aumentar a influência da Espanha para oeste, enquanto ela fica sentada à secretária, a escrever cartas para Inglaterra para selar o destino da minha irmã Catarina. É tudo tão cruel.

— Não é verdade, minha Senhora. Com a realeza, é assim que se passam as coisas. Na verdade, qualquer pessoa com posses não admitiria mais nada senão um casamento combinado.

— Seja como for, seria maravilhoso se, em vez de estar a escrever para Inglaterra, o fizesse para a Flandres a dizer que reconhecera o seu erro ao supor que eu daria uma noiva adequada.

— Que aconteceria, então, a todas as vossas histórias de amor? Relegadas para o lixo, indesejadas? E então a carta de Filipe, quase feita em pedaços devido ao número de vezes que foi desdobrada e lida, as palavras esborratadas pelos vossos lábios húmidos que as acariciam infatigavelmente?

— Querida Zayda, é claro que tens razão. — Joana começou a cantar: *esta jovem apaixonada / já não quer dormir sozinha...*

— Como sois maliciosa, Senhora minha!

CAPÍTULO 5

— Uma dupla tragédia, Senhora! — O almirante de Castela, Dom Fradique, quebrou o silêncio de descrença e horror de todos os que se haviam juntado ao longo da amurada. Testemunhavam as contracções comoventes do enorme galeão genovês do conde de Melgar. O enorme navio desajeitado embatera num banco de areia e contorcia-se agora, palpitante, como um animal apanhado numa armadilha, as velas a bater quais membros quebrados e inúteis. Os marinheiros saltavam para as águas revoltas, nadando para a segurança que os esperava nas embarcações mais pequenas em seu redor. Outros tentavam lançar à água as barcaças do galeão ferido.

Sem tirar os olhos do drama que se desenrolava perante si, Joana perguntou:

— Uma dupla tragédia? Que pode ser pior que a perda de vidas e daquela magnífica nau após tanto viajar por mares bem piores que este?

Era verdade, haviam tido a pior viagem que se podia imaginar. A baía da Biscaia apresentara-se de mau humor e a frota fora impiedosamente atingida pelos seus temporais e ondas gigantescas. Os viajantes tinham sido aprisionados na sua garra parda e ensopada, atormentados pelos sons alarmantes de madeira despedaçada e a lascar-se, cativos num mundo caótico e desordenado, um mundo de desorientação e náusea.

Nove dias mais tarde, e com grande dificuldade, a maior parte da frota conseguira abrigo nas águas amigas de Inglaterra, mas para alguns a batalha perdera-se, jazendo agora em paz no fundo do oceano.

Descansaram dois dias em Portsmouth, uma pausa bem-vinda e um agradável interlúdio. Joana foi festejada como princesa de Castela, tratada como princesa por direito próprio e não como filha dos monarcas de Espanha, nem como esposa do arquiduque Filipe. Depois, abençoados pelo regresso de ventos favoráveis, puderam zarpar mais uma vez. Essa parte da viagem levou-os pelo canal da Mancha em direcção aos Países Baixos.

Agora, seis dias mais tarde, a viagem aproximava-se finalmente da ansiada conclusão. Avistava-se terra e era apenas uma questão de horas antes de lançar a âncora e desembarcar os passageiros, gratos mas cansados. Parecia, porém, que até a sua chegada não se daria sem incidentes. Outro navio perdido, desta vez um importante.

Joana virou-se para o almirante, uma mão na amurada para se equilibrar, a outra segurando a gola da capa que esvoaçava ao vento. O seu rosto, envolto num lenço atado com firmeza em volta da cabeça e do pescoço, perdera muito da sua frescura.

— Mas, Dom Fradique, ainda não me haveis dito por que motivo é uma dupla tragédia.

— Grande parte do vosso dote viajava naquela nau, assim como muitas das jóias pertencentes aos vossos cortesãos. Receio não haver forma de recuperar o que quer que seja, pois em breve a nau ficará destroçada e afundar-se-á, espalhando a carga pelo leito do mar.

— Portanto, aqui temos: a orgulhosa esquadra que transportava a princesa de Espanha foi transformada numa frota de maltrapilhos que traz a bordo uma pobre de ar doentio, quase destituída. Que pensará Filipe ao ver perante si esta alma penada?

O almirante sorriu.

— Senhora, se me permitis, ele pensará que sois o mais belo dos seres. E quanto à perda, bem, tenho a certeza de que muito em breve tudo terá sido substituído por algo ainda melhor. É apenas uma tristeza ter acontecido agora, quando estamos tão perto do nosso porto. — Suspirou. — Bom, infelizmente não se pode voltar atrás. Não nos deixemos abater por estes tristes acontecimentos; pensemos antes como ireis encantar todos os que vierem ao vosso encontro. Como os seus olhos se deleitarão com esta bela visão de Espanha.

— Dom Fradique, sois o mais querido e amável dos tios e sem vós não sei como teria suportado uma viagem tão horrível. E agora dizeis essas coisas para me encorajardes. Oh, quem me dera que pudésseis ficar sempre a meu lado.

Já proferira aquelas palavras, dirigindo-as ao irmão, e agora, como então, sabia que não era possível. Aquela parte da missão do tio estava quase concluída e a seguinte — escoltar a princesa Margarida para Espanha — teria lugar muito em breve. Ir-se-ia, então, embora e ela perdê-lo-ia para sempre.

Iria sentir tremendamente a sua falta; teria saudades do seu rosto bondoso, dos olhos alegres e do sorriso suave que se abria na barba calorosa. Quem iria substituir um tal adversário no jogo de xadrez, quem mais a distrairia com os seus contos divertidos e quem seria um guardião tão atento? Ninguém. Estendeu a mão para lhe tocar, como se assim pudesse guardar o tio e aquele momento para sempre.

As palavras do almirante puseram fim às suas fantasias.

— E agora, minha princesa Joana de Castela, arquiduquesa da Áustria, as vossas damas esperam-vos. É altura de vos prepararem para a grande recepção.

Pegou-lhe na mão, levou-a aos lábios e depois largou-a, ficando a vê-la dirigir-se à cabina, pensando no que poderia ter acontecido. Agradeceu a Deus ter tido a previdência de, antes de partir de Inglaterra, ter transferido Joana da nau atingida para aquele galeão mais pequeno, mais indicado para ultrapassar aqueles famosos baixios e bancos de areia. Podia estar muito bem entre os que lutavam ainda pela vida, apesar da sua anterior insistência em como a realeza nunca se afogava. Era uma jovem corajosa, isso era verdade, e não se deixaria morrer sem uma boa luta.

— Controlai-vos — disse para si próprio, limpando os olhos e assoando-se a um grande lenço. — Deveis estar a ficar velho, permitindo-vos fantasias próprias de mulheres. Haveis desempenhado a missão que a vossa rainha vos confiou. Até aqui tudo bem. Não é preciso pensar em mais nada.

* * *

Um mar de sedas, cetins e veludos coloridos e luxuriantes envolvia Joana e três das suas damas, num amontoado soberbo de saias, corpetes, mangas, combinações, saiotes e véus.

— O azul, Vossa Alteza?

— Não creio, Ana. Após tantos dias no mar, terei a sensação de que me vou afogar em ondas de brocado. Evitaremos essa cor até termos esquecido esta viagem terrível, quando o azul nos recordar apenas o céu, os rios e os lagos suaves.

Beatriz ergueu uma saia de veludo branco, bordada com centenas de pérolas.

— Talvez branco, Senhora, branco para um novo começo. Como o papel antes de ser escrito?

— Que belo pensamento, tão poético! Mas hoje acho que necessitamos de uma cor mais forte.

— Então, um vestido vermelho — sugeriu Ana. — Adoro o vermelho, é a minha cor preferida.

— Não, é demasiado ousado — retorquiu Joana, antes de se decidir pelo amarelo. — Um vestido amarelo será perfeito. Sim, minhas senhoras, deslumbraremos o arquiduque Filipe com o calor dourado e o brilho do sol espanhol. E também nos animará o espírito. Comecemos, Maria.

Maria era a sua dama de companhia favorita. Era com ela que Joana se sentia mais à vontade, pois fora escolhida por si, tendo, por conseguinte, mais segurança no tocante a confiar-lhe os seus pensamentos mais íntimos. As outras haviam sido escolhidas pela mãe.

Maria dirigiu a complexa tarefa de vestir a sua senhora. Atarefaram-se, tagarelando, ansiosas mas concentradas. Naquele dia, mais que em qualquer outro, Joana tinha de ser vestida com extremo cuidado. Enquanto trabalhavam, as gargalhadas e as exclamações libertavam a tensão nervosa.

Maria inspeccionou atentamente o vestido de brocado, dando um pequeno puxão aqui, um toque ali de forma a que apenas a porção exacta da combinação se entrevisse nos golpes que desciam pelas mangas. Inspeccionou os pontos, acabados havia pouco, que uniam as mangas ao corpete e o cair deste sobre a saia. Depois, afastou as largas mangas, expondo exactamente quinze centímetros de forro de cetim amarelo e os punhos da combinação, bordados a ouro e vermelho. Em seguida, ajustou um peitilho de fio de ouro muito delicado, finamente tecido e coberto de rubis sobre o peito de Joana, esticando-o e pregando-o cuidadosamente à combinação. Por fim, fechou o fecho do colar com o seu enorme rubi, um presente de despedida da rainha Isabel.

— Vossa Alteza, estais radiosa. Ireis espantar e deliciar todos os que vos virem. — Maria falou por todas. — E agora o vosso cabelo. Beatriz, o penteador, por favor.

Desenrolaram-lhe da cabeça metros e metros de lenços de viagem e as suas tranças arruivadas caíam em ondas perfumadas, fruto da arte da sua escrava, que possuía todos os segredos do mundo misterioso dos óleos perfumados e seus poderes. Foram escovadas e entrançadas com uma fita, formando uma trança simples que lhe caía pelas costas.

Colocaram-lhe sobre a cabeça uma rede de ouro, sobre a qual Maria assentou um capelo de veludo negro, guarnecido com flores douradas, cada uma das quais ostentava no centro um minúsculo rubi.

Maria lançou um último olhar à sua obra, passando o olhar conhecedor sobre todos os pormenores, antes de permitir que Beatriz e Ana dispusessem o manto de veludo dourado debruado com pele de arminho sobre os ombros de Joana. Ajustou ligeiramente o capelo, certificando-se de que enquadrava na perfeição o rosto da princesa, caindo graciosamente sobre os seus ombros, e afastou-se dois passos para admirar a obra.

Joana olhou para as aias, esperando, ansiosa, o seu veredicto.

— Então, que pensais? Que tal estou?

As vozes delas atrapalharam-se, impacientes por lhe dizer como estava bela, como o vestido era perfeito e lhe ficava tão bem, como o bordado do capelo condizia magnificamente com os do corpete e da saia, como o arminho do manto e o branco da combinação, que espreitava de forma atrevida pelas mangas, completavam aquele quadro deslumbrante.

Ninguém veria as meias brancas, os sapatos amarelos, feitos de uma pele finíssima, nem as chinelas pretas que usaria sobre os sapatos, mas Maria sabia que lá estavam e tinha orgulho na perfeição do efeito geral.

Antes de se terem cansado de elogios, foram interrompidas por alguém que batia à porta. Fez-se silêncio, que substituiu o alvoroço de segundos antes.

Chegara por fim o momento em que Joana iria pisar aquele país diferente, o seu novo lar.

Perdeu a vontade de rir.

— Bendita seja a Virgem Maria, neste dia especial, protegei esta vossa filha, guiai-me nas horas que se aproximam. Ajudai-me a fazer e a dizer as coisas certas, ajudai-me, como haveis feito em Inglaterra, a desempenhar o papel de princesa real, ajudai-me a ocultar o nervosismo. Por favor, fazei com que gostem de mim, estai presente quando conhecer Filipe, fazei com que se alegre ao ver-me, fazei-o feliz por ter sido eu a escolhida para sua esposa. *Virgem Maria, cheia de graça, o Senhor está convosco, abençoado seja...*

Terminou a oração, recordou a si própria para reunir coragem, contar até dez e dar, então, as suas ordens.

Ao chegar a dez, ergueu a mão.

— Abri a porta, Maria, estamos prontas.

O capitão e a tripulação alinhavam-se ao longo do convés, esperando, de joelho curvado, o momento de se despedirem da sua preciosa passageira. Os seus brados de «Deus vos abençoe» acalentaram-na e, com um sorriso, Joana virou-se para lhes agradecer. Eles deram vivas, atirando os bonés ao ar.

O navio fora ancorado no cais de Bergen-op-Zoom, tendo sido aprontado um longo passadiço através do qual Dom Fradique conduziu Joana até ao passeio empedrado. Como era agradável pisar a solidez e a firmeza reconfortante daquelas pedras, apesar de parecerem subir e descer, quais ondas suaves. Os seus acompanhantes atarefavam-se a seu lado, enquanto o tio a admirava.

— Aqui estamos por fim, sãos e salvos, com solo firme debaixo dos pés e vós tão bela. Infelizmente, eles não estão prontos para a recepção. Saberemos o momento de avançar quando os nossos arautos, seguidos dos deles, tiverem anunciado formalmente a vossa chegada.

— Em Inglaterra foi muito rápido.

— Aqui é muito diferente. Tem de ser feito com toda a formalidade, segundo as regras do protocolo. — Não acrescentou que não compreendia o atraso e que estava preocupado. — Gostastes da nossa estadia lá?

— Foi maravilhosa! Foram todos tão amáveis e generosos na forma como nos receberam! Havia sempre multidões a dar vivas para onde quer que fosse e o governador e os magistrados, tão hospitaleiros.

— Infelizmente, a hospitalidade inglesa foi demasiada para muitos dos nossos marinheiros.

— O bom povo de Inglaterra desculpou-os, culpando a estranheza da cerveja ao causar tais bebedeiras.

— O «bom povo» quase se digladiou para ter oportunidade de vos ver, à excepção de um admirador que não necessitava de usar a força. — Sorriu, abanando a cabeça.

— Ah, o representante do rei.

— Como dizeis, Senhora, o representante do rei. É evidente que, segundo o protocolo, Sua Majestade estava proibida de vos ver.

— Regras, regras, regras! Era um bom ouvinte. Nunca conheci ninguém que demonstrasse tanto interesse em tudo o que eu tinha para dizer. Senti-me maravilhosamente crescida. — Deliciara-se com as suas calorosas atenções e as recordações desse dia eram excepcionais e guardá-las-ia para todo o sempre.

— Vou contar-vos um segredo. Quando ele se despediu para regressar a Londres, declarou: se Catarina, a irmã mais nova desta querida senhora, tiver metade da sua beleza, do seu encanto, da sua graça e da sua inteligência, então terei escolhido a melhor noiva para o meu filho Artur.

Joana abriu os olhos de espanto.

— Não! Não me estais a dizer que, afinal, ele não era o representante, mas o próprio rei Henrique! E ninguém sabia?

— Ninguém sabia. — Dom Fradique riu-se baixinho, deliciado com a admiração dela e levando um dedo aos lábios. — Ah, vejo alguma acção. Já não era sem tempo.

Transportando as trompetas e os estandartes com o brasão, que ostentava os castelos e os leões de Castela, os arautos haviam avançado para a frente do grupo. Os soldados formavam duas magníficas fileiras vermelhas e prateadas e os padres e cortesãos juntavam-se, prontos a colocarem-se segundo o respectivo estatuto e posição.

Uma fanfarra, seguida de outra ao longe, assinalou o início da procissão. Num passo lento e imponente, avançaram em direcção às portas da cidade.

Enquanto caminhavam, Joana agarrou a mão de Dom Fradique, sussurrando-lhe:

— Vedes Filipe entre os que nos aguardam?

— Não, Senhora, ainda não.

— Oh, Dom Fradique. — E apertou-lhe a mão com mais força.

— Esperai, esperai, tende um pouco mais de paciência — insistiu ele, controlando também a sua crescente inquietação.

Um pouco mais à frente, o coração de Joana começou a bater descompassadamente. Tentara tanto ser corajosa, indo buscar as forças necessárias para aguentar a recepção até ao fim, mas as coisas não estavam a correr conforme o planeado. Havia algo de errado. Tinha a certeza. Porque os haviam feito esperar tanto antes de se dar início ao cortejo? E por que motivo havia tão pouca gente reunida para a receber? A sua diminuta coragem desaparecia rapidamente.

Do seio de um comité de recepção bastante escasso, destacou-se um grupo mais pequeno. Joana observou as quatro figuras, consternada. Quatro pessoas: dois bispos, um padre qualquer e uma dama jovem.

Não havia mais ninguém! Ninguém mais se lhes juntou. Apenas aqueles quatro. Nada de Filipe. Não se encontrava ali.

Filipe não se encontrava ali!

Joana cravou os dedos no braço de Dom Fradique.

— *Ma chère Jeanne, nôtre soeur, sois bienvenue!* — a jovem dama sorriu e estendeu ambas as mãos para dispensar a Joana umas boas-vindas o mais calorosas possíveis. Joana largou o braço do tio a fim de corresponder à saudação e devolver o sorriso, num esforço débil e triste. As princesas beijaram as mãos uma da outra.

— Querida Joana, é tão bom ver-vos por fim, sã e salva após uma viagem tão longa. Sede bem-vinda ao vosso novo lar. — Após um silêncio constrangido, prosseguiu: — Sou Margarida e estou aqui para vos saudar em nome do meu irmão Filipe, que se encontra ainda em Innsbruck com o meu pai. Creio que as negociações não estão ainda terminadas, mas falaremos disso mais tarde, tendes necessidade de descansar. Vamos levar-vos para uma casa belíssima não muito longe daqui, que pertenceu ao meu avô. Gosto muito dela e tenho a certeza de que também vos agradará e que achareis tudo a vosso contento. Podereis descansar confortavelmente, enquanto os vossos pertences são descarregados, e tereis tempo de recuperar da viagem. Estou ansiosa por saber tudo de vós e da vossa família, em especial de João, o meu prometido. Quero saber absolutamente tudo...

Joana sabia que Margarida falava sem cessar numa tentativa de esconder o seu profundo embaraço. Quanto a si própria, necessitou de todas as suas forças para manter a dignidade e ocultar o quanto sofria. A insultuosa falta de honrarias e, como se isso não fosse suficientemente humilhante, a desconsideração pública por parte do seu futuro marido, que não mostrara qualquer respeito pela sua chegada, era insuportável.

Filipe sabia da sua chegada! Devia estar presente para a receber! Pensou na sua carta, em todas as suas palavras impacientes. Seriam apenas mentiras? Porque não estava ele presente? Porque se encontrava na companhia do pai? Onde estavam os nobres que deviam representá-lo?

Ficou ali, lutando corajosamente para controlar as lágrimas, de cabeça erguida, sorrindo e cumprimentando, enquanto lhe apresentavam diversas pessoas. No seu âmago existia apenas uma solidão avassaladora.

* * *

Não se lembrava de como ali chegara, mas encontrava-se sozinha no seu quarto. Assim que ouviu a porta fechar-se, abandonou-se ao desespero absoluto. Deixou-se cair no chão, chorando e soluçando, até gastar todas as lágrimas e toda a sua energia, deixando-se ali ficar, extenuada.

Maria fora instalada no quarto contíguo, de onde escutava com tristeza. Sabia como a sua senhora ficara ferida com os cruéis acontecimentos do dia e lamentava-o profundamente.

Dom Fradique, sempre fiel, caminhava de um lado para o outro, pensando no que se passara naquela tarde.

— Por tudo o que há de mais sagrado, que se passa aqui? Compreendi que algo não estava bem logo no início e foi por isso que mandei os soldados atrasarem a sua formação, na esperança de que, passado algum tempo, a chegada de mais nobres fizesse crescer aquele miserável grupo de secretários da cidade. Mas não, não arranjaram melhor que uns quantos padres, uma mão-cheia de cavalheiros e damas e a princesa Margarida — vociferou, furioso. — Pelos céus, sei de gente mais inferior que foi mais bem recebida.

— Não foi certamente a recepção que esperávamos — concordou Maria.

— E onde é que, em nome dos céus, está Filipe? Que jogo está ele a jogar? A sua obrigação é estar aqui, aqui mesmo, neste preciso momento! Como se atreve a mostrar um desrespeito tão flagrante depois de lhe ter alimentado as esperanças? Sei muito bem o que me apetecia fazer ao canalha.

— Quando a rainha Isabel e o rei Fernando souberem o que se passou aqui hoje, terão uma palavra a dizer — comentou Maria.

— Uma palavra a dizer? A sua ira não terá limites. Fiquei tão orgulhoso de Joana por ter mantido a dignidade até ao fim. Deve ter-lhe sido muito difícil, pobre menina. Tem todo o direito de dar largas à dor, agora que está sozinha. E afirmo que ninguém a poderá culpar. Mas eu estou aqui, protegê-la-ei. Não sairei do seu lado até a ver casada e em segurança ao lado do seu príncipe. E que seja em breve! Santo Deus, ele pôs-nos numa situação bem difícil!

Zayda passou silenciosamente por eles, entrando no quarto ao lado. Ajoelhou-se junto da ama, puxou-a para si e embalou-a.

CAPÍTULO 6

Mas na manhã seguinte chegaram cartas de longe.
Lá dentro, as palavras haviam sido escritas a tinta,
mas por fora firmavam-se em sangue.
Diziam que o seu Rolando morrera numa caçada em Roncesvalles.

— Oh, pobre senhora, que terrível. Foi exactamente isso que aconteceu ao marido da vossa pobre irmã Isabel. — Maria pegou no livro e fechou-o. — Pensei que ia ter um fim feliz. Porque não haveis lido a história em que a beleza da senhora conquista o seu amado e em como ele deseja que a fama dessa beleza se espalhe por todo o mundo?

Maria contemplou a ama, que descansava, pálida, sobre as almofadas do seu leito de doente.

— Foi por causa do poema — inquiriu num tom mais brusco do que tencionara — ou o quarto arrefeceu mais rapidamente do que é habitual? Seja por que for, vou guardar o livro e chamar alguém para acender o lume. Chega de histórias melancólicas; precisamos é de mais calor. A sério, Senhora, não sei porque insistis em vos pordes triste com estes contos deprimentes. Já estais suficientemente triste. Se eu fosse vossa mãe, nunca teria permitido que tais livros chegassem às vossas mãos.

Maria deixara de se dirigir à ama e resmungava agora contra o mundo. Moveu-se pelo quarto, escondendo o livro ofensivo e indo à porta chamar alguém que viesse acender o lume. Depois, voltou para junto do leito a fim de apaparicar a doente.

Deu laços nas largas fitas vermelhas que apertavam o pescoço e os punhos da camisa de noite de Joana e endireitou-lhe a touca branca e o xaile vermelho. Em seguida, afofou as almofadas e alisou a coberta de pele, sentando-se depois junto ao leito.

Um criado chegou, pressuroso, para tratar da lareira, pondo mais toros no lume, que ajeitou e arrastou, causando súbitos estalidos e uma chuva de ruidosas faúlhas vermelhas e amarelas. Depois de ele sair, o quarto ficou em silêncio, com a excepção do crepitar da lareira, do tiquetaque do relógio e do som da chuva, que um caprichoso vento outonal atirava contra as janelas.

A corte real dos príncipes era tão magnífica como o seu nome sugeria. Os aposentos de Joana eram magníficos, deixando todos boquiabertos e o quarto de dormir não constituía excepção. Para além de quente e confortável, era luxuoso e ela nunca vira nada assim. Das paredes pendiam sumptuosas tapeçarias que mostravam cavaleiros lendários que regressavam, triunfantes, de diversos feitos de valor. Todas as peças de mobiliário eram profusamente trabalhadas; as mesas ostentavam jarras, taças e estatuetas da mais fina porcelana. O elemento decorativo mais espectacular era o relógio de ouro sobre a cornija da lareira. Tinha a forma de um castelo. Estandartes dourados esvoaçavam dos cimos das torres e do telhado. Alguns cavaleiros descansavam indolentemente, apoiados nos escudos e outros guardavam a entrada. Das janelas debruçavam-se belas damas, cujos detalhes minúsculos eram requintadíssimos.

Quando Joana entrara pela primeira vez naquele quarto, alguns dias antes, ficara espantada com o seu esplendor, admirando todos os pormenores com gritinhos deliciados. Todavia, o frio intenso apagara--lhe essa alegria.

— Sinto-me tão infeliz! Quero ir para casa. Maria, nunca vivi tantos dias cinzentos e chuvosos; não admira que esteja doente. Creio que ainda tenho febre. Oh, aqui é tudo tão diferente e tão confuso. Sinto--me tão perdida e sozinha. — Os olhos encheram-se-lhe de lágrimas que ela deixou correr pelas faces.

Maria mergulhou o canto de um guardanapo numa taça de água fria e pousou-o suavemente sobre a testa e as têmporas de Joana.

— Bem sei, Senhora, as constipações parecem sempre piores quando estamos num lugar estranho.

Não podia deixar de notar que havia dias que a ama não tinha febre; embora não negasse o facto de ela ter estado, de facto, indisposta, a maior parte dos sintomas da constipação eram agora certamente imaginários. Era mais que certo que Joana buscava no leito refúgio de mais desapontamentos. Nunca recuperara bem da terrível questão da ausência de Filipe do comité de boas-vindas. Fora um choque pavoroso que lhe virara o mundo ao contrário. O facto de a irmã do noivo,

Margarida, não se encontrar em Antuérpia para a receber também não ajudara. Por outro lado, talvez a ama achasse que a notícia da sua doença podia chegar a Filipe, fazendo-o apressar-se para junto do seu leito.

— Mas o pior já passou — prosseguiu, afagando a testa de Joana.

— Tenho a certeza de que hoje não tendes febre.

— Tens a certeza? Dói-me tanto a cabeça.

Maria recusou-se a ouvir mais.

— Acho que devíamos falar da vossa chegada. Faria muito mais sentido.

— Queres dizer, quando Margarida não apareceu na recepção?

— Não, nem quero preocupar-me com isso. Estou a pensar em vós e em como haveis deixado todos espantados com a vossa beleza.

Joana lembrava-se do que se passara havia uma semana.

— Tens razão. Foi maravilhoso. Senta-te aqui ao pé de mim, na cama. Conta-me.

— Não sei se consigo lembrar-me de tudo — retorquiu Maria, instalando-se sobre a cama sem incomodar a ama —, mas tenho a certeza de que me ides ajudar se me esquecer de alguma coisa.

Joana recostou-se nas almofadas e esperou como uma criança espera que lhe contem uma história.

— Bem, chegáramos. Éramos um belo quadro: a nossa comitiva estendia-se pelos campos, alegre e a perder de vista.

— E tudo correu bem, não houve qualquer calamidade, ao contrário de anteriormente.

Maria ralhou-lhe.

— Tudo correu bem. Cerca das sete da tarde, já a luz do dia cedia lugar ao entardecer, parámos perante a aproximação dos representantes da cidade, dos padres e do bispo. Dirigiam-se para nós numa processão perfeita; o burgomestre vinha em último. — Maria riu-se.

— O seu discurso de boas-vindas foi horrível. Tive de evitar a todo o custo olhar para vós, pois teria desatado a rir-me. Deve ter sido o discurso mais longo e mais aborrecido que jamais ouvi.

— Interminável. A minha mula, um animal tão paciente, remexia-se inquieta, ansiosa por galopar. Quando ele terminou, já estava bastante escuro.

— Depois, a nossa entrada na cidade, nunca houve nada igual. Os sumptuosos veludos e brocados com as nossas cores pendurados das varandas, dos telhados, das janelas...

— Tens razão, Maria — interrompeu Joana, já esquecida da terrível constipação. — Havia trombeteiros e tamborileiros que abriam o caminho, seguidos de juízes, artífices e mercadores, todos aperaltados, com chapéus e mantos vermelhos, azuis ou verdes.

— E os cavaleiros do Velo de Ouro, Senhora, com as suas correntes de ouro de onde pendiam as ovelhas douradas, cada um acompanhado do seu pequeno pajem. E tantos senhores a ladear a procissão e alumiando o nosso caminho com tochas.

— A nossa corte estava igualmente esplêndida.

— Sim, sem dúvida.

— O meu vestido de fino brocado de ouro, com as suas pedras preciosas e as pérolas, estava perfeito e o meu tabardo de veludo branco, arranjado de forma a realçar o esplendor das saias. Sim, nesse dia, senti-me uma verdadeira princesa real.

— Como era apropriado. Mas onde íamos nós? Ah, sim. Segui-vos com seis dos nossos nobres, todos envergando ricos brocados; evidentemente, as nossas montadas ostentavam cobertas de veludo vermelho ou azul. Que bela visão! Foi perfeito, absolutamente perfeito.

— E as multidões, Maria!

— Sim, ladeando as ruas, ou debruçadas das varandas e janelas, saudando e bradando: longa vida à princesa Joana de Castela.

— Lembro-me bem, como poderia esquecer-me? Levou tanto tempo que, quando aqui chegámos, era muito tarde. As salas estavam profusamente iluminadas por centenas de velas, cujas luzes se multiplicavam através dos enormes espelhos, reflectindo-se nas paredes. Tens razão, foi um dia magnífico. Na verdade, não me esqueci, Maria, sentia apenas demasiada pena de mim própria e recusava-me a recordar.

Maria ficou contente por melhorar o estado de espírito da ama.

— E tenho mais boas notícias: a arquiduquesa Margarida e a avó, Margarida de York, vêm a caminho, visitar-vos, e...

— E?

— E creio que trazem boas novas de Filipe.

Com a ponta dos dedos, Joana traçava linhas sobre a colcha de veludo.

— Então, ele arranjou tempo para lhe escrever, mas a mim não. Tenho apenas uma única carta, onde fala da sua grande impaciência. — Pegou na amada carta, que se rasgava pelas dobras, e atirou-a impacientemente para cima da cama, amuada. — Seja como for, ele devia ter partido de imediato assim que soube que estávamos na Flandres.

— Haverá uma boa explicação.

— E sei que agora não está com o pai. Disseram-me que foi caçar.

— Por vezes, os homens precisam de se divertir a seguir a negociações difíceis.

— Como pode ele deixar-me aqui sozinha durante tanto tempo? Somos estrangeiros, não temos protecção.

Maria mudou de assunto.

— Alegrai-vos com a visita da sua irmã.

— Mas não quero conhecer a avó. Essa ideia aterroriza-me. Vê como me tremem as mãos.

Margarida de York, avó de Filipe, conspirava intensamente havia anos para arrancar a coroa inglesa das mãos dos Tudors a fim de a devolver à Casa de York. Também se esforçara incansavelmente para que Filipe casasse com a sua sobrinha, Ana de York. Restavam poucas dúvidas de que consideraria Joana uma pobre substituta.

— Sabes qual é o seu aspecto? Imagino que seja alta e imponente e me faça sentir deste tamanho — queixou-se Joana, indicando com os dedos um espaço ínfimo.

— Nunca a vi, mas disseram-me que é magra, muito elegante, e foi considerada uma beleza excepcional no seu tempo.

— Já calculava — resmungou Joana. — Uma metediça, sempre a interferir com o seu poder, tinha também de ser bela. Perante ela, vou desaparecer, como se fosse um pedaço de cera que se derrete junto de uma chama.

— Que vergonha, vós, com a vossa beleza, a vossa juventude e inteligência e tudo o mais? Nada vos acontecerá junto de Margarida de York. Além disso, ela é tão velha, que a sua chama já vacila, prestes a apagar-se.

— Oh, Maria, que bela imagem, a sério.

CAPÍTULO 7

Era o entardecer de meados de Outubro. Um ou dois dos cortesãos de Joana jogavam xadrez, outros jogos de cartas, enquanto outros preferiam conversar. Os músicos tocavam uma das suas baladas preferidas. Flautas e uma viola de gamba acompanhavam dois cantores, enchendo a sala com a sua rica melodia. Sentada, enquanto escutava aquela terna história de amor não correspondido, deixou passear o olhar pela sala, uma das mais belas da mansão Berthout Mechelen. Encontrava-se ali havia seis dias e, durante esse tempo, a sua disposição e a da sua corte vinham a melhorar levemente. Um ar de expectativa substituíra o desânimo anterior. A espera e a incerteza terminariam em breve.

Os pensamentos de Joana passaram da música aos maravilhosos acontecimentos dessa manhã.

Margarida trouxera óptimas novidades: Filipe deveria chegar nesse dia à noite. Viria vê-la no dia seguinte e o seu casamento seria abençoado oficialmente na catedral daí a dois dias.

Filipe ia chegar! Vê-lo-ia no dia seguinte! Ficara tão entusiasmada que abraçou e beijou Margarida. As duas haviam-se tornado quase como irmãs. Sorriu ao recordar-se da animada conversa sobre os respectivos casamentos e de como tinham tentado vencer-se uma à outra no louvor dispensado aos respectivos irmãos. Joana sentia-se inquieta, pois sabia que não fora totalmente honesta com a futura cunhada. Não podia e não iria contar-lhe tudo sobre João.

Engoliu em seco, recordando-se das palavras que proferira e do que deixara por dizer. Referira a gaguez de João, mas não mencionara o facto que costumava perturbar os que o conheciam, sendo muito embaraçoso para os que não o conheciam. Porém, o pior de tudo, ficara muito longe da verdade em relação aos seus outros problemas de fala, para já não falar da sua timidez, do facto de o lábio inferior se estender tanto para além do superior, já de si defeituoso, que fazia com que... não, tivera o maior cuidado em evitar tudo isso, dizendo apenas que tinha uma voz indistinta e uma forma de falar muito desajeitada.

Desculpou-se com a firme crença de que, assim que Margarida o conhecesse, logo descobriria como era uma pessoa maravilhosa, que era tudo o que interessava. Seria amada e protegida por uma pessoa delicada e compassiva. A sua nova vida junto dele compensá-la-ia inteiramente por todos os anos passados em França à espera de um casamento que acabara por não ter lugar, seguidos pelo longo período em que ficara detida e fora tratada pouco melhor que uma prisioneira, antes de lhe ser permitido regressar a casa. Como noiva do *anjo*, seria também alvo do amor e afeição da rainha Isabel.

Após afastar os remorsos, recostou-se no assento, sendo imediatamente acometida por outro. Ainda não escrevera para casa e já haviam passado três meses desde que partira de Espanha. Deveria fazê-lo em breve, mas não enquanto escutava as suas canções preferidas.

O tambor, o tamborim e as flautas baixo e tenor tocavam agora uma alegre canção sobre uma jovem que guardava cabras e a quem os jovens pastores atormentavam.

> *Oh, menina que guardas as cabras*
> *Com as saias pelos joelhos,*
> *Diz, bela menina das belas meias,*
> *Que gostas de nós, pobres pastores.*

Acompanhou a música, marcando alegremente o ritmo com os dedos nos braços da cadeira.

A música esmoreceu. Os cortesãos mais próximos da porta haviam sido os primeiros a ouvir os passos apressados e aflitos que se aproximavam, e as vozes alteradas, cada vez mais próximas. Dom Fradique, de espada desembainhada, foi o primeiro a chegar-se à porta.

O medo regressara e espalhara-se pela sala. Foram bruscamente recordados de que não passavam de estrangeiros numa terra estranha e que a sua senhora ainda não casara com o governante.

Joana ficou sentada, tensa e aterrorizada. Pensava apenas na detenção de Margarida em França, quando o seu contrato de casamento fora quebrado. Iria este casamento dar em nada? Seriam aqueles sons ameaçadores o bater das botas dos soldados?

As portas foram abertas bruscamente e Dom Fradique, embainhando a espada, ajoelhou-se.

— Dom Fradique, almirante de Castela, Senhor. — Reconhecera-o dos inúmeros retratos que vira e não através da figura molhada e suja de lama que lhe estendia uma luva enlameada para que a beijasse.

— Bem-vindo, Dom Fradique. Na verdade, calorosas boas-vindas para todos. Muito me agrada recebê-los nas minhas terras e espero que a vossa estada seja agradável. — Fez sinal a Dom Fradique e aos restantes que se levantassem e entrou na sala, procurando com o olhar.

Os cortesãos olharam para o almirante em busca de uma explicação, mas este encolheu os ombros, abanou a cabeça, ergueu o olhar para os céus e murmurou para o camareiro-mor de Joana:

— Parece impossível! Desafiou todas as regras do protocolo. Esperemos que se demore muito pouco, visto ter decidido dispensar uma audiência formal. Quantas vezes desde a nossa chegada tenho agradecido o facto de a rainha Isabel não se ver obrigada a testemunhar uma tal impertinência da parte deste jovem arrogante? Digo-vos que o sinto no âmago que é intenção dele insultar-nos com todos os seus actos.

Joana ouvira as boas-vindas de Filipe. Ouvira-lhe a voz, forte e confiante, calorosa e enérgica. Qual seria o aspecto do dono de uma tal voz? Que pensaria dela? Entrou em pânico, pois chegara o momento do encontro e ela não estava preparada.

Puxou a manga de Maria.

— Devíamos conhecer-nos amanhã e eu traria o vestido criado especialmente para essa ocasião. E aqui estou eu, envergando uma saia e um corpete tão feios. Vai pensar que não passo de uma criada. — Mirou ansiosamente o seu traje: uma saia de veludo verde com um avental de cetim verde a condizer, um simples corpete preto apertado com fitas, ornado apenas com minúsculas esmeraldas e pérolas. Não se avistava qualquer outra jóia. — E o meu cabelo, puxado para trás e simplesmente enrolado.

O almirante falou, desesperado por conferir alguma formalidade àquela situação desesperada.

— Senhor, com a vossa permissão, permiti-me que vos apresente...

— Onde está a minha noiva? Onde está a minha princesa espanhola? Bom, deve certamente ser esta!

A voz, aquela voz magnífica, detivera-se defronte dela.

Joana ergueu-se com pouca firmeza. Apertou as mãos com força, de cabeça baixa e o olhar fixo nos nós dos dedos esbranquiçados; o bater do seu coração, de tão alto, devia ouvir-se em toda a sala. Apareceu uma mão magra e ela fechou os olhos, enquanto uns dedos longos e suaves lhe erguiam lentamente a cabeça.

— Joana? Será esta bela donzela a minha Joana?

A voz encantou-a e ergueu o olhar para ele. Reteve a respiração. Era inacreditavelmente belo. Tão alto, tão atlético! Tinha o rosto mais belo que Joana jamais vira, com que jamais sonhara. A sua pele era clara e rosada e o cabelo castanho-claro, quase louro. Os olhos eram enormes, suaves e muito azuis. E a boca orgulhosa de lábios cheios era sensual e tentadora.

— Joana, não me tinheis dito que éreis tão bela! Nunca esperei um tal tesouro por esposa. Caros senhores, podeis retirar-vos.

A paciência de Dom Fradique foi de novo testada. Aquela ordem do príncipe desafiava todos os códigos de honra e o bom nome de Joana estava em risco. Porém, ele não tinha qualquer poder perante aquele jovem e era-lhe difícil suportar a frustração. Olhou para Joana e pigarreou, revelando o seu desagrado.

Joana observou toda a gente a sair da sala, captando pedaços dos seus comentários em voz baixa: inaceitável, reputação, comprometer, amantes, fascinada, sob o seu feitiço.

Ficaram a sós.

— Perdoai-me, querida Joana, pela minha longa e descarada ausência. Como fui louco. E vós, aqui sozinha. Dizei que me perdoais.

Quantas semanas passara ela só, saudosa, terrivelmente infeliz e até mesmo com medo? E ele, não a aterrorizara ainda mais havia pouco com o som das botas ferradas a aproximar-se? E agora pedia-lhe que lhe perdoasse.

— Perdoar, meu Senhor? Não há nada a perdoar.

— Senhor, não! Quero ouvir-vos dizer Filipe. A vossa bela voz com esse sotaque encantador é música para os meus ouvidos. Deixai-me ouvir-vos pronunciar o meu nome. Dizei «perdoo-vos, Filipe».

— Perdoo-vos, Filipe.

— Oh, que felicidade. Sinto-me no céu. — Ergueu-lhe o rosto e beijou-a. Beijou-a de novo, ao de leve, mas da terceira vez demorou-se sobre os lábios trementes. Afastou-a de si para a admirar de novo e ficou encantado com o que viu. Não podia acreditar na sua boa sorte.

Nunca desejara desposar uma princesa de Espanha. Na verdade, a simples ideia de se ligar fosse como fosse a esse país era para ele um anátema. Opusera-se fortemente por se ver forçado a este casamento como parte do tratado entre o pai e Fernando e Isabel. Certamente que o casamento da irmã com o filho deles seria suficiente para selar o negócio!

As suas simpatias pertenciam à França e não esperava mudar. Fora educado à moda da Borgonha francesa e a sua língua materna era o francês. Por conseguinte, era muito natural sentir apenas desprezo por essa terra para além dos Pirenéus, permanentemente em conflito com os seus amigos franceses.

Todavia, nunca esperara aquilo. Uma bela donzela para se deitar com ele: servia certamente para dourar a pílula e tornaria as suas obrigações conjugais para com as casas austríaca e espanhola muito mais fáceis.

E Joana? A sua timidez dissolveu-se. Sentia-se cada vez mais deliciada por ele a olhar, por lhe afagar os cabelos e lhe tocar suavemente nas faces. Filipe passava-lhe os dedos pelos lábios, cobrindo-lhe depois o rosto e os lábios com mais beijos. Os seus modos sedutores deram--lhe coragem para erguer as mãos e acariciar-lhe as curvas dos seus lábios sedutores, delineando a boca que cobrira a dela, acordando no seu seio sensações novas e desconhecidas.

Joana sabia que não deviam fazer aquilo antes da bênção do casamento, mas não se importou. Ainda havia pouco desejava ardentemente regressar a Espanha. Agora ansiava apenas por mais beijos. Estava impaciente por ser de novo abraçada, desesperada por lhe devolver os beijos com outros, ainda melhores.

— Que pensais, Joana?

— Que devo estar a sonhar.

— Joana, abençoado seja o teu coração, isto não é um sonho. Só nos falta a bênção e, assim que a tivermos, seremos marido e mulher.

— Beijou-a de novo, os beijos cada vez mais ardentes e acendendo no seio de Joana fogos desconhecidos.

Afastou-se dele, ofegante.

— Temos apenas de esperar dois dias, Filipe, e depois... — não se atrevia a pensar mais além.

— Dois dias, Joana? Que história é essa?

Confusa, ela retorquiu:

— Margarida disse-me ainda hoje que os preparativos finais da cerimónia estarão concluídos daqui a dois dias. Certamente não percebi mal.

Ele riu-se dela.

— Sim, bem sei que são esses os planos. Mas porquê esperar? Isso é apenas uma cerimónia pública para satisfazer os outros. Podemos decidir por nós próprios quando devemos abençoar-nos. Na verdade, porque não fazê-lo imediatamente?

Filipe ajoelhou-se defronte dela, qual criança implorando um favor especial.

A mente de Joana sobressaltava-se. Casar-se agora, tornarem-se marido e mulher nessa mesma noite. Era o que mais desejava, mas que diriam as pessoas? Não interessava. Estavam no país de Filipe, era ele quem decidia e todos lhe obedeciam. Como os outros, ela encontrava-se às suas ordens. Sorriu-lhe e fez um aceno afirmativo com a cabeça.

Ele deu um salto e, agarrando-a pela cintura, ergueu-a bem alto.

— Querida Joana, minha preciosa. Agora só nos falta um padre.

Joana lançou a cabeça para trás, rindo-se maliciosamente.

— Eu tenho o padre ideal, o meu capelão, o deão de Jaen. É tão sério e tão rígido. A minha mãe insistiu que o trouxesse como confessor, embora eu tivesse preferido ter alguém mais simpático. Ambos não podiam suspeitar qual seria o seu primeiro dever.

Ele riu-se com ela, pensando como aquilo enviaria a Espanha um sinal tão positivo; dir-lhe-ia que ele era o amo da sua própria casa e não admitiria interferência daquelas bandas. Alegrou-se de novo. Aquela união política trouxera-lhe uma amante calorosa e vibrante em vez de uma esposa frígida. Beijou-a de novo como a selar o acordo, dirigindo-se depois à porta para chamar a corte.

Depois de todos reunidos, mandou chamar o deão de Jaen para que lesse a santa bênção da sua união. Já! Imediatamente!

Era inaceitável. Dom Fradique comunicou a sua total desaprovação, pigarreando fortemente, mas era uma causa perdida. Joana não via nem ouvia mais ninguém para além de Filipe. Seguia todos os movimentos do seu príncipe, bebendo todos os seus actos. Ele olhou para ela, com o desejo no olhar, e ela desejou que ele a abraçasse contra o peito com os seus braços fortes e ali a mantivesse para sempre.

CAPÍTULO 8

Era um mundo de uma riqueza desconcertante, perpetuamente em festa. A vida era uma longa celebração. As festas, os bailes e os torneios realizados em todas as paragens das suas viagens, cada um mais esplêndido que o anterior, proclamavam que as despesas não eram um problema. Comparado com Castela, onde os prazeres se mantinham simples e sempre sob o olhar crítico dos ascéticos padres, aquele novo estilo de vida foi uma revelação para Joana e ela mergulhou nele com uma ousadia jubilosa.

Filipe era mais galante que qualquer cavaleiro dos poemas narrativos que Joana já lera. Escolhera novas cores para os torneios, verde e amarelo, para proclamar publicamente o seu amor por ela. Todos sabiam que o verde representava o amor cortês, o amor de um jovem cheio de esperanças. O amarelo era pela satisfação, mas era ainda mais, um jogo de palavras: Joana, igual a Jeanne, igual a Jaune, que significava amarelo. Era especial para Joana e para mais ninguém. Ficou tremendamente orgulhosa, com o coração a rebentar de amor pelo seu cavaleiro, na sua armadura dourada, galopando para a tribuna para a cumprimentar. E provava à avó dele, Margarida de York, que se sentava ao lado de Joana (como sempre), que Filipe era muito feliz com a sua esposa espanhola. Uma felicidade delirante enchia-lhes os dias, as semanas, os meses e nada mais interessava.

Todavia, passados alguns meses, a euforia começou a apresentar brechas e os problemas a erguer a sua cabeça repulsiva.

Joana percorria o pequeno salão, onde devia encontrar-se com o almirante. Segurava na mão uma carta da mãe; a primeira parte encerrava uma reprimenda, pois ela não tinha ainda escrito para casa. Estivera demasiado ocupada a divertir-se, até há pouco tempo.

A segunda parte da carta era uma repetição da ordem dada pela mãe ao almirante: *dizer ao duque Filipe para dar a Joana os vinte mil escudos decididos e acordados e que eram necessários para manter a casa e o seu estado. Sabemos que tal não foi feito.*

Era verdade. Joana não pudera pagar aos seus cortesãos. Os que tinham aposentos nos palácios reais não ficavam tão prejudicados, mas para quem tivera de arranjar alojamento, a vida ficara bastante difícil. Era necessário pagar esses alojamentos, o que significava terem de vender roupas e jóias. Em diversas ocasiões pedira dinheiro a Filipe e ele respondera-lhe sempre que trataria disso a seu tempo, mas nada fizera. Era verdade que ela não insistira, principalmente porque se esquecera, mas também porque tinha vergonha de pedinchar o que lhe pertencia por direito. Os olhares desdenhosos do secretário e do tesoureiro de Filipe recordavam-lhe, embora sem necessidade, que ela não tinha qualquer autoridade na corte. Então, era melhor ignorar o problema.

Infelizmente, o tio estava à espera de ser recebido e Joana via-se obrigada a discutir as questões financeiras da sua casa, quer gostasse quer não.

Maria abriu a porta e lá estavam o tio e o camareiro-mor. Ia sem dúvida ser uma reunião muito séria: dois homens muito experientes e conhecedores e ela, tão jovem e tão ignorante daqueles assuntos práticos.

Trocaram-se saudações formais e depois, olhando uns para os outros, todos esperaram que alguém abrisse a discussão.

Joana engoliu em seco, com a carta a tremer-lhe na mão.

— Sei por que motivo haveis pedido esta entrevista, senhores, a minha mãe menciona-o.

— Na verdade, Senhora, viemos informar-vos de que nos vamos encontrar com o arquiduque esta tarde — retorquiu Dom Fradique, mostrando-lhe a carta que recebera da rainha Isabel.

— Sim, Senhora — prosseguiu o camareiro. — Não podemos permitir que isto continue. É inaceitável que gente nobre sofra privações e dificuldades e que viva em condições muito inferiores ao seu estatuto. Não parece bem, Senhora. Devemos manter certos padrões. Está em jogo a nossa honra. Peço-vos perdão pela minha ousadia, mas alguma coisa tem de ser feita e sem mais tardar.

Ele tinha razão e Joana esperava que, na sua posição de camareiro--mor, tivesse êxito junto de Filipe. Afinal, era aos camareiros que cabia o tratamento das questões financeiras e não a ela; por outro lado, ele não iria desfazer-se em lágrimas quando Filipe se zangasse por lhe pedirem de novo a mesma coisa.

— Tendes razão. Já abordei essa questão muitas vezes com o meu senhor e estou convicta de que Chimay não está a cumprir as instruções dele. — Seria aquilo convincente ou todos saberiam que Filipe e a sua corte ignoravam flagrantemente os pedidos dela? — É melhor que vós, como camareiro-mor, lembreis ao meu marido o acordo de casamento e insistais em que a pensão seja depositada imediatamente no nosso tesouro. Então, ficará tudo tratado e podemos prosseguir a nossa vida.

Dom Fradique não se mostrou nada confiante.

— Espero que tenhais razão, mas tenho muitas dúvidas. Pode ser que tudo o que é flamengo me levante suspeitas imediatas, mas tenho a sensação de que, desde o início, nós, os espanhóis, não fomos bem-vindos. Somos desdenhados e ouvem-se sussurros e risos abafados por detrás das nossas costas.

Portanto, o tio também notara.

— Oh, tenho a certeza de que vos enganais. Então, estamos a passar um tempo maravilhoso, em caçadas, festas e bailes. Todos se divertem juntos. Apenas vejo rostos felizes e gargalhadas.

— Há um assunto sério de que tenho de falar. — O seu tom era duro. A mudança de tema para os passatempos da corte aborrecera-o e ele queria que Joana o percebesse. — Esperava não ter de vos falar disto. A minha esquadra devia ter partido há muito e ter já chegado a Espanha.

— Sim, eu sei que Margarida devia ter partido há semanas, mas Filipe odeia ter de se separar dela e não a deixa ir. Tenho é pena do meu pobre irmão, que tem de tolerar uma espera tão prolongada, ansiando pela noiva.

— Não posso incomodar-me com o que Filipe ou João querem. O melhor é falar claramente do que eu quero — respondeu, irado. — Tenho de pedir a Filipe pela enésima vez que alimente os nossos soldados. Enquanto vós dançais, cantais e jogais os vossos joguinhos imbecis, bons soldados espanhóis têm vindo a morrer. Morrem de frio, de fome ou sabe-se lá de que doenças! Há muito que as nossas provisões acabaram e o fundo que nos destinaram se esgotou!

— Dom Fradique, por favor acalmai-vos. — Joana sorriu para o consolar. — Meu Deus, haveis ficado vermelho. Fico preocupada por vos ver tão zangado. É claro que me entristece o facto de termos perdido alguns dos nossos homens, mas sabeis tão bem como eu que a morte ceifa homens constantemente através da fome e da doença; em todo o lado e não apenas aqui. Talvez estejais a envelhecer, querido tio, e é por isso que essas mortes vos afectam tanto.

Chegara a hora de ela saber a verdade.

— Ninguém pode ficar indiferente perante a morte de nove mil homens! — E confirmou aquele número terrível com um aceno de cabeça.

Tinham morrido nove mil homens porque a rainha Isabel quisera impressionar o mundo com o poder da Espanha e enviara uma armada ridiculamente grande. Tinham morrido nove mil homens, porque Filipe chegara mais de um mês atrasado e depois não suportara a ideia da partida da irmã. Tinham morrido nove mil homens porque o tempo invernoso piorara tanto que era impossível os navios zarparem. E muitos mais podiam ainda morrer.

— Que posso dizer? Lamento tanto. Se ao menos...

— Eu devia ter tento na língua, mas não passo de um idiota. Vós não podíeis fazer nada, mas o arquiduque tem de ajudar. — Pegou-lhe na mão. — Querida menina, não vos devia ter sobrecarregado com isto. Ide e preocupai-vos com o que haveis de vestir para o baile desta noite.

Estaria zangado com ela? Faria troça? Estaria a tentar dizer-lhe que chegara a altura de Joana partilhar alguma responsabilidade? Não tinha a certeza, mas pensou ser preferível supor que ele estava verdadeiramente preocupado com a sua felicidade e lamentava ter deixado escapar aquelas notícias tremendas.

Joana escutou e concordou com todos os pontos que iriam apresentar a Filipe. Disse-lhes que tinha a certeza de que seriam bem--sucedidos. Despediu-se e ficou a vê-los sair da sala. Por momentos, ficou pensativa, pois as coisas estavam sérias. Todavia, Filipe iria responder generosamente a todos os seus pedidos por uma questão de honra.

Chamou Maria com o coração pesado e pediu-lhe que a acompanhasse à sala de vestir para a ajudar a preparar-se para o baile que agora lhe parecia tão deslocado. Contudo, todos os pensamentos desagradáveis se desvanecerem, à medida que saiotes, camisetas, saias azuis, corpetes e, por fim, mangas eram atados, abotoados, laçados ou cozidos no seu lugar. Quando todo o procedimento chegou ao fim, Joana antecipava já, feliz, a alegria do banquete e do baile que se lhe seguiria. Margarida chegara e iria juntar-se a eles, o que asseguraria uma noite animada. A sua companhia era sempre tão divertida; sabia sempre as melhores adivinhas e contava histórias divertidíssimas.

* * *

Joana e Margarida estavam sentadas juntas a descansar depois de dançarem, rodeadas por algumas damas e cavalheiros da corte. Todos competiam entre si para contar a melhor adivinha.

— É a minha vez — insistiu Joana.

> *Brando é o campo,*
> *Negra é a semente,*
> *O homem que semeia*
> *É bom conhecedor.*

Madame Halewyn, uma mulher duríssima que Filipe colocara recentemente entre o pessoal de Joana, olhou-a desdenhosamente do alto do seu nariz bem esculpido.

— Toda a gente sabe essa! — E, sem dar a ninguém a oportunidade de adivinhar, disparou-lhe a sua própria adivinha.

> *Ao pé de um boi é pequeno,*
> *Ao pé de um ovo, ainda é mais pequeno.*
> *É mais amargo que a bílis,*
> *Mas mais doce que uma alface.*

Joana ficou totalmente perplexa e nada lhe ocorreu. A intenção da Halewyn seria fazê-la passar por estúpida? Margarida pegou na mão dela, rindo-se.

— Porque dirá ela adivinhas tão difíceis quando sabe perfeitamente que nenhum de nós tem a inteligência suficiente para adivinhar a resposta? E onde é que as vai buscar? Portanto, Halewyn, dizei-nos o que é essa tal coisa minúscula.

— Acho que vós fingis não saber, mas pensei que a princesa, tão culta, teria reconhecido uma amêndoa imediatamente — cortou Madame Halewyn.

— Não, não, assim não vale — comentou Margarida para o grupo, encorajando os seus protestos. — Era demasiada obscura e nada inteligente. Seja como for, quero contar-vos uma história interessante sobre aquele cavalheiro muito alto que está além, o magro com uma expressão séria.

Seguiram-lhe o olhar até o identificarem e Joana sussurrou:

— É Dom Francisco de Rojas, o embaixador dos meus pais perante o vosso pai.

— Exactamente, e a minha história é sobre ele.

Aproximaram-se mais uns dos outros, os homens sentados aos pés das damas, alguns apoiados nos cotovelos no meio das longas saias, todos ansiosos pela coscuvilhice.

— Bem, quando ele veio como procurador dos nossos casamentos, chegou cá usando roupas muito simples, totalmente inadequadas a uma ocasião tão solene. Reza a história que um amigo lhe ofereceu uma bela jaqueta e um manto de brocado. Imaginem um homem assim alto, de cabelos e olhos negros, vestido de verde-azeitona, uma cor que faz realçar as suas belas feições. Mas voltando à minha história; a melhor parte foi quando ambos tivemos de nos deitar no leito matrimonial. — Margarida começou a rir-se e todos se aproximaram ainda mais, não fossem perder uma palavra, enquanto alguns deitavam outra olhadela ao embaixador alto e magro que naquela noite trajava de negro. Ia ser uma das melhores histórias de Margarida e logo sobre alguém presente na sala.

«Bem, o vosso amigo tratou de ver que a roupa de fora se adequava à ocasião, mas, Deus me valha, quando ele tirou o manto e a jaqueta para se deitar no leito matrimonial, confesso-vos que quase rebentei a rir. Os movimentos eram tão cautelosos que me prenderam a atenção e não pude deixar de notar os calções, demasiado largos, e que não estavam bem atados ao gibão, o que fazia com que a camiseta caísse por entre os laços. Eram metros e metros de linho, parecia a vela de um barco, enquanto ele ia avançando para mim. Agradeci a Deus o facto de a camiseta ser suficiente para proteger os meus olhos inocentes de algo mais chocante que a sua roupa interior. Mordi o lábio com força para não me rir e depois fechei os olhos para não ter de contemplar tal visão.

Riram-se sem parar, lançando olhares a Dom Francisco, uma imagem vívida da sua roupa interior rebelde implantada nas suas memórias.

A voz irada do responsável pela segurança dos cavalos durante a viagem de Espanha interrompeu-lhes as gargalhadas.

— Senhores, este comportamento é intolerável. Em Espanha, nenhum cavalheiro seria tão descortês que se sentasse tão perto de uma dama. E vós, conde, em vez de vos comportardes como estes... estes flamengos, deveríeis dar o exemplo das boas maneiras de uma corte. Que pensariam o rei e a rainha de vos verem sentado sobre as saias da princesa Joana, com a vossa cabeça quase a tocar na sua real pessoa?

— Bem, seu novato, como vos atreveis?

— Atrevo-me porque defendo a honra da minha senhora!

— Assim sendo, ficarei muito satisfeito por dar a oportunidade de fazer justamente isso!

Joana engoliu em seco. Deixara-se levar alegremente por aquela onda de atitudes impensadas, despreocupadas e indecorosas, inebriada pela aceitação imediata da normalidade daqueles hábitos permissivos. Agora, um dos seus jovens conterrâneos lembrara-lhe claramente e em público que isso não estava de acordo com a sua educação espanhola. Joana sentiu-se envergonhada.

Filipe afastou-se da jovem cujos encantos muito o haviam atraído, uma elegante dama de lábios quentes que lhe exigiam beijos. A interrupção não lhe agradou nada e atravessou a sala, irado.

— Senhores, quem foi o causador disto e porquê?

O conde de Chimay narrou o que se passara, afagando a gola de pele de raposa do seu manto curto com os dedos gordos; depois, com um gesto da mão que pretendia descartar aquele episódio idiota, comentou:

— Sabeis como são estes espanhóis ridículos, não sabem descontrair-se e gozar a vida.

Filipe, porém, não deixou cair o assunto.

— Vejo, senhor, que sentis a mesma preocupação pela honra destas damas que haveis dispensado aos cavalos que me trouxestes. Louvo-vos pelo vosso alto grau de sensibilidade. Tendes toda a razão sobre os homens que se encostam às saias das nossas belas damas. Sugere falta de respeito. Senhores, que eu não volte a testemunhar tal acto.

— Virou-se para Joana: — Acompanhais-me na próxima dança?

Afinal, não se zangara com ela! Joana não tinha culpa e o rosado da vergonha transformou-se em desejo. Podia agora pegar-lhe na mão e olhá-lo nos olhos. Regressara à sua pequena ilha de total felicidade.

— Os vossos lacaios vieram ver-me hoje — anunciou ele friamente, enquanto iam trocando de lugar e fazendo vénias um ao outro. — E trouxeram com eles todos os seus cansativos problemas. Digo-vos que estou farto. A raiz do problema é o facto de terdes demasiados criados. São muito caros e recuso-me a ser constantemente incomodado por causa dos seus ordenados. Chegou a altura de serem despedidos e substituídos pela boa gente da Borgonha. Há já algum tempo que me preocupa o facto de o meu dinheiro ir parar à mão de estrangeiros. Contudo, vou dar instruções a Chimay para que faça alguns pagamentos provisórios até que se trate de tudo para os enviar para casa.

— Poderei ficar com os meus criados pessoais?

— Alguns, teremos de ver quantos. Chimay conta-me que a maior parte está aqui para espiar em nome da Espanha, o que tem de ser rectificado imediatamente.

— Senhor, fazeis-lhes uma grande injustiça, mas se isso vos deixa mais satisfeito, então aceitarei as alterações.

— Tenho de vos lembrar que não vos compete aceitar ou não. Na Flandres, uma esposa faz aquilo que lhe ordenam.

Que havia Joana de fazer? Iria ter mais «Madames Halewyns» em seu redor. Vozes frias e desdenhosas estariam à espera, ávidas de cada palavra sua, prontas a ridicularizá-la. O tio tinha razão: os flamengos eram na sua maioria maus e vingativos e não gostavam da presença dela. Tinha de se proteger deles. Era vital existir uma corte espanhola, mesmo que pequena. O aperto na garganta quase a asfixiava e Joana engoliu as lágrimas que ameaçavam derramar-se. Tinha de descobrir forma de persuadir Filipe a ser generoso.

A dança terminou.

— Vireis ao meu leito esta noite? — insinuou-se ela meigamente, olhando-o sub-repticiamente e puxando-lhe a manga de forma sedutora.

— Veremos, veremos. Não posso visitar-vos todas as noites.

Beijou-lhe a mão, roçou-lhe a face com os lábios e conduziu-a ao lugar junto de Margarida, antes de se afastar para o outro lado da sala, ao encontro da dama cujos modos sedutores o começavam a excitar; depois teria de ir lidar com aqueles espanhóis conflituosos. Não se preocupou muito pelo facto de não a encontrar, pois decidira que, afinal, iria visitar Joana.

Esta estava impaciente pelo fim do baile para que ela e Filipe pudessem deitar-se juntos. Iria pedir a Zayda que a banhasse em água perfumada, lhe esfregasse os cabelos com óleos aromáticos e lhe vestisse uma camisa bem decotada e que lhe caísse prontamente dos ombros. Ou talvez usasse apenas um leve manto sobre a sua nudez. Depois, Filipe entraria no seu quarto, despindo as roupas ao aproximar-se do leito e o acto do amor teria início, ao princípio lentamente, enquanto a paixão os aquecia, até que... Corou, antecipando o prazer. Aprendera tanto em tão pouco tempo.

CAPÍTULO 9

O dia 12 de Abril de 1498 seria sempre um dia muito, muito especial, pensou Joana, e não desejava que mais ninguém levasse a notícia. Apressou-se pelo corredor que ligava os seus aposentos, numa das alas do edifício, aos de Filipe, na outra.

A enorme nuvem de dor causada pela morte súbita do seu amado irmão já se dissipara e o enorme fosso que a separava da família naquele momento de terrível sofrimento deixara de existir. Nessa manhã recebera uma notícia mais importante.

Os dois guardas baixaram as duas alabardas que se cruzavam sobre a porta. Joana riu-se:

— Acho que o arquiduque estará em perfeita segurança. Podereis dar-me entrada?

Havia algum tempo que se tornara conhecida por descarregar a sua fúria no marido infiel e na mulher fácil que se encontrasse, por acaso, no quarto dele no momento, batendo violentamente na porta e proferindo injúrias mais apropriadas às ruelas de má fama do que aos ouvidos de quem nascera nobre. Esse comportamento valera-lhe a alcunha de O Monstro. Fora Filipe o primeiro a chamar-lhe víbora e monstro e em breve a corte flamenga adoptara o epíteto. Joana ouvira--os muitas vezes murmurar esse nome, que a seguia para onde quer que fosse.

— Podeis abrir a porta.

Mal esperou, entrando assim que pôde.

— Filipe, tenho uma grande notícia!

Ele saiu do quarto de vestir, surpreendido com a sua presença. Joana beijou-o.

— Tenho um filho no meu ventre! Os médicos têm a certeza!

Ele devolveu-lhe o beijo e abraçou-a, erguendo-a no ar.

— Vou ser pai. Linda Joana. Será um rapaz?

— Ainda não sabem. Têm de esperar algum tempo para ver qual dos meus seios fica maior. Se for o direito, será um rapaz.

— Vou ser pai! É necessário celebrar. Realizaremos um torneio para a minha bela esposa que vai ter o nosso filho.

— Mas, então, e o luto? — A nuvem regressara.

— A vida é para os vivos, querida. Será de pensar que até mesmo a vossa mãe se alegrará com esta notícia. Nada de lágrimas, Joana, por favor.

— Mas será errado, com o meu irmão defunto, e então a pobre Margarida?

— Não permitirei que penseis nessas coisas, só deveis ter pensamentos felizes. Iremos dar um passeio nos jardins e fazer planos para a celebração. O banquete será maior e melhor que qualquer outro que tenhais presenciado: cisnes assados, faisões, perdizes revestidas de penas...

— Pastéis de carne que parecem castelos...

— Peixe em enormes salvas, silenciados por um círculo de sereias de gelatina.

Riam-se, enquanto tentavam bater o outro com novas ideias. Regressaram aos aposentos de Joana para que ela se vestisse para sair.

Enquanto Maria lhe tirava os sapatos e lhe calçava um par de coturnos, atando-lhe os cordões de lado, Joana apertava uma carta repetidamente lida contra o peito.

— Porque haveria Deus de o levar? — Voltou a chorar pelo irmão amado em quem confiara tantas vezes, que a divertira com o seu humor, que estava sempre a seu lado para a confortar e sossegar.

— João era a melhor pessoa deste mundo. Ter de deixá-lo partiu-me o coração, era o meu melhor amigo. E esteve casado com Margarida durante tão pouco tempo...

Abriu a carta de Margarida e leu: «... concebi um filho! Um neto para a rainha Isabel! Ela está felicíssima e preocupa-se muito com o meu bem-estar. Somos todos muito felizes». E, contudo, passadas semanas sobre aquela carta, João morrera.

Zayda tirou a carta à ama para voltar a guardá-la na caixa de jóias, ralhando-lhe suavemente.

— Hoje não deveis entregar-vos à tristeza.

— E — acrescentou Maria — creio que o arquiduque não gostaria de levar a sua senhora a sair com um rosto triste e os olhos vermelhos. Temos de reparar os danos. Tendes de levar o manto verde, aquele com o alfinete especial.

— Maria, acho que te transformaste numa romântica.

O alfinete de diamantes fora uma prenda de Filipe: as iniciais de ambos lado a lado, unidas com um nó cego.

— Quando regressardes do vosso passeio, podemos discutir o que haveis de vestir para a festa. Vai ser tão divertido! Há muito tempo que não há nenhuma.

— Que será que Margarida de York dirá da minha boa nova?

Maria riu-se.

— Muito, sem dúvida.

CAPÍTULO 10

Ela apanhou-os! Estavam presos nos braços um do outro, no alto da velha escada de caracol que dava para os aposentos dele.

— Sua meretriz, sua puta, o que é que ele te ofereceu para o deixares mexericar dentro do corpete? Para te puxar as saias para cima e se te enfiar dentro de ti, aí mesmo de encontro à parede, tal qual uma mulher da rua.

Joana puxava pelo braço de Filipe, tentando afastá-lo.

— Pensas que podes esburacar tudo o que tem saias? Como te atreves a fornicar na casa da tua mulher?

Virou-se para enfrentar o rosto da envergonhada dama de companhia.

— Vai para um bordel que é lá o teu lugar. Aí já podes abrir as pernas as vezes que quiseres e depois lavas a porcaria e ficas pronta para o próximo que quiser enfiar a picha... — e prosseguiu com uma linguagem cada vez mais imprópria.

— Cala essa boca porca — sibilou Filipe.

— Se é este o respeito que mostrais para com a vossa esposa, preferia ir para o inferno a ter-vos como príncipe de Castela. Sois desprezível! — E fugiu daquela cena humilhante.

— Eu é que decido o que se passa aqui! — anunciou Filipe para as costas dela. — Vou-me embora. Quando tiverdes aprendido a controlar a vossa língua viperina, voltarei.

Ouviram-se gargalhadas e gritos de «O Monstro! O Monstro regressou!».

Maria apareceu subitamente e, percorrendo o corredor, enxotou-os como se fossem carneiros tresmalhados que lhe tivessem invadido as terras.

75

Joana fugiu para os seus aposentos, batendo com a porta e abafando a voz de Filipe que bradava as suas intenções. Assustou Zayda que arrumava o toucador da ama. Lágrimas escaldantes de mágoa e vergonha molhavam-lhe a face. Limpou-as com as costas da mão e depois estendeu-a para a sua caixa de cartas.

Zayda observou-a, alarmada.

— Já estais suficientemente enervada sem ser necessário perturbar--vos mais.

— Não me resta mais nada da minha família, é a única forma de me sentir perto deles e sinto essa necessidade.

Leu todas as cartas, soluçando baixinho, até chegar à última.

— Santo Deus, isto não terá fim? *Margarida deu à luz uma menina, que nasceu morta. Tenho o coração despedaçado, não consigo sofrer mais.* Pobre mãe! Perdeu o filho adorado e agora o seu filho, o último da linha masculina, morreu. A juntar à dor inimaginável da sua perda, tem agora o fim de todas as suas esperanças e aspirações.

Embora fosse necessário que a ama pudesse chorar a sua dor, aquele dia era o menos apropriado. Tinha uma visita importante e iria precisar de toda a sua força. Portanto, Zayda recolheu as cartas e guardou--as, dizendo-lhe palavras reconfortantes:

— Não há mal que se não acabe. Esta tragédia significa que Margarida regressará a casa e tereis de novo a vosso lado a vossa amiga e confidente.

Joana não pareceu ouvir.

— Por favor, Filipe, amai-me. — Aquele grito saíra-lhe das profundezas do seu ser, libertando-a da terrível rejeição que sentia. — Quando está comigo, sei que me ama. Se, ao menos, existíssemos apenas os dois na nossa paixão, no nosso ninho de amor e beijos, ou se não existisse aquele sapo horrível do Chimay, sempre a sussurrar--lhe ao ouvido, nem o Busleyden, insistindo sobre aquilo que Filipe pode ou não fazer, seríamos as pessoas mais felizes do mundo. — E torcia e retorcia o lenço que Zayda lhe estendera.

— Tereis de esperar até à morte do arcebispo Busleyden e o mesmo em relação à avó de Filipe. Ambos pairam sobre ele desde os seus quatro anos, atacando todos os que não são do seu agrado quando se aproximam demais.

— Eles odeiam-me, Zayda.

— Tentai esquecê-los — aconselhou, rindo-se. — Davam um belo casal: dois esqueletos decrépitos que adoram Filipe e odeiam Espanha. Mas estava a dizer-vos que do mal vem sempre algum bem e ainda não vos falei do melhor: a dádiva do vosso irmão, *a outra Joana,* aquela que luta pelo que acredita ser seu. Mostrai-me essa outra Joana.

— Claro, *essa* Joana. Juro que é melhor que este padre espanhol que a minha mãe enviou venha como amigo e não como inimigo, pois a outra Joana fará então a sua primeira comparência. Graças a Deus que estavas aqui para me lembrar. Que sorte tive nesse dia em Granada, quando disseram que serias minha.

— Fui eu quem tive mais sorte. Quem mais me deixaria manter o meu nome árabe em vez do que me deram quando me obrigaram a tornar-me cristã? Pude manter a minha identidade e — acrescentou, rindo-se — receio bem que Blanca fosse uma má escolha. Mas talvez vós tenhais algo bem mais importante para agradecer a Deus.

— Tens razão. — Joana passou o lenço pelas faces uma última vez e afagou depois o ventre, cada vez mais cheio. — Rezo para que sejais um rapazinho para Filipe. Peço que sejais forte e saudável. Só já faltam três meses.

Ouviram bater à porta e Maria entrou com um criado que trazia fruta e sumos.

— Chegou o irmão Tomás.

— Não lhe fará mal esperar mais uns minutos. Tenho de ter a certeza de que *a outra Joana* está pronta.

CAPÍTULO 11

Com um decote à moda francesa, um casaco justo que lhe chegava às ancas e que enfatizava, em vez de disfarçar a sua gravidez avançada, Joana ajustou o manto vermelho sobre os ombros e verificou se o capuz negro com a sua orla de flores douradas e carmesins (do ano passado, o que não seria muito importante para um padre) lhe enquadrava bem a cabeça. Tocou no rubi da mãe, que lhe pendia da garganta, beliscou as faces para que ficassem mais coradas, ficando pronta para receber o irmão Tomás, o enviado da mãe desde Espanha para discutir os rumores.

Esperou de pé junto à lareira, decorada com flores estivais perfumadas, e observou o monge a aproximar-se, qual nuvem negra agourenta que anunciava uma tempestade.

— Bem-vindo a Bruxelas, irmão Tomás. Espero que a vossa estada aqui continue do vosso agrado.

— Vossa Alteza Real, bom dia. Agradeço-vos, suponho que esteja tudo bem — retorquiu em tom rancoroso e de lábios cerrados. — Posso acrescentar que é uma alegria ver-vos com tão bom aspecto? — prosseguiu apressadamente sem mudar de tom. — A vossa família estava muito preocupada, não se desse o caso de não estardes a receber todos os cuidados necessários a uma primeira gravidez. Estão igualmente ansiosos por saber se cuidais bem de vós, para além de cuidardes da criança.

— E porque não haveria de ser assim? — Joana sofreu com aquela crítica implícita. — Garanto-vos que aqui os médicos são tão bons com os de Espanha. Olhai para mim, irmão Tomás. Não tenho melhor aspecto que a maior parte das mulheres prenhes?

— Sim, mas por outro lado, ouvimos dizer que era costume estardes muitas vezes sozinha, por vezes durante dias, não vos apetecendo aparecer na corte. Isso não é bom nem para vós nem para a criança.

Maria e Zayda trocaram um olhar. Que saberia aquele padre ou que pensava ele que sabia?

— Más-línguas! Esses boatos vão crescendo com o tempo. Só gente completamente insensível não compreenderia que o luto pelo meu querido irmão me foi muito penoso longe da minha família. Por isso, retirei-me. As cartas e o silêncio ajudam-me. — O facto de ter de explicar a sua dor a alguém e logo a um padre deixava-a irada.

— E as disputas com o vosso esposo, têm algum papel nisso?

— Não posso acreditar que a minha mãe não me compreenda nesse ponto, sendo a fidelidade do meu pai tão digna de confiança como a de Filipe! Acreditai que eu e as minhas irmãs ouvimos muitas discussões. — Joana sentia-se pronta para a batalha.

Espantado com a ousadia dela, o monge mudou de rumo.

— O vosso bem-estar espiritual é igualmente... não, é mais importante.

Joana irritou-se. Aquele encontro não era decididamente de alguém que mostrasse solicitude. Era, como bem suspeitara, um interrogatório, semelhante aos conduzidos por um painel de padres num julgamento.

— Ah, chegámos ao âmago da questão bastante depressa, irmão Tomás — desafiou-o ela. — Estais preocupado com a segurança da minha alma? Sei que, quanto a isso, se ouvem rumores maldosos. Portanto, estais aqui para me confessar, porque correm boatos de que tenho sido negligente nas minhas devoções e que pus a minha alma em perigo, o que exige a vossa intervenção. Talvez não me confesse com a frequência devida, mas o meu confessor é muito compreensivo. — Joana estava muito orgulhosa da sua coragem; sim, conseguia manter a sua posição e era isso que faria. E, como vivia na Flandres, sentia-se liberta do medo instigado pela Igreja espanhola.

— Senhora, asseguro-vos de que não estou aqui como inquisidor — afirmou com um sorriso paternal. Gostaria de recomeçar aquela entrevista, pois não estava a decorrer conforme o planeado. Ela não era, como tinha imaginado, uma menina penitente e ele o padre pronto a mostrar-se benevolente no momento certo.

Joana ficou furiosa.

— E logo um inquisidor! As coisas chegaram a um belo estado para enviarem um inquisidor. Irmão Tomás, contai-me o que a minha querida família e os meus conterrâneos dizem de mim. Falai-me da minha má reputação.

— O bom nome de que gozáveis quando deixastes Espanha nunca se poderá perder por quaisquer palavras sem fundamento.

— Portanto, é verdade. Dizem mal de mim. Que sabem eles do que aqui se passa? Como se atrevem a julgar-me? — Ouvia a sua voz a ficar cada vez mais alta, talvez em demasia.

O padre foi cuidadoso.

— É o amor profundo e a ansiedade que sentem por vós que os leva a questionar...

— Dai-me exemplos — cortou ela.

— Por exemplo, foi-nos chamada a atenção que vós e o arquiduque ultrapassais as regras da igreja em matéria de procriação.

— E isso significa o quê?

— Um padre não devia ter de vos lembrar que Deus só admite o conhecimento carnal com o objectivo da procriação; para além disso, é uma satisfação intencional e um pecado.

Joana riu-se.

— Então, é esse o meu crime. Gozo os prazeres do leito matrimonial sem o pavor de sentir o espectro de um padre a observar-me, indignado. Não vos preocupeis, já o confessei e fui absolvida do meu pecado. E cumpri a penitência.

A audácia dela era demais. O padre semicerrou os olhos e apertou os lábios.

— Não vos haveis confessado ao vosso capelão espanhol. Preferistes confessar-vos aos dissolutos padres franceses, o que é inaceitável.

— Dissolutos? Porque não passam a vida toda enterrados atrás dos missais?

— Pior do que isso, porque são glutões e bêbedos e sempre prontos a participar em todos os prazeres terrenos.

— Que sabeis vós? — atirou-lhe Joana. — Os padres espanhóis são intolerantes, não compreendem o mundo para lá das Bíblias e das missas. Os vossos corpos gelados não conhecem a compaixão. Não admira que prefira mostrar a minha alma a quem me escuta com compreensão.

— Vou ignorar a vossa explosão imoderada. Sois jovem e obviamente ainda muito imatura. Mas desejo que penseis no seguinte: é certamente melhor confessar-vos a um padre da Igreja que possa defender a vossa alma perante Deus do que a um que anda pelas ruas de Paris de taberna em taberna. Conheço um jovem padre espanhol, muito pobre, que vive num mosteiro aqui perto. Encontra-se em melhores condições de escutar os problemas da vossa alma. E, pelo menos, o vosso dinheiro iria para o mosteiro e não para as tabernas. Sugiro que reflictais seriamente nisto. Voltarei outro dia, quando estiverdes mais bem-disposta, e confessar-vos-ei; se preferirdes, podereis confessar-vos a este jovem padre.

— Que vos leva a pensar que Deus vos escuta de forma diferente, a vós e aos da vossa espécie? Não preciso de nenhum padre espanhol. Não tendes dó, nem...

Ele mirou-a, furioso.

— Vós é que não tendes dó. Vós é que sois indiferente, que negligenciais duramente os vossos queridos pais. Não receberam nem uma, ouvis bem, nem uma única carta vossa. Vós é que não tendes respeito pela Igreja e não a honrais. Não sentis qualquer reverência por Deus. Temo por vós. Correis um grave risco de condenação eterna. A minha carta para a vossa mãe não irá contribuir para lhe aliviar o coração já pesado. Devíeis sentir-vos profundamente envergonhada.

— Como vos atreveis a falar-me assim?

— Atrevo-me, Senhora, porque tenho a autorização dos meus soberanos, Isabel e Fernando.

— Saí! Saí! E não volteis! Ouvistes? Sois um velho cruel. — Correu atrás dele, lançando insultos contra a porta que ele fechara. Joana encostou-se àquela barricada que a protegia do mundo cruel.

— Santo Deus, para onde quer que me vire, encontro ódio e mentiras. Não terei quem me ame?

— Filipe ama-vos, vós própria o haveis dito — foi a resposta pronta de Zayda. — Volta sempre para vós porque vos ama de verdade, porque se sente atraído por vós. Só se mostra maldoso e ofensivo porque Chimay e Busleyden são exímios a envenenar-lhe o espírito. E eu nunca vos abandonarei.

CAPÍTULO 12

— Senhora, parece que o frio vos está a atormentar. — Maria pousou a costura e puxou uma cadeira para mais perto do fogo para que Joana se sentasse. — Esta neve e esta geada de Janeiro entram nos ossos.

— Na igreja ainda estava mais frio. Ainda bem que tinha isto — e agitou o par de luvas forradas a pêlo, atirando-as em seguida para cima da capa que pousara apressadamente sobre a mesa na sua ânsia de se aproximar da lareira acolhedora.

Enquanto aquecia as mãos, sorriu para o berço de madeira, cujo volume compacto, decorado com o brasão da família, protegia desmedidamente um bebé tão pequenino.

A senhora Leonor, de dois meses, saudável, calma e muito bela, dormia pacificamente.

— Nem um murmúrio desde que a ama a trouxe. — Ambas se deliciaram com aquele rostinho de sobrancelhas franzidas, perdido em sonhos, com o nariz arrebitado e um sorriso nos lábios.

Leonor era uma bebé bem-comportada desde a sua chegada a este mundo, o que fizera sem complicações. Maria estivera presente no parto, tendo regressado à corte de Joana. Fora afastada pouco depois de ter enxotado os intrometidos cortesãos flamengos, por exigência de Chimay. Todavia, Joana, na última fase da gravidez, tivera tais acessos de raiva que os médicos, temendo pela segurança da criança, haviam persuadido Filipe a deixá-la regressar. Maria era agora a primeira ama da bebé. Aparentemente, pouco interessava a composição da corte da criança.

— Oh, Leonor, se ao menos tivésseis nascido rapaz.

— Esta é apenas a primeira dos muitos filhos que tereis. E tendes muita sorte, não tendes problemas com a gravidez. Apenas precisastes de dizer duas vezes a ave-maria e ei-la nascida. Os médicos ficaram ali, sem nada para fazer.

— Ao contrário da minha irmã, que morreu passada uma hora do nascimento. — Afastou carinhosamente a colcha de cetim branco.

— Portanto, Leonor, haveis perdido uma tia, mas tendes um priminho, Miguel. Há, por fim, um sucessor ao trono de Espanha. E podeis ter a certeza de que a avó, aliviada por ter um herdeiro, cuidará de que seja educado como um verdadeiro espanhol.

Zayda trouxe um tabuleiro com jarros de prata de onde se elevava um vapor aromático que as convidava a tomar a infusão.

— Está aqui o irmão Tomás, Senhora.

— Dizei-lhe que entre. Também ele deve necessitar do conforto de um bom fogo.

Um hábito e um manto negro entraram apressados pela porta e pararam um momento; depois, o frade aproximou-se rapidamente dos pés de Joana.

— Vossa Alteza. — O frade ajoelhou-se perante ela, pegou-lhe nas mãos e beijou-as. Havia algum tempo que não a via e alarmou-se com o que se lhe deparou. Joana parecia muito, muito doente. Rezou para que não padecesse da mesma maleita debilitante que roubara a filha mais velha, Isabel, aos seus soberanos. Joana estava magríssima, o rosto de uma palidez mortal, os olhos encovados e ostentava um brilho febril no olhar, todos sintomas da terrível tísica. O facto de envergar da cabeça aos pés roupa negra sem adornos e já desbotada só contribuía para acentuar a sua imagem perturbadora.

— Irmão Tomás, então, não vos levantais?

Exagerando alguma dificuldade, o frade ergueu-se, afagando o joelho com uma mão.

— É do frio — queixou-se — que faz com que os meus ossos pareçam mais velhos do que são na realidade. Os meus aposentos também não são muito confortáveis e aqui o combustível é muito caro e não me posso dar ao luxo de...

— Então, aquecei-vos ao fogo. Zayda, traz-nos bebidas quentes.

Depois de servidas, o padre agarrou avidamente a taça quente com os dedos frios. Envolta em cueiros, Leonor foi tirada do berço para ser exibida. Ele observou-lhe o rostinho, tranquilamente adormecido, uma imagem da inocência perfeita naquela pecaminosa terra da Flandres. Abençoou-a e a criança recompensou-o, abrindo os seus belos olhos azuis, os olhos de seu pai.

— Sois verdadeiramente afortunada.

— Mas não o suficiente, irmão Tomás. Filipe está amargamente desiludido, pois a criança não é um rapaz.

— Tereis outros, não vos apoquenteis. Neste momento, deveis apenas pensar em recuperar as forças. Na sua misericórdia, Deus velará por vós. — Fez o sinal da cruz e sorriu perante a sua bênção, alegrando-se de novo por ter sido bem-sucedido ao fazer Joana aceitar toda a culpa da sua desobediência, tanto em relação à Igreja como aos próprios pais. — Alegrou-nos imensamente ter-vos de novo na nossa Igreja espanhola; Senhora, não é meu desejo fazer-vos chorar.

— Hoje em dia, passo grande parte do meu tempo em lágrimas. Dais-me as boas-vindas e acredito que o meu regresso agrada a Deus, mas não agrada a Filipe. Diz que o atraiçoo quando me confesso aos padres espanhóis, contando-lhes coisas que deviam ser segredos. Sofri muitas acusações cruéis. Ele não confia em vós e afirma que é cada vez mais difícil confiar em mim. E eu amo-o tanto! — Joana soluçava, estendendo-lhe a mão para que a confortasse, ao padre que havia poucos meses considerava um inimigo. — E depois recordo-me dos dias passados com a minha mãe e penso que nunca mais ouvirei a voz dela, nunca mais a verei para lhe dizer que lamento ter-lhe causado tanta infelicidade através das minhas palavras e actos egoístas.

— Pronto, doce criança. Não vos atormenteis assim. — O irmão Tomás congratulou-se de novo por ter levado aquela jovem teimosa a reconhecer os seus pecados e a pedir perdão. — Se desejardes, ficaremos sentados em silêncio. Mais tarde, se vos apetecer falar, estarei aqui para vos ouvir. — E pousou a bebida para lhe pegar nas mãos, enquanto ela chorava.

Conhecia bem os problemas dela, pois não ficara inactivo desde que ali chegara. Muito pelo contrário. Apressara-se a recolher informações, coscuvilhices, tudo, de quem quisesse falar. Era evidente que o fosso que a separava da família e dos seus antigos amigos parecia a Joana cada vez maior. Isso e as feridas e ameaças que a atingiam e que pareciam cada vez maiores levavam-na a períodos de profundo desespero.

O padre descobrira igualmente que o seu belo e elegante marido, tão hábil no desporto e na caça, se revelava uma criança nas mãos dos que buscavam cuidar dos seus próprios interesses. Assinara imprudentemente um tratado de paz com o novo rei de França, jurando-lhe homenagem perpétua. O rei Luís brincava, dizendo que Filipe era mais francês que o vinho de Borgonha, mas a verdade era que aquele tratado fora um insulto para a Espanha.

Dizia-se também que Filipe insistia em que o seu favorito, o seu antigo tutor, Busleyden, um francófono e ultra-inimigo de Espanha, fosse feito bispo espanhol. Esse sovina, ávido de poder, queria aí uma base. O irmão Tomás ficara desapontado com o facto de Joana nunca ter sido autorizada a envolver-se nas questões de Estado, porque isso a excluía como fonte de informação.

Ela interrompeu os seus pensamentos.

— E não há dinheiro e vou perder ainda mais aias espanholas. Chimay apenas me dá uma miséria.

O irmão Tomás assentiu. As privações de Joana e da sua corte às mãos dos flamengos haviam-se tornado famosas em toda a Europa. O rei Henrique de Inglaterra estava ciente da situação e dera-lhe uma bolsa com ouro para se poder manter, sabendo muito bem que nada receberia de Filipe. O frade foi poupando as moedas durante os meses de Inverno, adquirindo apenas aquilo que era absolutamente essencial.

Joana limpou as lágrimas com as saias pesadas.

— Estou reduzida a usar vestidos velhos e nunca tenho dinheiro, nem mesmo uma moeda para dar aos pobres.

O irmão Tomás continuou a afagar a mão da infeliz à mercê dos poderosos num mundo perigoso e insensível. Aquela jovem, vítima da sua paixão, que buscava o amor com tanto ardor! Ele, conhecido por se lamuriar e queixar perante a mais leve inconveniência quase se sentia rebaixado. Não estava muito certo de quais seriam os seus sentimentos, quando em breve se despedisse de vez antes de regressar a Espanha.

As portas abriram-se de par em par e Chimay entrou, puxando o manto forrado a pele sobre o enorme ventre. Seguiu-se Madame Halewyn, tão pálida e fria como o tempo. Por fim, o subserviente Moxica espanhol entrou sub-repticiamente, todo dobrado, a esfregar as mãos. Não houvera qualquer aviso, qualquer cortesia. Atravessaram o quarto para preparar uma mesa com canetas, tinta e areia.

Moxica, batendo impacientemente com as mãos nas costas da cadeira, chamou Joana:

— Trouxemos isto para vós assinardes.

Joana moveu-se mecanicamente, de cabeça curvada, até à mesa. Começou a ler o papel, mas a mão de Moxica abateu-se sobre as palavras, enquanto os dedos cheios de anéis da outra mão apontavam para o espaço:

— Assinai aqui.

Foram-lhe colocando na frente várias folhas de papel que ela assinou. Depois de secos, passaram-nos a Chimay.

Joana engoliu em seco antes de fazer um pedido:

— A minha mãe mandou-me mil escudos, sabendo que preciso desesperadamente de dinheiro. Gostaria que mos dessem.

— Sem dúvida que gostaríeis, mas há necessidades maiores — retorquiu Chimay sem sequer erguer o olhar do último documento.

— Mas já vos assinei a entrega de quatro mil e, para além disso, esse dinheiro é-me destinado, para meu uso pessoal, não podeis ficar com ele.

— As coisas são assim.

— Pensei que podia ficar com ele em vez do subsídio que haveis tão cruelmente retirado à minha filha — choramingou Joana, a voz quase um sussurro.

Ignoraram-na, mas antes de saírem, lembraram-lhe que ainda não escrevera aos pais sobre a questão do bispado espanhol para Busleyden. Partiram com a mesma rapidez com que haviam chegado.

— Irmão Tomás, da próxima vez recusarei pôr a minha assinatura para dar o meu dinheiro. — A sua voz não revelava qualquer convicção, pois *a outra Joana* não estava presente. — Dir-lhes-ei que quero saber quem fica com todo o meu dinheiro e porquê. Fá-lo-ei.

CAPÍTULO 13

— Vinde, vinde — chamava Filipe por cima do ombro, entrando a correr no quarto e silenciando a música.

Joana acalmou o desejo tempestuoso que a presença dele sempre lhe despertava. Entregou a espineta a um dos músicos para que a voltasse a guardar no estojo de veludo vermelho e apressou-se para junto do amado num remoinho de cetins branco e dourado com um sorriso de boas-vindas mais quente que o sol de Agosto, que a havia obrigado a recolher-se juntamente com as suas aias.

— Minha Joana, minha querida, grandes novidades! — Pegou-lhe nas mãos e beijou-lhe os dedos ruidosamente. — Oh, onde é que se meteu o homem?

Um jovem desastrado surgiu de súbito à porta, envergonhado com o seu traje poeirento e fétido. Nervoso, torcia o chapéu nas mãos e remexia os pés, inquieto, desejando estar muito longe dali.

— Este cavalheiro trouxe-nos óptimas notícias, meu amor. Vinho para todos, temos de celebrar. E dai a este pobre diabo sem pio algo que lhe molhe a garganta.

Abraçou Joana, cobrindo-lhe as faces com beijos. Era aquele o Filipe que a visitava na cama; desde os primeiros dias do casamento que não a acariciava publicamente daquela forma. Era delicioso, apesar de estranho.

Aquele ano de 1500 estava a ser tão diferente para Joana! Já esquecera a dor causada pela separação da família, assim como o medo paralisante perante as ofensas de Filipe e dos seus cruéis cortesãos. As semanas passadas no quarto às escuras, sem se lavar, nem mudar de roupa e recusando-se a comer pertenciam ao passado. Agora era intensamente feliz.

Sim, com o novo século nascera uma nova vida, pois dera a Filipe o filho tão esperado. Ao produzir um herdeiro masculino, ainda por cima robusto, reencontrara os seus favores. Tinham um filho: Carlos, duque do Luxemburgo. Nascera em Fevereiro e a sua chegada precoce interrompera a dança no Baile de São Matias. Apenas uma dor de aviso e mal tivera tempo de sair apressadamente da sala de baile, as saias de brocado vermelho erguidas numa pressa frenética; encontrada alguma privacidade numa sala próxima, logo o filho se lançara no mundo. Oh, como Filipe gozara com ela por causa da impaciência daquele pequeno príncipe guerreiro.

O marido mostrava-se agora tão terno e afectuoso! A amada era ela e não aquelas putas tentadoras da corte, com os seus longos caracóis louros. Não passavam de brinquedos do passado.

Margarida encontrava-se junto dela, pelo menos de momento, antes de partir para a Sabóia e o casamento que se aproximava. Ambos haviam retomado os prazeres e diversões que gostavam de partilhar.

A felicidade de Joana era total, mas Filipe dissera que havia ainda mais a acrescentar à sua já transbordante taça de felicidade. Os beijos eram incessantes, nos olhos, no nariz, nas faces. Curiosos, os cortesãos, atraídos pelos boatos que se espalhavam rapidamente, apareciam a dois e três.

— Proponho um brinde à arquiduquesa Joana, princesa de Castela, princesa das Astúrias e herdeira dos tronos de Espanha. — Ergueu a taça e bebeu um pequeno gole, sem se importar com o sabor amargo. Todos o imitaram.

— Meu Senhor — pediu ela num sussurro —, peço-vos que não... por favor, isso não...

Havia meses que Filipe dizia a toda a gente que Miguel, o neto da rainha Isabel, morrera e que a herdeira era agora Joana.

— Filipe, meu Senhor, não continueis a... — Era muito embaraçoso.

Ele mandou-a calar, pousando-lhe o dedo nos lábios.

— Minha princesa das Astúrias, herdeira dos tronos de Castela e Aragão — insistiu ele, virando-se para o viajante desalinhado que esperava junto da porta. — Este homem trouxe-nos a notícia directamente de Granada. Olhai, o que diz na carta? *Miguel morreu no dia 20 de Julho.* Não há dúvidas, querida. Nós somos o príncipe e a princesa das Astúrias, herdeiros de todas aquelas terras actualmente da vossa mãe e, por causa do nosso querido filho, herdeiros de tudo o que pertence a vosso pai.

Joana apertou o pé da taça. Não bebera nem uma gota de vinho e, no entanto, sentia-se tonta. Estava em êxtase. A tristeza pela morte da criança passou como uma nuvem estival. Miguel, que ainda não fizera dois anos, morrera. E libertara-a. A morte dele fora a sua libertação. Podia deixar aquele sítio horrível, levando o seu amado Filipe para Espanha, onde o seu belo príncipe seria bem recebido e amado. Oh, a vida deles ia sofrer alterações tão maravilhosas.

Estendeu a mão para a carta, numa busca ansiosa de tão importantes palavras. O escritor fora em tempos o seu escultor, um criado de confiança e de momento empregado como informador na corte real espanhola. Não havia que duvidar das palavras dele.

— São boas notícias, não são, minha querida? — As mãos de Filipe rodeavam-lhe a cintura, apertando-a contra ele.

— As melhores, na verdade, espantosas. Não poderia desejar mais nada! — E lançou-lhe os braços ao pescoço, entornando o vinho na sua alegria temerária. — Mas lembrai-vos de que isto não é um documento oficial. Temos de esperar por um antes de anunciarmos os nossos planos de viagem. Haverá tanto para organizar. Onde devo começar: o que vestir, o que levar comigo, oh, o que levar comigo? Oh, Espanha, aí vamos nós! — exclamava Joana, rindo-se.

Não conseguiu resistir à tentação de olhar para alguns dos que se reuniam à sua volta e deliciar-se com a ideia de que os seus dias estavam contados, em especial Moxica, Chimay e Halewyn. Não faltaria muito até ser ela própria a escolher o seu pessoal e rodear-se de pessoas de confiança, que cumpririam as suas ordens.

Busleyden tirou Filipe do seu lado, juntamente com outros ministros, em cujas faces Joana viu grande preocupação e alegrou-se em segredo com o facto de aqueles não terem lugar em Espanha. E pôs-se a rodopiar, rindo-se, libertando a criança que havia em si, enquanto se encostava a Filipe, ainda tonta.

— Peço-vos perdão, deve ser do vinho. É demasiado bom, estarei verdadeiramente acordada? — Pôs-se em bicos de pés para o beijar.

— É mais que bom — reafirmou Filipe, dando-lhe um beijo na ponta do nariz —, mas os meus ministros dizem que há muito para discutir e estão determinados a separar-me de vós neste preciso instante. Continuaremos a celebrar mais tarde, em privado, prometo-vos. Que Deus me dê paciência até lá.

E fechou-lhe a boca com a dele, numa promessa do que se seguiria.

* * *

Joana encontrava-se ainda num estado de grande exaltação quando Fuensalida, um enviado espanhol, foi anunciado.

— Saudações, Majestade. Que bom aspecto tendes.

Fuensalida ficou surpreendidíssimo. Esperara encontrá-la adoentada, infeliz, amarga e malvestida. Em vez disso, viu perante si uma jovem radiante, esplêndida, tanto no porte como no traje.

— Sinto-me admiravelmente bem. Deus e o mundo têm-me tratado bem ultimamente. Já conheceis os meus pequeninos, o duque Carlos e a senhora Leonor?

— Deus concedeu-vos dois belos filhos.

— Deus foi, de facto, benevolente. Mas trazeis boas notícias?

— A vossa irmã vai casar este ano com o rei Manuel de Portugal; já se trataram de todos os documentos.

— Ele tem muita sorte, a Maria vai ser uma boa esposa. — Recordou-se da menina «filosófica» daquela noite, havia quatro anos, quando todos se tinham reunido aos pés da mãe. — E Catarina?

— Isso foi bastante mais difícil, mas está, por fim, concluído. Perdeu-se muito tempo, enquanto eu corria atrás do rei Henrique para finalizar os contratos, pois eu chegava às cidades quando ele acabara de partir. Sim, Catarina casar-se-á com o príncipe de Gales no próximo ano.

Joana lembrou-se de como, nessa mesma noite, a irmã pousara como Catarina, princesa de Gales.

— Espero que ache os ingleses belos e felizes.

— Senhora?

— Eram esses os seus desejos quando tinha dez anos. E como está a minha mãe, a rainha?

— Tão bem como se pode esperar, pois não tem gozado de boa saúde desde a morte da vossa irmã. E como se encontra aterrada com a possibilidade de novas tragédias, não quer separar-se de Catarina. A sorte tem-lhe, na verdade, reservado mais mágoas do que as que merece.

— Que os casamentos de ambas as minhas irmãs sejam longos, felizes e fecundos. — Joana não desejava ver-se envolvida em histórias tristes.

— Ámen. Creio, por tudo o que me contaram, que o baptizado do duque Carlos foi uma ocasião espectacular.

— Bastante empolgante. Nem podeis imaginar todo o esplendor. Eu e Filipe assistimos à procissão da varanda. Carlos foi transportado pela avó. — Joana fez uma careta. — A velha Margarida de York, a Grande Dama, ainda vive. Vai ficar furiosa com as notícias sobre Catarina e Henrique. Não fazeis ideia da força do seu ódio pelos Tudors! Mas vede o presente que recebi de Filipe. — E tocou na enorme pérola em forma de lágrima que trazia ao pescoço. — E nada de superstições. Quer tenham ou não a forma de lágrimas, as pérolas nem sempre significam dor, senão ninguém as usaria, não é verdade? Mas não posso esperar mais, tenho de falar convosco. — E puxou-o para o lado. — Soube que Miguel morreu.

Fuensalida ficou estupefacto.

— Senhora, pensei que seria eu o portador de tão triste notícia e esperava um momento mais apropriado, após termos trocado novidades mais ditosas. Quem vos disse?

— As notícias chegam de diversas formas. Não pretendo desrespeitar o bebé Miguel, nem a minha mãe, mas a sua morte é uma bênção de Deus para mim, que Lhe agradeço humildemente.

Talvez os relatos que haviam chegado a Espanha sobre a forma como Joana era maltratada não tivessem mentido. Tinha de fazer inquirições discretas.

— A rainha vai mandar instruções. Deseja que vos envolveis no governo da vossa casa e que mostreis um interesse mais activo no governo em geral, como preparação para os fardos mais pesados que um dia recairão sobre os vossos ombros.

— Em Espanha acreditam que não me interesso por isso. Há demasiada má-língua! A verdade é que as minhas opiniões são descaradamente ignoradas. Mantêm-me afastada de todas as discussões e tomadas de decisões. Mas quando estivermos em Espanha será completamente diferente, pode a minha mãe ter a certeza. Com o apoio de Filipe, dedicar-me-ei a continuar o trabalho dos meus pais. Mas hoje não estou com disposição para estes assuntos. Talvez amanhã.

E, com um aceno encantador, Joana mandou-o embora, acabando com a possibilidade de qualquer discussão séria.

Filipe e os seus conselheiros quase chocaram com o padre que partia.

— Mais outro padre espanhol no nosso seio? Não importa!

— É o portador das boas novas. — Joana bateu palmas. — Mas haveis voltado tão cedo. Pensei que esta gente vos retivesse por algum tempo.

— Francamente, Joana, «esta gente»? Não deveis... Não, precisei de pouco tempo para pôr de novo os pés na terra. Vai levar mais tempo do que calculei para preparar a nossa partida. O tesouro não tem fundos suficientes e, por isso, tenho de visitar as minhas propriedades para reunir mais. Também tenho de pedir ajuda financeira à Espanha. Todavia, isto significa que estamos a falar de meses de organização, e então terá chegado o Inverno e o tempo estará demasiado traiçoeiro para a viagem por mar.

O lábio inferior de Joana tremeu devido ao amargo desapontamento. Culpava os conselheiros de Filipe pela situação, pois nunca haviam revelado moderação, permitindo um esbanjamento dissoluto.

— Estais a dizer-me que só partiremos no próximo Verão, daqui a um ano inteiro?

Ele riu-se, envolvendo-lhe o rosto nas mãos.

— Estou a brincar, porque os meus conselheiros encontraram a solução. Viajaremos por terra, minha querida. Iremos via França. — E prosseguiu, cada vez mais entusiasmado: — Não esqueceis que o rei Luís é meu amigo e eu sou seu vassalo. E, escutai, para selar este laço de amizade, os meus conselheiros instam-me a oferecer o nosso filho Carlos em casamento à sua filha Cláudia. É uma ideia excelente!

Joana não acreditava no que estava a ouvir. Filipe não só não adoptara uma posição contra a França, o que fazia parte do contrato de casamento, como procurava agora criar laços com esse país, cuja natureza era ultrajante. Carlos herdaria todos os estados pertencentes a Filipe, bem assim como a Áustria e o Sacro Império Romano de Maximiliano e todas as terras espanholas acabariam também por ser suas. Por incrível que parecesse, Filipe estava seriamente a sugerir uma aliança matrimonial entre Carlos e a filha do rei de França. Oferecia de mão beijada a maior parte da Europa a Luís! E era suposto a França estar isolada, sendo-lhe negada a possibilidade de aumentar o seu poder.

E ele prosseguia!

— Entretanto, Busleyden e De Veyre irão a Espanha como nossos embaixadores...

Joana encontrava-se já numa tal agitação por causa do anunciado tratado de casamento que, ao ouvir propor o nome Busleyden para embaixador, virou-se contra Filipe.

— Não fazeis ideia do que estais a sugerir, pois não? Haveis perdido o juízo? Que pudésseis entregar conscientemente todo esse poder e riqueza nas mãos de França ultrapassa a capacidade de compreensão de qualquer pessoa no seu perfeito juízo. — As suas palavras atingiram-no como uma descarga dos arcabuzes inimigos, cujo ataque era reforçado pelo seu olhar ardente. A *outra Joana* tomara o comando.

— E, meu Senhor, pergunto-me como vos atreveríeis a enviar à Corte espanhola alguém tão abertamente hostil. É esta a vossa ideia de diplomacia? Não conseguis ver como o vosso insulto é óbvio? Estará isso para além das vossas possibilidades? — Sacudia-lhe um dedo iradamente. — E digo-vos mais: não tomarei parte em nenhum tratado de casamento com a França. Nunca obtereis a minha assinatura, nem porei o meu selo na recomendação de dois homens que têm demonstrado uma má vontade constante contra a Espanha.

A mão de Filipe desceu violentamente sobre a face dela.

— Não me digais o que fareis ou não fareis! — Mal se interrompeu, enquanto ela caía a seus pés, tentando aliviar a dor excruciante. — Contudo, pensai seriamente nisto antes de tomardes qualquer decisão final. Embora preferisse logicamente a vossa cooperação, não necessito da vossa assinatura em qualquer documento. Em primeiro lugar, sou o arquiduque da Áustria; em segundo, sou príncipe das Astúrias, herdeiro legítimo de Espanha. Posso recordar-vos de que não passais de minha esposa e que eu seria muito generoso ao permitir--vos pôr o vosso nome no que quer que fosse.

Deu meia-volta e foi-se embora.

Joana necessitou apenas de uns momentos para recuperar o fôlego e logo se pôs de pé, possuída por uma determinação destemida. Talvez na Flandres ela não passasse de um bem, mas Filipe enganava-se ao pensar que em Espanha o seu papel era apenas o de esposa. Ele e os seus conselheiros iam em breve aprender à sua própria custa que a herdeira era ela. As Cortes de Castela e Aragão deixariam bem claro que seria ela a rainha e Filipe o príncipe consorte.

Iria agora chamar Zayda para que lhe aliviasse a face dorida com um dos seus bálsamos especiais.

CAPÍTULO 14

— *Voilà un beau prince.*

A voz condescendente fez com que Joana tivesse vontade de vomitar. Imaginou a cena na sala do trono do rei de França: Filipe, após as três vénias de homenagem obrigatórias, cinco passos afastado do rei, como era requerido, avançaria lentamente para o estrado onde o rei Luís, seu senhor da Borgonha, estaria sentado, observando-o com gloriosa satisfação.

E Filipe não conseguiria compreender que, de cada vez que se humilhasse, acentuaria a sua posição como vassalo do rei, encorajando Luís a promover a sua causa.

Filipe e os seus conselheiros mais íntimos haviam sido levados directamente à presença do rei. Joana e Fonseca ficaram a vê-los exibirem-se, quais pavões vaidosos, resplandecentes nos seus veludos, cetins e jóias.

— Vedes como se mostram superiores? — murmurou ela. — E não têm um tostão, esperando desesperadamente por um quinhão da futura riqueza de Filipe.

Joana estava sentada numa antecâmara, esperando a sua vez de ser apresentada. Fora assim durante toda a viagem por França. O seu estatuto como princesa de Castela e, ainda mais importante, a verdadeira herdeira legítima de toda a Espanha, nunca fora reconhecido. Era Filipe quem era festejado. Nem uma única vez lhe haviam concedido o respeito e a honra que eram seus por direito.

Saltou da cadeira a tremer de indignação, murmurando para o bispo de Córdova, seu companheiro durante a longa viagem para Espanha:

— Não tolero isto durante muito mais tempo. Filipe é tão estúpido. Não verá que se está a entregar nas mãos de Luís? E ter-se-á esquecido de que foi neste país que a sua irmã Margarida foi mantida prisioneira durante anos, depois de os franceses terem renegado o seu contrato de casamento? Como é que ele pode negociar com eles depois disto? Meu Deus, há momentos em que parece não ter cérebro de espécie nenhuma! — A sua voz endureceu. — Digo-vos mais, hão-de ver como eu, uma princesa com orgulho espanhol, se vai apresentar a este rei francês.

Fonseca, bispo de Córdova, convidou-a a acompanhá-lo até ao outro lado da sala, afastando a sua voz alterada das aias e de quem mais a pudesse ouvir. E dar-lhe-ia tempo de a acalmar.

A rainha Isabel enviara Fonseca à Flandres porque ouvira que Filipe se propunha viajar sozinho para fazer o juramento da sucessão apesar do seu ódio a Espanha. Isabel insistira que Joana devia igualmente fazer a viagem, afinal era a futura rainha e Filipe apenas o consorte. Sugeriu ainda que apenas a presença de Joana era exigida na cerimónia. Isto foi firmemente rejeitado pelos conselheiros de Filipe.

Passados poucos dias após a chegada de Fonseca com a missiva de Isabel, descobriu que ele não fazia segredo do facto de desejar tanto visitar Espanha como ir para o inferno. Viu que negavam a Joana todo o respeito, sofrendo muita indignidade. Ficou alarmado com o poder que Chimay e Busleyden tinham sobre o arquiduque. Quanto à restante corte de Filipe, achou-os desprezíveis, uma observação bastante caridosa. As suas instruções para que apressasse a partida de Joana e Filipe foram difíceis de levar à prática, mas por fim teve êxito.

Nos meses que entretanto decorriam era o capelão de Joana, conselheiro e amigo, tendo-a igualmente ajudado a reconstruir o seu orgulho e dignidade. Oferecia-lhe compreensão e orientação sobre como aprender a lidar com a ira e apoiava-a contra as ofensas e as injustiças. Naquele momento fora de novo em seu socorro, oferecendo-lhe o braço para a acompanhar num passeio calmante.

Enquanto caminhavam, ela aliviou o que lhe ia no íntimo como se estivesse no confessionário.

— Em que é que me transformei? Filipe bate-me como se eu fosse uma criada de servir. Compreendo agora que não me tem amor. Enganou-me pela última vez, nunca mais. Como me recordo bem desse dia. Estive doente por vários dias após aquela horrenda discussão por causa desta viagem e ele visitou-me no meu santuário escurecido. Murmurou palavras melosas junto ao meu rosto sobre compensar-me, dizendo que viria mais tarde aos meus aposentos e podíamos jantar os dois e depois podíamos... não precisei de mais nada. Mandei afastar as cortinas, abrir as persianas e o sol jorrou, rejuvenescendo as taças e as baixelas de prata, fazendo com que as traças dançassem num frenesim. Zayda, cantando canções de amor, preparou um banho, lavou-me o cabelo e embrulhou-o numa toalha perfumada. O ar ressumava a almíscar e laranjas. Nessa noite, eu e Filipe estivemos de novo nos braços um do outro... mas, sabeis, senhor bispo, a verdade é que ele não veio à minha cama por me amar, mas porque lho aconselharam. Foi uma precaução contra a insistência da minha mãe em relação a apenas eu estar presente. Os conselheiros dele tiveram medo. E tivemos outra filha. Rezo a Deus que a mantenha em segurança, a ela, ao irmão e à irmã nas mãos de Margarida de York.

O seu coração despedaçara-se por ter de se despedir dos seus pequeninos. Leonor tinha apenas três anos, Carlos dezoito meses e a bebé Isabel apenas três meses. A mãe queria desesperadamente vê-los, mas convenceram Filipe de que ela arranjaria forma de os reter em Espanha, em especial Carlos, para se certificar de que seria educado como um verdadeiro espanhol, defensor dos interesses de Espanha.

Passados uns momentos, Joana ergueu o olhar para Fonseca. Provavelmente nunca lhe agradeceria o suficiente por tê-la ajudado a melhorar. O uso desprezível que Filipe fazia dela, o ódio indisfarçável dos flamengos, a ida da irmã de Filipe para a Sabóia, a gravidez, tudo isso contribuíra para a deixar doente. Passava dias e dias nos seus aposentos, envolta em tristeza, as cortinas corridas para lhe esconderem a luz. A paciência do bispo fora incansável.

— A vossa companhia na viagem tem sido uma bênção. Só lamento não ter no meu séquito cortesãos espanhóis para vos acompanharem, mas o arquiduque recusou o meu pedido. Fostes abandonado no seio das damas. Deveis, por vezes, aborrecer-vos muito.

— Absolutamente nada, Senhora, tem sido um prazer e um privilégio acompanhar-vos. E também acorda o orgulho dos meus velhos ossos cavalgar sob os estandartes de Castela.

O cortejo de Joana e Filipe era enorme, com mais de trezentos acompanhantes. Joana, ladeada pelos pendões que oscilavam com os seus orgulhosos leões e castelos, cavalgava à frente do seu séquito de quarenta damas. Atrás estendia-se uma longa fila de pesadas carroças. Iam-se arrastando, chiando e gemendo sob o peso de mobílias, utensílios de cozinha, tapeçarias, serviços de jantar em ouro e prata, tudo o que era necessário para a viagem.

Luís enviara uma guarda de centenas de homens que se lhes juntou na fronteira francesa. Joana receou o pior quando aquela multidão de soldados armados de piques e arqueiros galopou na sua direcção.

A enorme cavalgada atravessara França lentamente e chegara havia algumas horas a Blois, local de nascimento de Luís e onde funcionava a sua corte. Nessa noite, uma procissão iluminada por tochas, com centenas de soldados e pajens, escoltou-os pelas escuras e frias ruas invernais.

«*Ecce quam bonum et quam jocundum est habitare reges et principes in unum*», ressoou uma voz da sala do trono.

Joana e Fonseca sorriram uma para o outro.

— Na verdade, «que bom e jubiloso os reis e os príncipes viverem em unidade», especialmente se vós fordes o rei e tiverdes o príncipe aos pés.

— Precisamente. Mas, assim que estivermos em Espanha, vereis a diferença. Umas quantas lições dos Reis Católicos e o arquiduque compreenderá. E, quando chegar a altura, Espanha estará segura nas vossas mãos. Vós e os ministros espanhóis acalmarão Filipe.

— Agradeço-vos a vossa confiança. Quando assumir esse temível papel, farei com que sejais um dos meus principais conselheiros.

Ele beijou-lhe a mão e curvou-se, grato.

A duquesa de Bourbon aproximou-se para escoltar Joana à presença do rei.

As suas aias deram uns últimos retoques ao vestido decotado ao estilo da Flandres, ajustando o cair das saias de veludo azul, as mangas forradas a cetim, as mangas enfunadas do vestido, apanhadas no pulso, o corpete decotado, que fazia realçar os seus ombros, pescoço e seios alvos. Uma inspecção final das fiadas de pérolas, entrançadas no seu cabelo com ametistas e flores de diamantes, e ficou pronta.

A duquesa abriu o caminho, tendo-se Fonseca posicionado ligeiramente atrás de Joana, do seu lado direito.

Uma vez no interior da sala do trono, deteve-se, espantada com o seu esplendor. Enormes candelabros suspensos de correntes de prata e ostentando inúmeras velas lançavam luz sobre tapeçarias brancas e douradas, cortinados vermelhos, espelhos enormes, cadeiras e bancos forrados a veludo. As couraças e os elmos dos soldados brilhavam arrojadamente. Os trajes e as jóias cintilantes dos cortesãos completavam a imagem de uma riqueza perfeita, tão diferente da outra sala do trono, em Madrid, que ela em tempos achara tão impressionante.

Mas o presente era ali! Fez uma vénia profunda e, com a cabeça bem erguida, aproximou-se lentamente de Luís, sentindo prazer nas exclamações de espanto. Zayda dissera que seria uma grande surpresa para os franceses, depois dos boatos implacáveis e maldosos sobre ela.

O rei Luís avançou na sua direcção, os braços estendidos num gesto de boas-vindas. Era uma verdadeira montanha de veludo carmesim. Abraçou-a e Joana, recordando-se do conselho de Fonseca sobre a etiqueta francesa, preparou-se, pensando em como a mãe ficaria enojada se testemunhasse uma tal indecência. Uns lábios gordos e húmidos pespegaram-lhe nas faces dois beijos molhados; depois o rei recuou e sorriu.

Portanto, aquele era o «senhor e amo», a pessoa que Filipe «serviria até à morte na busca do seu bem e para lhe prevenir o mal». Era um homem de quarenta anos, balofo e, se não fossem as roupas ricas, seria confundido com um mercador, talvez até um negociante. O nariz e o queixo eram bolbosos e a boca grande, aquela boca enorme que a beijara, tinha lábios grossos. O cabelo era fraco, esparso e recusava-se a encaracolar-se como exigia a moda. Provavelmente, era necessário agradecer ou mesmo recompensar muitos pelos seus esforços em fazer com que aquele monte de carne parecesse um rei.

— Bem-vinda, bem-vinda, nobre princesa. Esperamos que façais deste palácio o vosso lar durante muitos dias.

Joana pensou que preferia que tal não acontecesse, apesar de ter sido muito bem recebida na casa do seu conterrâneo, o conde de Cabra, onde estava alojada. Queria prosseguir viagem.

— Sua Majestade, a minha querida esposa, providenciará muitas diversões. Infelizmente, eu e o arquiduque temos de nos ocupar com os sérios fardos do Estado, com algum tempo, é claro, para o desporto e o divertimento. — E lançou sobre ela o seu sorriso gordo e desagradável. — Mas tendes de conhecer a rainha e a nossa princesinha. Duquesa, escoltai a princesa Joana.

Sentiu-se invadida pela ira. Mais uma vez era afastada. Que Filipe continuasse a atrever-se a discutir o que quer que fosse sem ela era ridículo. Com o olhar desafiou Filipe, mas este desviou o seu. Uma mão firme, a da duquesa, agarrou-a pelo cotovelo, dizendo-lhe que fora dispensada. Joana soltou-se, levando deliberadamente o seu tempo a fazer a vénia, antes de a seguir. Não se deixaria apressar!

As paredes dos aposentos da rainha estavam cobertas com tecido de damasco branco e dourado. Havia pesados cortinados vermelhos e as cadeiras e bancos ostentavam almofadas de veludo verde. Ana da Bretanha, rainha de França, estava sentada na cadeira de Estado sob um dossel de veludo vermelho; as aias agrupavam-se de ambos os lados do trono.

A cena fora preparada meticulosamente para fazer com que a visitante se sentisse rebaixada. Todavia, Joana tinha uma missão. A Espanha dependia dela. Avançou até ao estrado para fazer a mesura, como era exigido pelo protocolo, quando a mão da duquesa reapareceu, desta vez agarrando-a pelo antebraço e obrigando-a a ajoelhar-se, recordando-lhe que não passava da mulher de um vassalo.

Joana respirou pausadamente. Seria paciente, pois o seu tempo chegaria. Um dia seria rainha, e de um país muito mais poderoso que a França. Levou um momento a acalmar-se e depois levantou-se.

Não ia ser uma visita fácil. Como iria sobreviver aos próximos dias, ou sabia-se lá quanto tempo o marido ia decidir ficar ali? Iria sofrer a tormenta constante de suspeitar que Luís conspirava contra Espanha e que Filipe se mostraria ansioso por servir o amo, como um vulgar cão fiel. Entretanto, ela partilharia a companhia de damas que seriam profundamente entediantes ou buscariam as atenções do seu marido. Não iria sentir-se feliz. Levou involuntariamente a mão à testa.

— Senhoras! — A rainha bateu palmas. — Antes que seja demasiado tarde, temos de trazer a nossa querida princesa Cláudia para conhecer a sua sogra.

Joana enterrou as unhas nas palmas das mãos e forçou um sorriso.

Trouxeram-lhe a criança, uma trouxa minúscula de saias de seda branca, cheias de fitas e laços, num esplendor de folhos e bordados, enfeitadas com amuletos. Aquela criaturinha era a causa da enorme disputa entre a Espanha, a Flandres e a Áustria. Aquela coisinha minúscula a seus pés, que fora prometida em contrato de casamento ao seu filho Carlos, dera origem a uma tremenda discussão entre ela e Filipe.

Ao baixar o olhar sobre a inocente, incapaz de sentir por ela qualquer afeição, a criança lançou um grande uivo e começou a gritar e a berrar, escondendo o rostinho vermelho entre as saias da ama.

— Isto é muito inquietante. A princesa Cláudia nunca se portou assim. — A rainha Ana, irada pelo facto de o seu momento de glória ter sido tão breve, apressou-se a mandar retirar a filha. A sua princesinha de exposição, destinada a tanta opulência e chave de grandes riquezas para a França, ficara reduzida a uma boca balbuciante, um nariz ranhoso e um rosto molhado.

Joana ergueu as mãos, pedindo perdão pela infanta:

— Não vos preocupeis, Senhora. Eu também tenho três filhos e compreendo muito bem estas coisas. Mas vejo que estais indisposta. Com a vossa permissão, retiro-me.

E, sem esperar resposta, fez uma vénia e saiu da sala, agradecendo a Cláudia o ataque de choro imprevisto. Por momentos, chegou a gostar dela.

CAPÍTULO 15

Maria penteou e entrançou o cabelo de Joana, enquanto ela afagava o cabo de veludo vermelho da escova da roupa, entregando-se às lembranças da sua amada Toledo, onde ansiava chegar.

Era segunda-feira e iam todos à igreja; de novo.

— Quantas vezes fomos à igreja desde que chegámos? Eu digo-vos. Fomos duas vezes na quarta-feira, uma vez na quinta, na sexta e no sábado. Ontem estivemos presentes no casamento de um marquês qualquer e hoje, como regalo especial, tenho de assistir a uma missa solene. E sempre na companhia destas mulheres idiotas. É todos os dias a mesma coisa: ir à igreja, voltar e ficar a ouvir conversas idiotas, jantar com elas e ouvir mais do mesmo. Estou tão farta de estar enfiada junto destas galinhas cacarejantes. Atirou a escova ao chão e começou a espetar um dos seus alfinetes com jóias numa almofada de alfinetes. — Santo Deus, que atraso sem sentido, que perda de tempo. Cada dia nos aproxima mais do Inverno.

Maria terminara e Joana estudou-se ao espelho, uma jovem orgulhosa num vestido de brocado verde-escuro ao estilo francês. O forro vermelho que se via através das mangas golpeadas condizia com o manto até aos pés e os sapatos de pele macia. Assentiu a sua aprovação.

— O bispo está à espera, minha Senhora.

— Óptimo, manda-o então entrar.

— Vossa Majestade! — Fechou a porta e curvou-se.

— Ah, Fonseca, queria ver-vos o mais cedo possível. Ontem à noite não dormi bem.

— Espero não ser eu o motivo e que não estejais zangada comigo por causa de ontem.

— Zangada? Provavelmente haveis-me salvado de ficar sufocada quando me batestes nas costas. Nunca mais, mas nunca mais comerei aqueles malvados doces franceses. Não, estou preocupada com a possibilidade de Luís e Filipe conspirarem para esmagar Aragão, se a minha mãe morrer antes do meu pai.

— Tende a certeza de que Filipe não pode assinar qualquer pacto com Luís. As Cortes de Castela nunca poriam lá o nome dele. Mas não duvido de que Luís está a fazer os impossíveis para extrair de Filipe todo o tipo de promessas e devíamos partir o mais depressa possível. Orarei por uma partida em breve.

— Ámen! Talvez eu ofereça a mesma oração. Se Deus não estiver distraído com uma congregação mais preocupada com os mantos da moda e o facto de os coros da França e da Flandres tencionarem ultrapassar-se mutuamente nas quantidades de rendas e no volume dos seus hinos, talvez Ele ouça as minhas humildes preces.

Fonseca abanou a cabeça. Viria ela alguma vez a conformar-se como filha obediente da Igreja?

A missa foi como ela contara a Fonseca, o serviço praticamente ignorado. A congregação estava mais interessada nas aparências que na oração e os coros quase dilaceravam o ar na sua rivalidade.

Só quando o serviço terminou é que até Joana prestou alguma atenção ao que se estava a passar. Intrigou-a a actividade na sua frente, ao fundo dos degraus do altar. Um jovem criado, que transportava uma caixa de esmolas sobre uma almofada de veludo, aproximou-se do rei, o qual colocou a sua oferta na caixa. Um dos seus cortesãos abriu, então, a bolsa e passou algum dinheiro a Filipe. Este aceitou as moedas, curvou-se perante o rei e deitou-as na caixa de esmolas.

Joana observou primeiro a expressão convencida no rosto de Luís e por fim o seu ingénuo marido, que mais uma vez se deixava passar por um súbdito fiel.

O criado atravessou para o seu lado da igreja, parando diante da rainha. Esta voltou-se igualmente para uma das suas damas, que abriu a bolsa e se voltou para Joana.

Esta, porém, abanou a cabeça, primeiro à dama de companhia e depois à rainha. Falou com um sorriso nos lábios e a indignação na voz:

— Se eu desejar deixar alguma coisa na caixa dos pobres, assim farei. Não sou pobre, nem vossa criada. Se, e quando, fizer uma oferta, será sempre a minha própria doação. — Depois, tirou um dos brincos

de diamante e rubis, um presente de casamento de Filipe, e deixou-
-o cair na caixa com um tinido.

Os olhos da rainha semicerraram-se de fúria e silvou na sua direcção por entredentes.

— Duquesa, é vosso dever obedecer-me! Como vos atreveis a
recusar?

— Senhora, como vos atreveis a presumir tal? — retorquiu Joana.

A rainha Ana ergueu-se, num ruge-ruge cintilante de cetins
brancos, e abandonou apressadamente a igreja, seguida de perto pelas
aias.

As damas de Joana juntaram-se em redor dela, ansiosas por lhe
murmurarem o seu apoio e louvor, mas ela mandou-as calar.

— Na sua ira, a rainha cometeu infelizmente um grosseiro erro de
etiqueta. Os convidados devem sempre sair primeiro da igreja. Se
a multidão lá fora está à espera de ver se a seguimos servilmente, ficará
desapontada. Sairemos a nosso tempo e seguiremos directamente
para os meus aposentos.

Caminharam lentamente pela nave, dando às esculturas, aos tríp-
ticos e às estátuas pintadas a maior das atenções.

Maria veio-lhe sussurrar que, na verdade, a rainha esperava na rua,
talvez por se ter recordado das boas maneiras e que o povo da cidade
não se iria embora sem ter primeiro satisfeito a sua curiosidade.

— Então, minhas damas, se estivermos todas prontas, prossigamos.

Emergiram sob o sol de Dezembro, Joana e o seu pequeno exército
de aias, avançando quais cruzados contra os infiéis. Sem um olhar à
direita ou à esquerda e as cabeças bem erguidas, passaram pela rainha
Ana, direitas ao palácio do conde. Assim que se acharam dentro de
portas, desataram a correr num alvoroço de saias e risos, até aos aposentos de Joana.

— Acho que para o jantar temos de usar algo que nos distinga sem
qualquer dúvida.

E foi uma azáfama no seio das aias. Saias, mangas, vestidos, meias,
corpetes espalhados por todo o lado, alguns à espera de ser escolhidos,
outros postos de parte. Do caos, emergiu Joana, uma metamorfose perfeita. Fora uma beleza flamenga. Agora era uma radiosa princesa espanhola.

Olhou-se no espelho e observou cada pormenor do seu traje:
o capuz negro, o vestido de decote subido, o corpete longo, as saias
almofadadas, tudo a proclamava como espanhola.

Joana e as suas damas estavam prontas para o banquete. Estava pronta para o inimigo. Apreciando a ideia de que um dos segredos do sucesso na batalha reside no elemento da surpresa, o que provara já duas vezes naquele dia, partiu para o que sabia ser uma noite diferente. E foi-lhe dada razão em todos os aspectos. Não se podia ter sentido mais satisfeita quando a rainha francesa se deparou com aquela personificação de Espanha. A rainha Ana tentou manter a compostura, enquanto exigia uma explicação, sentindo-se cada vez mais desconfortável no seu vestido demasiado real e no manto de veludo carmesim e pele de arminho. Escolhera deliberadamente aquele traje para exigir respeito e a devida deferência daquele senhorinha espanhola, que, assim parecia, tinha de ser recordada de que não passava de uma princesa casada com um duque qualquer.

Joana ter-lhe-ia respondido, mas Luís e Filipe entraram. As feições carnudas do rei estremeceram de raiva e o choque do marido transformou-se em fúria. Imperturbável, o queixo esticado para a frente, anunciou:

— Houve duas quebras de etiqueta esta manhã, pelas quais ainda não recebi um pedido de desculpas. Achei que era altura de recordar a todos que não sou apenas a arquiduquesa da Áustria, apenas a princesa Joana de Castela. Sou a princesa das Astúrias, herdeira de toda a Espanha e dos seus vastos domínios.

Fez uma vénia, ciente de que a situação era difícil, embora não tivesse sido causada apenas por ela. Chegara a vez de o rei Luís usar de toda a sua diplomacia. Quem iria enfurecer mais, Espanha ou Filipe? Nenhum, de preferência, pensou ela, pois ambos eram vitais aos seus planos.

Profundamente satisfeita por ter levado a bom termo a sua missão em nome da Espanha, esperou que o rei Luís abrisse o caminho até ao salão do banquete.

CAPÍTULO 16

A guerra de orgulho que empreendera contra a rainha francesa, e que causara uma partida apressada, teve como consequência uma profunda desarmonia, que os difíceis meses que se seguiram nada ajudaram a resolver.

Chuvas torrenciais e tempestades de granizo e neve tornaram a sua passagem por França uma infelicidade total. Todavia, ainda faltava o pior.

Para se prepararem para a viagem através dos Pirenéus, todas as suas posses e todos os seus haveres tinham de ser transferidos das enormes carroças puxadas por bois para o dorso de mulas espanholas. Utensílios de cozinha, faqueiros, mobílias, acessórios e roupas tiveram de ser organizados em pequenos fardos fáceis de equilibrar. Isto foi levado a cabo enquanto os céus se desfaziam numa chuva gelada e ininterrupta que lhes dificultava todos os movimentos. Utensílios de prata e ouro enlameados, protegidos por palha encharcada, eram embrulhados em panos igualmente encharcados. Caixotes e arcas escorregavam das mãos enlameadas e caíam em poças enlodadas, espalhando normalmente o seu conteúdo; alguns artigos perdiam-se para sempre, outros arranjavam novos donos. Finas tapeçarias de seda enroladas em protecções à prova de água dependuravam-se, quais cadáveres, sobre o dorso das mulas, pingando desconsoladamente. O mau humor desgastava-se e pragas de frustração juntavam-se aos gritos angustiados dos animais, igualmente infelizes por fazerem parte daquele caos.

Um a um foram-se aprontando, juntando-se ao longo comboio que iria chafurdar na direcção dos desfiladeiros das montanhas. À frente seguiam Joana e Filipe com os seus escudeiros, todos embrulhados em peles, lenços e capas à prova de água, uma longa coluna deprimente, arrastando-se numa viagem de pesadelo, através de trilhos de cabras, batalhando contra ventos cortantes e tempestades de neve ofuscantes.

Misericordiosamente, chegaram, por fim, vivos e de boa saúde a Espanha, apesar de totalmente exaustos e infelizes. Houve outros atrasos: esperar enquanto se procuravam carroças novas nas aldeias da região, esperar pela reparação de estradas e pelo reforço de pontes a fim de aguentarem cargas pesadas. Em cada paragem de descanso, os comités de boas-vindas honravam-nos com festas de um luxo espanhol até então desconhecido, por vontade da frugal rainha Isabel, num esforço para impressionar o genro, mas que poucos efeitos tinha.

Estava tudo tão longe dos planos idílicos que Joana alimentara na Flandres havia tantos meses. O marido não se mostrava impressionado com o seu país; na verdade, encontrara pouco que lhe agradasse e muito que o ofendia, queixando-se bastante.

Estava-se em Abril e Toledo, onde ia ter lugar a cerimónia do juramento, encontrava-se apenas a duas léguas de distância.

Joana encontrava-se sentada no chão, num grande almofadão bordado à mão, nos aposentos de Filipe. Embora o livro de horas estivesse aberto, ela mostrava-se constantemente alerta em relação a qualquer som vindo do doente, desejando ardentemente que ele acordasse. Gostava de lhe servir de enfermeira, de inundar com a sua devoção o amado marido, o qual havia apenas uns dias fora atingido por um grave ataque de sarampo. Com o livro pousado nos joelhos, lia distraidamente, *Deus in auditorium meum intende...*, mal observando os pastorinhos e os anjos agrupados na iluminura da letra D, e os animaizinhos que se escondiam por entre a folhagem que bordejava a margem da folha.

— Sim, é esta a causa desta doença — murmurou para o livro —, Deus queria que passássemos algum tempo juntos, livres do domínio de Busleyden e da sua maligna influência; só nós dois, aprendendo a amar-nos de novo, como no início.

Contudo, isso era ir longe demais, pois sabia que Filipe nunca a amaria, pelo menos da forma como ela o amava; mas desde que ele permitisse o seu amor, seria suficiente.

O pior da doença já passara. As febres altas haviam baixado graças à insistência dela em que tomasse todas as gotas do remédio, uma mistura de urtiga, fúnquia, aipo e pimenta. Felizmente para Joana, ainda precisava de cuidados de enfermagem: dar atenção aos pontos que lhe faziam comichão, a tosse terrível e aqueles olhos maravilhosos ainda doridos.

De detrás do pesado brocado dourado ouviu-se um gemido, seguido por um ataque de tosse. Joana fez sinal aos dois médicos de pé junto à janela que ficassem onde estavam, que nada fizessem, pois ela trataria de Filipe. Pôs o livro de lado e correu a fechar parcialmente as persianas antes de abrir as cortinas da cama.

Ao remover a compressa calmante dos seus olhos, passou ao de leve os lábios sobre a sua testa.

— E como se sente o meu doentinho depois do seu sono?

— Joana, ainda estais aqui? — procurou-lhe a mão, mas um ataque de tosse obrigou-o a pegar antes no lenço.

— Meu pobre querido. Tomai, tenho aqui o remédio, abri bem a boca. — E despejou uma colherada de xarope de violetas de um frasco. — É tão delicioso. — Limpou a colher com a língua.

— Sois a minha enfermeira ou apenas uma criança gulosa?

— Ambas. E agora acho que são horas de uma tigela de caldo de galinha.

Ele implorou-lhe:

— Mais canja, não.

Joana fez sinal ao camareiro que levasse a ordem à cozinha.

Apaparicou o seu querido Filipe; primeiro banhou-lhe o rosto com água fresca, secando-o suavemente com uma toalha bordada; depois, penteou-lhe o cabelo e pôs-lhe um barrete de noite lavado. Afofou-lhe as almofadas e entalou as cobertas em seu redor.

— Hoje estou muito melhor, Joana. Em breve estarei suficientemente bem para mais um jogo de setas. Oh, detesto as doenças, apetece-me levantar-me.

— O jogo das setas ainda tem de esperar um bom pedaço; de qualquer forma, atirar paus um ao outro não me parece um passatempo muito sensato.

— Não percebeis nada de desporto.

— É bem verdade. Mas aqui está o vosso almoço. Vou deixar-vos por um bocadinho e apanhar ar na galeria. Fazei por comer tudo, os médicos recomendam-no seriamente.

— Sei isso muito bem, há dias que não como mais nada; não vos admireis se, quando voltardes, me encontrardes a cacarejar.

Joana riu-se.

— O vosso riso é o melhor remédio.

— Mas não tão bom como canja de galinha — retorquiu-lhe ela. Lá fora, inspirou o delicioso ar de Abril. Caminhou lentamente ao longo dos quatro lados da galeria, gozando profundamente a sua nova vida.

Ouviu-se uma algazarra que subia de tom e vozes surpreendidas, e o pátio, lá em baixo, em breve se encheu de cavaleiros. Houve ordens gritadas e alguns dos cavaleiros saltaram imediatamente das selas, correndo para um cavalheiro que permanecia sentado na sua, à espera de assistência. Os guardas dos portões ergueram pendões com as armas de Castela e Aragão.

Seis anos antes, Joana olhara e vira um jovem cavaleiro coberto de pó; naquele dia contemplava outro viajante mais velho, mas igualmente poeirento.

— Não, não podeis ser... Sois...

Joana descalçou rapidamente as sobrechinelas para que os belos sapatos de pele a levassem rapidamente numa nuvem rodopiante e impetuosa de veludo vermelho ao longo da galeria, pelas escadas abaixo e através do pátio empedrado até um cavaleiro vestido inteiramente de negro.

— Pai... pai... — Beijou-o, atirou os braços em seu redor e depois encostou o rosto ao peito dele.

Fernando beijou-lhe a testa.

— Oh, querida Joana, voltastes finalmente para nós.

— Oh, pai, pai... — Voltou a beijá-lo incessantemente, com as lágrimas a descerem-lhe pelo rosto.

— Joana, as princesas não se comportam assim.

— Esta sim!

— Deixai-me olhar a minha filha, uma mulher e mãe de três filhos saudáveis.

— A examinardes-me assim fazeis-me corar — riu-se ela. — Agora é a minha vez.

O pai estava muito mais gordo do que se recordava e Joana reparou que, ao remover o chapéu de viagem e o lenço, verificou cuidadosamente se a peruca estava direita. Usava peruca! E perdera um dos dentes da frente. Apesar de tudo isso, continuava a ser o seu pai forte e belo. Quanto à fria despedida do passado, descartou-a, pois não acabara ele de mostrar como estava impaciente por vê-la de novo? Não conseguira esperar até à sua chegada a Toledo.

Fernando colocou, então, a importantíssima pergunta que o trouxera ali:

— Joana, tenho de saber a gravidade desta doença.

— Não há nada a temer, acreditai, o pior já passou e está a recuperar depressa. Filipe é forte e os médicos dizem que em breve estará bem e em forma. Mas tendes de o vir ver. — E pegou-lhe na mão para o puxar em direcção às escadas.

— Minha querida, calma! É claro que o irei ver, embora o protocolo seja ignorado. Na verdade, devia esperar até chegardes a Toledo, mas eu e a vossa mãe tínhamos de saber se a doença era tão grave quanto temíamos. É essa a razão da minha presença aqui. A alegria de vos termos de novo em Espanha transformou-se rapidamente em ansiedade ao recebermos as notícias. Tendes de desculpar o nosso pessimismo.

De braço dado, dirigiram-se aos aposentos de Filipe; Joana mal se detinha para respirar, desejando contar tudo de uma vez.

Fernando atravessou o quarto para junto do genro e Filipe tentou remover o gorro em sinal de respeito.

— Não, não, meu amigo, deixá-lo estar. Precisais dele. — Ofereceu a mão para que Filipe a beijasse, mas, ao recordar-se do sarampo, retirou-a rapidamente e afastou-se uns passos. Mandou colocar uma cadeira a uma distância que considerou segura.

Entretiveram-se a trocar cumprimentos formais até serem interrompidos por uma gargalhada de Joana.

— Perdoai-me, pai, mas tenho perante mim os dois homens que mais amo a falarem sem parar, e nenhum percebeu que o outro não consegue compreender uma única palavra do que dizem! Se vos pudésseis ver!

— Tendes de ser a nossa intérprete, Joana. Podeis começar por dizer a Filipe como é um homem feliz por vos ter como esposa: bonita, encantadora e tão inteligente. O que poderia pedir mais?

CAPÍTULO 17

Um céu de um azul brilhante e um sol quente estendiam-se pelo vale e subiam até aos montes.

Ela e Filipe, cada um sob um dossel que ostentava os seus brasões e acompanhados pelo enorme séquito, estavam a uma légua de Toledo. O pai, rodeado pelos seus nobres, clérigos e guardas, viera ao seu encontro. Eram umas boas-vindas para além de tudo quanto sonhara. O único desapontamento era a ausência da mãe, que ficara em casa, ainda indisposta.

Subiram juntos o monte, entrando na cidade pelo arco em ferradura da antiga Porta Bisagra. Depois prosseguiram pelas ruas estreitas, atapetadas de alecrim e tomilho, até à Porta do Sol. O cortejo era um esplendor de cores que brilhavam como ouro e prata. O povo, inclinado nas varandas adornadas com tecidos de todos os tipos e cores, dava-lhes vivas, enquanto subiam até à catedral. «Longa vida aos Reis Católicos. Longa vida à princesa Joana e ao príncipe Filipe. Que Deus abençoe os vossos filhos, lá tão longe, e lhes conceda uma longa vida.»

Joana acenava e sorria, sentindo que o coração lhe ia rebentar de orgulho, adorando cada momento.

Os tambores, as cornetas, as trompas e os cornetins aumentavam o clamor. Pétalas de flores caíam profusamente sobre os dosséis e sobre os ombros e as cabeças dos que seguiam no cortejo.

Entraram, por fim, na grande praça sobranceira à catedral. Também ali a multidão era enorme, apertando-se em espaços que pareciam não existir antes, agarrando-se às paredes e às grades das janelas, tal era a sua determinação em ver a princesa.

A larga frontaria da «sua igreja», com os seus portais enormes, era ainda mais imponente do que se lembrava. Os santos de pedra no topo das colunas e os que repousavam nos nichos arqueados olhavam, como se se alegrassem pelo seu regresso; alguns pareciam mesmo ter os braços estendidos em boas-vindas. Aquela catedral, onde Joana fora baptizada, iria testemunhar daí a dias a proclamação dos seus direitos hereditários às coroas de Espanha.

Joana, Filipe e Fernando desmontaram e aproximaram-se dos degraus. O silêncio desceu sobre a multidão e o arcebispo Cisneros avançou, transportando o seu magnífico báculo de ouro cravejado de jóias.

Era aquele homem que em tempos tanto a intimidara? Os seus olhos não lhe trespassavam a alma e a boca já não era dura e pronta a criticar. Joana decidiu que parecia muito mais um tio simpático do que um padre desaprovador. Talvez o tivesse julgado mal no passado.

No interior da catedral, os pilares, a arcaria das capelas, as divisórias e as estátuas eram banhados pela luz do Sol que entrava a jorros pelas inúmeras janelas. O cortejo passou pela coluna que marcava o local do primeiro altar, havia muitos séculos, quando a Virgem Maria descera à Terra e abençoara o monge Ildefonso por defender a sua virgindade contra os descrentes. Joana sabia que Filipe não daria importância a isso, mas mesmo assim tinha de lhe dizer. Passaram finalmente para lá da divisória de prata do coro e foram levados aos seus lugares.

A missa solene foi demasiado longa, para já não falar dos cânticos a partir do intróito, que, apesar de imaculados graças a um excelente cantor, se revelaram uma grande frustração. Filipe inspeccionava as unhas finamente tratadas com mais intensidade a cada minuto que passava e Joana deixou o olhar vaguear para além das nuvens azuladas do incenso até às capelas laterais; pousou-o, por fim, nos arautos chorosos, em tamanho natural, com os seus tabardos de cores magníficas, que guardavam o túmulo de Catarina de Lencastre, sua bisavó. Começou, então, a pensar na irmã Catarina e em como seria a vida em Inglaterra.

O coro cantava o *Kyrie Eleison, Christe Eleison.*

Acabou, por fim. Agora podia ir ver a mãe.

* * *

Da catedral até à casa de Beatriz, a marquesa de Moya, era uma curta distância. Era aí que se iriam alojar durante a estada em Toledo.

Fernando, Joana e Filipe passaram da luz brilhante e do calor do Sol e do ruído da multidão para a sombria sala do trono. Das paredes pendiam tapeçarias mostrando a prisão de Cristo, a lavagem dos pés e Pôncio Pilatos atormentado pela sua dúvida. Não era uma atmosfera muito alegre para receber o jovem e orgulhoso casal.

Sobre um estrado ao fundo da sala, via-se uma velha curvada, sentada no trono. Joana engoliu em seco. Isabel, com um aspecto velho e doente, trajava inteiramente de negro, à excepção de uma gola com pequenos motivos de setas douradas, incrustadas de rubis e pérolas.

Apenas duas damas acompanhavam a mãe: a sua amiga de longa data, Beatriz, e a homónima de Joana, filha natural de Fernando.

Joana contemplou a mãe que pensara não voltar a ver. O tempo e os acontecimentos haviam desafiado selvaticamente aquela rainha, em tempos invencível. O corpo apresentava-se pesado e inchado, o rosto flácido e profundamente enrugado, o cabelo grisalho. Joana tentou pegar na mão da mãe para o beijo tradicional, mas Isabel impediu-a e, levantando-se com dificuldade, desceu os degraus penosamente.

— Minha querida filha! — Isabel abraçou-a, apertando-a contra o amplo peito, beijando-a e chorando. — E o nosso filho Filipe. Príncipe, sois muito bem-vindo. — Fez-lhe sinal para que se aproximasse, para receber o abraço de boas-vindas. — Espero que estejais totalmente recuperado.

Também ele se ofereceu para lhe beijar a mão, mas ela retirou-a para lhe poder apertar os braços numa demonstração de afecto.

Joana traduziu a breve conversa.

— Bom, Filipe tem de ficar com o rei, enquanto eu vos guardo para mim, minha filha. Santo Deus, já não sois uma menina, mas uma mãe. Vamos para os nossos aposentos.

Caminharam juntas, de braço dado, lentamente; cada passo era para Isabel uma agonia.

Uma vez no quarto e instalada confortavelmente com Joana a seus pés, começou a interrogá-la. Estava ansiosa por notícias dos três pequeninos deixados em Bruxelas. Eram saudáveis, com quem se pareciam, quando teria os seus retratos e, ainda mais importante, quando viriam a Espanha?

Depois vieram as perguntas difíceis. Isabel exigia a verdade sobre o comportamento de Filipe para com Joana, as obrigações religiosas da filha, auto-impostas ou não. Especificou os inúmeros rumores que guardara cuidadosamente ao longo dos anos.

Joana sentiu-se em terreno movediço, pois as informações eram de uma precisão desoladora. Não se atrevia a responder, preferindo negar a importância das perguntas.

— Preocupais-vos demasiado. Essas coisas, muitas exageradas, pertencem todas ao passado e devem ser esquecidas. Contai-me sobre vós, pois haveis sofrido muito mais que eu.

Isabel decidiu não insistir e, afinal, a filha pareceu-lhe bem e feliz. Falou-lhe das mortes trágicas da família e de como cada uma tinha sido um punhal espetado no seu coração.

— E as minhas irmãs, Maria e Catarina?

— Estão ambas casadas e de boa saúde e as cartas delas dão-me um grande consolo. Mas sinto-me muito só. Não há solidão que se compare à de um lar vazio. Tenho uma profunda dor no coração que nada alivia e nada consegue tirar-me este terrível peso da mágoa.

— Nem eu, mãe? — perguntou Joana de ânimo leve, sabendo que sempre fora e sempre seria uma substituta secundária das irmãs no coração da mãe.

— Mas só por brevíssimos períodos, Joana. Se ao menos conseguíssemos convencer-vos, a ti e a Filipe, a viver aqui. Ou a mandar--nos o nosso querido neto Carlos para que o educássemos como um verdadeiro espanhol. A Espanha tem de ser governada por um dos nossos, alguém que a ame, alguém que assegure que mantém a sua identidade, a sua dignidade. — A voz de Isabel parecia nervosa. — Alguém que não a deixe tornar-se pouco mais que um pedaço da Áustria. — Estremeceu, tal era o seu desagrado face a tal eventualidade.

— Agora não, mãe, por favor, agora não. Tenho um presente para vós. Pajem, manda chamar Madame Halewyn e que traga o meu cofre vermelho. Mãe, trouxe um tecido requintadíssimo.

— Joana, sabes bem que os adornos não me interessam nada.

— Mas este é um fino material de Bruxelas, perfeito para os vossos véus.

— Nesse caso, suponho que seja aceitável.

Joana lutou contra a mágoa, levantando-se de um salto.

— Assim que o virdes, vamos à procura de Filipe e do pai. E devem ser quase horas de jantar.

* * *

Pelos padrões de Isabel e Fernando, o jantar era uma ocasião extremamente sumptuosa. Um espectáculo imponente de baixelas de ouro e prata, a maior parte pertencente a Beatriz, decorava a mesa e os aparadores.

O coração de Joana agradeceu-lhes. Aplaudiu o seu esforço para montar um espectáculo tão impressionante, mas compadecia-se, pois não se comparava nem de longe aos excessos de França e da Flandres. Sabia também como ia contra a sua filosofia de austeridade, tão firmemente implantada enquanto parte do seu luto permanente.

A refeição deliciou-a. Infelizmente, era galinha. As magricelas galinhas espanholas haviam sido cobertas de farinha de arroz e cozidas em leite de cabra e água de rosas e, por fim, guarnecidas com uma camada de queijo grelhado.

Filipe sussurrou-lhe, desdenhoso:

— Santo Deus, mais galinha! Uns passarocos esqueléticos que em Bruxelas nem mereceriam o nome de pardais. — E fez de conta que comia.

Isabel e Fernando ficaram chocados com a sua incrível falta de maneiras à mesa.

— Não ligueis — pediu Joana, nervosa. — Filipe está a queixar--se de ter de comer galinha depois de uma dieta de canja de galinha durante dias e também tem uma forte aversão ao alho, apesar de eu lhe ter dito que era benéfico. Na verdade, qualquer alimento que não seja preparado pelos seus próprios cozinheiros é sempre considerado suspeito.

— As nossas desculpas pela galinha. — A resposta de Isabel foi gélida. — Assegura a Filipe de que não existe alho escondido no seu prato, portanto pode parar de o inspeccionar, como se o que tem defronte de si fosse impróprio para consumo humano.

Ao terminarem o primeiro prato, a toalha foi retirada e substituída por outra de linho lavado, delicadamente bordado com frutos do campo. Os criados trouxeram pratos com massas, biscoitos, *donuts*, maçapão, doce de manteiga e natas.

Joana tinha os olhos esbugalhados de alegria.

— Filipe, tendes de provar estas delícias de pinhão.

— Primeiro, tentais transformar-me em frango, agora pensais que sou um esquilo. O que é aquilo?

— Doce de amêndoa, maçapão, estes são bispos e ali estão os ossos de santo...

— Não digais mais nada, a igreja mete o nariz em tudo. Dizei aos vossos pais que amanhã lhes ofereço um jantar da Flandres.

— Isso não fica nada bem. Seria demasiada comida, demasiada animação e demasiado barulho.

— Exactamente! Um pouco de vida não lhes faria mal nenhum. A propósito, daqui a quanto tempo poderemos apresentar as nossas desculpas e irmos para os vossos aposentos? Tenho na ideia uma sobre-mesa muito melhor que qualquer destas que vejo na mesa.

— Que diz Filipe?

— Que deseja oferecer-vos um banquete da Flandres, mãe. Mas tenho de vos avisar de que será muito diferente daquilo que conheceis.

Isabel e Fernando sorriram, aceitando o convite.

Porém, as últimas palavras de Filipe queimavam o íntimo de Joana e nada mais existia para além de uma escaldante onda de desejo. Era esmagador, só conseguia pensar no corpo nu de Filipe junto ao seu. Fingindo cansaço após um longo dia e uma necessidade desesperada de descansar, deixou a mesa, ordenando aos pés que caminhassem e não corressem.

Filipe disse que achava ser seu dever acompanhá-la aos aposentos.

CAPÍTULO 18

O frio de Dezembro que varria o palácio de Alcalá de Henares não se comparava com o que paralisava Joana. Segurou a cabeça e cambaleou.

O marquês de Villena apressou-se a dar assistência à princesa, agora no sexto mês de gravidez.

— Preciso de tempo. Tenho de ter tempo para pensar. Isto não pode ser verdade — exclamava ela, olhando para o papel que tinha nas mãos.

— Senhora, a rainha sabia muito bem da determinação de Filipe em abandonar Espanha, tendo-o convocado de Saragoça a fim de o acautelar sobre o seu comportamento e de lhe enfatizar as razões pelas quais devia ficar, por que motivo devia fazer um esforço para compreender esta nação que irá herdar. Como podeis ver pela carta, não teve êxito. O príncipe exprimiu a sua decisão de partir imediatamente. Ela conta agora convosco para o persuadir a adiar a partida. Considera isto uma questão da maior importância.

— É claro que Filipe está ansioso por voltar a Bruxelas e eu anseio por ver de novo os meus pequeninos, mas a minha mãe deve estar enganada, pensando que Filipe deseja que partamos imediatamente. Não é altura para viajar.

Pensamentos inquietantes insinuavam-se no seu espírito: estaria Filipe tão descontente que quisesse apressar a partida, indiferente às consequências; tê-lo-ia a sua mãe encorajado a partir, para se ver livre de um genro que considerava fútil e irreflectido, mantendo Joana com ela?

Villena prosseguiu:

— Apesar de tudo, a rainha Isabel achou melhor estardes prevenida antes da chegada do príncipe.

Filipe estava apenas a duas horas de viagem e, portanto, chegaria muito em breve. Havia semanas que não o via e sentira muitas saudades. O seu coração sobressaltou-se, pois os dias solitários iam terminar. Filipe vinha aí.

— Tomai a vossa letra, marquês. Agradeço-vos o vosso interesse, tudo se resolverá por bem, asseguro-vos. — Sorriu, certa de que, assim que tivesse Filipe junto de si, conseguiria afastar-lhe o mau humor, como fizera tantas vezes recentemente.

Dera-se a morte prematura de Artur, príncipe de Gales, o que pusera fim à sua agradável estada em Toledo. Isabel ordenara nove dias de luto. Sagaz, Joana concedera a Filipe nove dias de caça, embora soubesse como iria sentir-se infeliz sem ele.

Depois, a cerimónia do juramento, já adiada devido ao luto, causava-lhe muita exasperação. E, quando foi nomeado apenas consorte, com a agravante de, no caso da morte de Joana, Castela passar directamente para o seu filho Carlos, o insulto foi demasiado ultrajante.

Fora possuído por uma fúria imensa devido a um incêndio que destruíra grande parte dos tesouros sem preço da sua casa. Os seus afamados cozinheiros flamengos foram acusados de negligência criminosa, embora tivessem insistentemente negado qualquer culpa, apontando um dedo acusador aos criados espanhóis.

Todavia, estes problemas não eram nada perante a perda de Busleyden. Durante o Verão, houvera muitas mortes entre os flamengos, vítimas do calor ou da comida, e o seu querido amigo e conselheiro fora uma delas. Para Joana não fora nenhuma tragédia, pois via a morte do conselheiro como a retribuição divina dos seus inúmeros actos cruéis. Filipe suspeitara, evidentemente, de envenenamento, o que era uma possibilidade, pois circulavam rumores sobre umas cartas roubadas que alegadamente confirmavam o seu envolvimento em intrigas contra a Espanha. Verdade ou mentira, um jovem camareiro foi torturado até confessar o roubo e o assassínio.

Em todos estes infortúnios, Joana desempenhara na perfeição o papel de dama solidária, conseguindo sempre que Filipe voltasse a ser o jovem despreocupado que fora durante toda a vida. Com a excepção daquela desastrosa cerimónia de juramento em Aragão, onde se viram confrontados com uma emenda que incluía a possibilidade de um futuro herdeiro aragonês. Fernando odiava de tal forma a ideia de um Habsburgo vir a usar a sua coroa que chegou a declarar a sua intenção de voltar a casar se Isabel morresse. A fúria cega de Filipe ainda a assustava e Joana tratou de esconder no fundo do pensamento todas as recordações daquele dia.

— Marquês, achais que Filipe estava simplesmente a dar conhecimento prévio à rainha da nossa partida? Imediatamente, como todos sabemos, pode envolver meses de preparação.

— É isso que todos esperam.

— Tenho de usar algo muito especial para o receber. Maria, acho que o vestido de veludo roxo.

Maria juntou a costura e preparava-se para deixar a sala quando Filipe entrou violentamente, trazendo com ele uma onda gelada de ar invernoso. Atirou ao chão a capa manchada de lama, o chapéu e as luvas.

Estendeu as mãos para o calor agradável do fogo, o rosto transformado numa máscara tempestuosa.

— Não vão dizer-me o que posso ou não fazer, nem o que devo ou não dizer. Acabaram-se os sermões.

— Filipe, meu amor, tendes frio e estais cansado da viagem. Aquecei-vos, descansai um pouco, falaremos mais tarde. — Joana aproximou-se dele de braços estendidos. — Meu querido amor.

Ele afastou-lhe rudemente os braços.

— Falamos já. Vou-me embora. No início, disse que regressaria à Flandres no espaço de um ano e ninguém me vai dissuadir.

— É claro, meu amor, e concordo convosco, mas é óbvio que temos de ser pacientes, temos de esperar um pouco...

Ele agarrou a mão que se aventurara a afagar-lhe a face.

— «É óbvio», Senhora? «Temos de esperar», Senhora? Tencionais igualmente pregar-me um sermão?

— Filipe, permiti-me. Temos de esperar até ao nascimento do nosso filho, uma questão de semanas. Nessa altura, estaremos no início da Primavera...

— Não vim aqui pedir-vos opinião, assim como não fui a Madrid em busca do conselho de Isabel. Nem ela nem mais ninguém me vai dizer para escolher entre Luís e a Espanha, nem ninguém me vai dizer onde devo viver. Tenciono fazer o seguinte: partirei para a Flandres esta semana.

— Querido, dizeis isso apenas porque estais zangado, porque os meus pais vos perturbaram. Quando tiverdes tempo para reconsiderar, meu amor, reconhecereis que...

— Estai calada, por amor de Deus! E agora escutai e escutai bem. Odeio este país. Odeio este povo. Odeio este tempo e só Deus sabe como odeio a comida. Mas pior, considero os vossos pais as pessoas mais hipócritas que jamais conheci e recuso-me a ficar, passando por um idiota ainda maior.

Joana ficou chocada, consternada e ansiosa. Que podia dizer?

— Meu Senhor, tenho a certeza...

— Disse-vos que vos calásseis! Calai-vos e sabei qual o vosso lugar! — As palavras assobiavam por entre os lábios semicerrados. — Tenho de voltar à Flandres. Viajarei por França. Não há mais nada a dizer.

— Ir por França seria...

— Ou não haveis ouvido ou sois demasiado estúpida para compreender o que estou a dizer. Olhai para mim e escutai: vou partir de Espanha e darei início à viagem ainda esta semana.

— Mas, Filipe, eu tenho de ficar cá, não posso viajar no meu estado.

— Esse, Senhora, é um problema vosso, não meu. — Filipe estava tão cego pela fúria que nem considerou a possibilidade de Joana ter um filho e Isabel, dado o seu total desprezo pelo arquiduque, nomear a criança como herdeiro, negando-lhe, assim, quaisquer direitos ao trono de Castela.

— Assim que o bebé nascer, partimos. Deixamos aqui a criança e viajamos por mar.

— Tenciono atravessar a França para ver o rei Luís, para limpar o meu nome.

— A Espanha está em guerra com a França.

— Irei como embaixador do vosso pai. Este jogo pode ser jogado por dois. Negociarei a paz para Espanha, nos meus próprios termos, uma nota oportuna de que nunca lhe perdoarei ter-me obrigado a presidir a uma reunião de preparação do seu exército contra os franceses.

Então era verdade. Tencionava mesmo ir e sozinho, deixando-a para trás. Joana não podia, não iria suportá-lo.

— Vós? Negociardes com Luís? Como é que um vassalo negoceia com o seu amo? Do que observei, limitar-vos-íeis a lamber-lhe as botas e a fungar a vossa concordância com tudo o que ele exigisse. Que imagem sórdida da humilhação e do servilismo.

— Sua perversa... — Agarrou-lhe um dos pulsos com uma mão, enquanto lhe esbofeteava as duas faces com a outra, atirando-a de seguida para o chão.

Em grande pranto, Joana rastejou até aos pés dele.

— Que o diabo me leve a língua, Filipe, se tencionava dizer aquilo. Perdoai-me. Oh, meu Deus, que fiz eu?

Filipe virou-se para Maria e Villena, as embaraçadas testemunhas.

— Olhai! É esta a mulher que queriam fazer rainha, sendo eu apenas seu consorte. E fala ela de servilismo!

Joana sabia que se ele fosse sem ela, perderia a esperança que lhe restava de que ele lhe pertencesse, a ela e só a ela. Cairia nos braços da primeira dama flamenga que encontrasse. Em Espanha, estivera protegida dos seus namoros. Ali, as jovens eram «frígidas», lamentara-se Filipe, não correspondendo aos seus avanços amorosos. Uma vez em casa e sem a sua presença, estaria perdida.

— Imploro-vos! Estais a ver-me de joelhos, implorando-vos. Por favor, Filipe, não me abandoneis.

Ele olhou para ela, para aquele rosto manchado de lágrimas, feio e inchado, com as marcas inflamadas dos seus dedos nas faces.

Joana choramingou, numa abjecta derrota, agarrando-se às suas botas.

— Não ficais para o Natal?

— Meteis-me nojo! — atirou-lhe ele, soltando-se com um pontapé.

CAPÍTULO 19

O Castelo La Mota encarava ferozmente do cimo de um monte sinistro e isolado o animado mercado de Medina del Campo. Trazendo as notas de troca, gente de toda a Europa enchia o mercado durante as feiras, comprando e vendendo lãs, sedas, cetins e veludos. A praça, desproporcionadamente grande para uma cidade tão pequena, era um festival de cores e sons.

Todavia, o castelo ficava distante e altivo; solene, frio, com aposentos húmidos e cheios de mofo, com frequência inundados pelas chuvas da Primavera que enchiam o fosso.

Naquele pardacento e ventoso dia de Novembro, o enorme volume do castelo parecia mais inóspito que nunca.

Uma figura magra de preto, segurando nas saias e no manto contra o vento cortante, seguia caminho por entre as ameias, detendo-se ocasionalmente para espreitar na direcção da cidade.

— Já cá deviam estar. O que os terá demorado? Oh, meu Filipe, aí vou eu, aí vou eu — gritava Joana para as rajadas ferozes. Tinha o rosto encolhido, enquanto olhava, os olhos pisados de negro.

Desde que acordava, não pensava em mais nada a não ser no regresso para junto de Filipe, que partira havia quase um ano. Entrara em luto no dia em que ele partira. Chorava durante horas e não falava em mais nada a não ser Filipe. Como tinha saudades dele, como o amava, como o desejava, como tinha de voltar para junto dele. Após semanas de pedidos ignorados, abatera-se numa profunda melancolia.

Aquele estado de espírito mantivera-se durante os oito meses desde o nascimento do filho, Fernando, mas ela ainda não deixara Espanha.

Todavia, não haveria mais demoras, mais desilusões. As desculpas e as promessas constantemente quebradas seriam desnecessárias, pois desta vez fizera os seus próprios preparativos. Margarida, a sua querida Margarida, e até a rainha Ana de França tinham prometido que haveria carroças prontas à espera dela na fronteira. Partiria, apesar de os pais não lhe concederem licença para viajar. Fora assinado um tratado de paz com a França e isto, do seu ponto de vista, era garantia suficiente para a sua viagem segura para a Flandres, para junto do marido. A partir daquele dia não seria mais prisioneira. Ia partir.

Porém, não via sinais dos cavalos. Desceu apressadamente os degraus, mandou chamar meia dúzia dos seus guardas e, sombriamente determinada, atravessou a ponte levadiça para descer o monte até à cidade, tencionando lidar pessoalmente com os responsáveis pela demora.

Não se afastara muito quando encontrou Fonseca. Nenhum ficou feliz ao ver o outro.

— Vossa Alteza, posso perguntar por que motivo haveis abandonado o castelo?

— Vou a caminho da cidade para descobrir por que motivo os cavalos não foram enviados. Está tudo pronto para partir e agora esta demora. Não percebo qual pode ser o problema. Alguém será responsabilizado se não houver uma boa explicação. Estamos a perder tempo valioso. Bom dia, meu senhor.

— Senhora, não devíeis ir à cidade sozinha.

— Então, acompanhai-me.

— Não é preciso. O problema já foi resolvido, mas não devíamos estar aqui ao frio; voltemos para o castelo e explicar-vos-ei. — E conduziu-a de novo pelo portão do castelo.

Joana deteve-se, suspeitosa.

— Dizei-me o que se passa com os cavalos.

— Não quereis entrar?

— Não dou nem mais um passo. Os cavalos!?

— Estão em Medina.

— É claro que estão em Medina — cortou ela. — É por isso que ia a caminho. Não me trateis como uma idiota.

— Não vêm para cá. Mandei-os para trás.

— Como vos atreveis? Com que autoridade? — gritou Joana, a raiva impedindo-a de falar.

— A rainha Isabel encarregou-me da vossa segurança e peço-vos que fiqueis aqui.

— Não — berrou ela. — Como é que a minha mãe me pode fazer isto de novo? Chega! Haveis-me pedido que ficasse e eu recusei. — E fez tenção de passar por ele.

Fonseca avançou para a frente dela.

— Suas Majestades pretendem apenas que fiqueis mais um pouco até poderem vir dizer adeus.

— Ah! Peço-vos que não insulteis a minha inteligência. Afastai--vos, quero passar.

— Fechai os portões! Baixai a ponte levadiça! — ordenou Fonseca. O estrondo da madeira reforçada e o restolhar de correntes dilace-raram-lhe a alma. Ouvia o esmagar de todos os seus sonhos e esperanças.

— Recebi ordens para que não vos ausenteis deste local até Suas Majestades darem autorização. Não podeis visitar a cidade, nem sequer pensar em viajar. Lembram-vos que seria extremamente perigoso para vós viajar sem autorização. Devo tomar todas as precauções necessárias que vos impeçam de agir contra o desejo deles.

— Seu vilão! Seu vilão inqualificável. Pensei que éreis meu amigo. Por detrás das minhas costas revelastes todos os meus planos e depois conspirastes contra mim. E agora aprisionais-me. Confiava em vós e traístes-me. Agora não tenho qualquer esperança. — Cuspiu-lhe aos pés.

— Não sois digno das vestes que envergais. Deixai que vos diga que, quando for rainha, farei com que os vossos actos sejam justamente recompensados. Antes de fazer o que quer que seja, mandar-vos-ei enforcar. Ao contrário dos que me rodeiam, cumpro as minhas promes-sas, Fonseca. Odeio-vos! Hei-de mandar cortar a vossa língua viperina!

O padre curvara-se e apressara-se pelo portão do postilhão, lançan-do ordens enquanto caminhava. Já partira havia algum tempo quando Joana se apercebeu de como fora ofensiva para com a pessoa que insis-tira ter sempre a seu lado quando fosse rainha.

Ergueu as saias e correu pelos degraus acima até às ameias, cha-mando-o.

— Meu senhor bispo, por favor voltai, não tencionava dizer aquilo, perdoai-me.

— Não, acho melhor informar a rainha Isabel da situação. Ela aconselhar-me-á sobre o melhor a fazer.

Joana desceu, vacilante, doente de apreensão.

— Só quero ir para junto do meu Filipe.

Durante o resto do dia e da noite caminhou pela estreita passa-gem que corria junto às muralhas, mergulhada na sua infelicidade. Não dava conta da chegada das criadas, não reparava na mudança da guarda, ignorava a oferta de mais um manto.

A um dado momento, na manhã seguinte, ouviu uma voz que se lhe dirigia.

— Dois visitantes, Vossa Majestade.

Joana ergueu o olhar, logo se alegrando, pois ainda poderia haver esperança.

— Meu senhor arcebispo Cisneros e meu querido tio, por favor, perdoai esta recepção tão pouco hospitaleira, mas, como vedes, espero partir a qualquer momento.

— Assim ouvimos, Senhora, mas não estaríeis mais confortável lá dentro?

— Tendes razão — e convidou-os a segui-la. Ambos se aperceberam de que a vitória seria fácil.

* * *

— Joana, isto são as cozinhas. Pensámos ir para os vossos aposentos — sussurrou Dom Fradique.

— Tio, aqui serve muito bem para mim. Vou esperar lá fora e comer e beber aqui até chegar o momento de partir.

— Joana, vim da parte da rainha para vos implorar, a bem da vossa saúde, que volteis para os vossos aposentos. Tendes de ter mais cuidado com a vossa pessoa para que, quando chegar a Primavera, estejais bem para viajar.

— Porque terei imaginado que trazíeis boas notícias? A minha mãe fala da Primavera, não é verdade? Tenciona deixar-me aqui para sempre, que eu bem sei. Fostes enviado com um monte de mentiras. Tio, eu só quero o meu Filipe, porque não há-de ela deixar-me ir ter com ele? Porque me tortura assim?

— Joana, minha querida, é claro que quereis o vosso príncipe e ireis ter com ele, a seu tempo. Tendes de vos recordar que não sois uma mera senhora a tentar voltar para o marido e para os filhos: é necessária muita cautela em todas as acções que vós e nós empreendermos. Analisemos a situação cuidadosamente.

Durante a hora seguinte, Dom Fradique tentou encorajá-la a aceitar o facto de que os seus conselhos vinham do grande amor que lhe tinha. Doía-lhe vê-la tão profundamente infeliz. Cisneros observava, evitando qualquer comentário.

Joana deu por terminada a entrevista. Estava resolvida, com uma determinação de ferro.

— Voltai para junto da minha mãe e dizei-lhe que não volto a escutar nenhum sermão dos seus mensageiros. Informai-a da minha intenção de regressar à Flandres. Havei-vos esforçado ao máximo para realçar que necessito da sua autorização para partir, portanto podeis dizer-lhe que não lhe darei paz até a ter. Dizei-lhe que esperarei o tempo que for necessário, junto do portão do castelo. Adeus, que Deus vos dê uma viagem rápida.

Acompanhou-os ao portão e, enquanto eles partiam, retomou a sua posição num dos postos de guarda, de forma que vissem que falava a sério. Agarrou-se com força às grades e ficou a olhar para o que pensava ser a direcção da Flandres.

Ninguém a demoveu. Os guardas trouxeram-lhe uma braseira que lhe desse algum calor e alguém lhe colocou um manto de peles sobre os ombros.

* * *

Permaneceu no seu posto por cinco dias e noites terrivelmente frios, descansando raramente na sala da guarda.

No sexto dia, chegou o comboio de bagagens da mãe. Joana reenviou-o para a cidade, afirmando enfaticamente que ninguém podia ficar no castelo, quando tudo estava pronto para partir.

Mais tarde, quando a liteira que transportava a mãe entrou no pátio exterior, Joana não se mexeu, ignorando a sua presença e olhando com determinação a paisagem campestre. Isabel coxeou dolorosamente até junto dela, mas Joana não se virou para cumprimentar a mãe.

— Joana, vinde comigo para que possamos falar — chamou-a baixinho.

— Não, não me afasto nem um passo da Flandres.

— Isto é absurdo. Vim explicar as razões das diversas demoras, um desapontamento compreensível, e como tencionamos organizar a vossa viagem. — A voz soava cansada e ofegante.

— Não me deixo enganar de novo. Dizei o que tendes a dizer aqui mesmo — respondeu Joana, continuando a olhar para longe.

— Não permitirei que me faleis assim, nem tenciono receber ordens de vós. Esperarei por vós na sala da guarda. Dar-vos-ei uns momentos, mas se após esse tempo não tiverdes ido ter comigo, presumirei que não desejais ouvir o que tenho a dizer e partirei.

Com relutância, Joana juntou-se a ela, permanecendo na soleira, suspeitosa e obstinada.

Isabel mirou aquela criatura desgrenhada e desleixada, o rosto sujo e manchado de lágrimas. Era aquela a sua filha, a herdeira de toda a Espanha?

— Estou pronta a ouvir as vossas razões para me manterdes separada de Filipe. — Joana atirou as palavras à mãe.

— Nunca procurámos...

— Mentiras, só mentiras — cortou ela. — Então, porque não me permitem partir? Porque ordenaram a Fonseca que me detivesse aqui?

— Para vos proteger da inevitável vergonha que cairia sobre vós ao mostrar ao mundo a vossa extraordinária falta de respeito por nós e pelo nosso país.

— Não me é demonstrado grande respeito, fazendo-me passar por tola, com os portões fechados, rodeada da minha bagagem sem lugar para onde ir.

— Não me interrompeis. Temos de ter a certeza de que os tratados de paz são aceitáveis por todos os envolvidos.

— Surpreende-me que consigais lembrar-vos de todos, uma vez que andais sempre a mudá-los. E quem garante que não ireis quebrá-los? Já o fizestes, traindo o meu Filipe, quando a tinta ainda mal secara no tratado de paz que ele negociara para vós com a França. Ficou profundamente doente durante semanas. Mantendes-me refém para impedir que ele faça novas alianças ou tratados com França, sei-o muito bem.

— Joana, escutai-me. — Isabel ofegava. — Tinha esperança de que durante este período de espera acabásseis por ver o vosso papel sob uma luz diferente.

— Agora chegamos ao cerne da questão. Tencionais que eu fique aqui. Quereis que eu governe Espanha, enquanto Filipe governa as suas terras. Não desejais que voltemos jamais a estar juntos. Permiti-me que vos diga que não estou interessada na governação de nenhum país. O meu único desejo é voltar para o meu marido. — Retirou do corpete um papel dobrado. — Lede-o, lede a parte em que ele diz como me deseja, como precisa de mim.

— Joana, não preciso de ler esta carta. Tenho a certeza de que ele vos quer por perto. Certamente não deseja que fiqueis aqui sozinha, quando a minha morte já não deve tardar. Essa carta é o resultado do conselho dos seus conselheiros, que lhe explicaram o perigo de vós serdes coroada na sua ausência e com o vosso filho Fernando como herdeiro.

— Como vos atreveis a manchar a carta de Filipe! Não vedes nada para além de coroas? Nunca vedes pessoas com sentimentos? Ou será esperar demais?

— O vosso pai e eu lutámos muito para construir esta nação. Foi a vontade de Deus levar João, o nosso belo filho, que teria sido rei. Deus decidiu igualmente levar Isabel e o pequeno Miguel. Recaiu sobre vós, Joana, ser a guardiã destas terras e parte-se-nos o coração ao pensar que possam tornar-se nada mais que um apêndice da Áustria porque vós não vos interessais em protegê-las. Oh, Joana, mentiria se dissesse que não tenho rezado constantemente para que compreendais onde estão os vossos interesses.

— Calai-vos! Calai-vos! Não gostais de mim, os meus sentimentos não vos interessam. Estais obcecada com a vossa Espanha. Dou-vos uma última oportunidade de provar que tendes um coração dentro desse vosso corpo. Eis aqui uma carta do meu pequeno Carlos: *Quero que a minha mãe venha para casa, porque o meu pai está muito só sem ela. As princesas Leonor e Isabel, minhas irmãs, enviam mil beijos à sua querida mamã.*

— Já tinha lido essa carta, Joana. Filha, pensei que tínheis mais senso e não vos deixáveis enganar tão facilmente. Não vedes aqui a mão do conspirador? A carta termina... *por favor perdoai a descortesia de não ter sido eu próprio a escrever.* São estas as ternas lamúrias do vosso filho de quatro anos? Não vos iludais. São as malignas maquinações do vosso amado Filipe e dos seus conselheiros.

Joana avançou para a mãe como se quisesse bater-lhe, gritando:

— Odeio-vos!

Isabel levantou-se e olhou-a profundamente nos olhos.

— Se não fosse pelo vosso estado de espírito, não teria tolerado a forma como haveis falado hoje comigo. O vosso pai vem em breve ter comigo e serão, então, feitos todos os preparativos para a vossa viagem para a Flandres. O infante Fernando ficará connosco.

— Mais um dos vossos esquemas? Que ele venha a herdar?

— Chega, Joana! Estou cansada disto. Trouxe Zayda comigo. Ela vai preparar-vos um banho perfumado e livrar-se dessas roupas malcheirosas. Talvez consiga fazer com que fiqueis com o aspecto e o odor de uma princesa, embora não vos comporteis como tal.

CAPÍTULO 20

Joana atravessou um laranjal, passando dos jardins ensolarados para um corredor desconhecido.

— Por aqui, Senhora?

— Porque não, Maria? — retorquiu Joana, indiferente quanto ao sítio onde a levavam os seus passos. O seu mundo era de felicidade, uma felicidade infinita, desde o regresso a Bruxelas em Maio.

Durante a ausência de um ano, parecia que Filipe tinha esquecido a sua beleza e vivacidade e ficou totalmente intoxicado pelo encanto da esposa. Chamava-lhe «a sua jovem noiva» e «minha Joana». O seu maravilhoso marido, belo como um Deus, amava-a. Os seus dias eram uma euforia de cavalheirismo romântico. Havia torneios, onde Filipe usava as suas cores, amarelo e verde, e derrubava sempre o cavaleiro adversário. Os banquetes e os bailes eram melhores do que se lembrava e as noites passadas a dois de uma paixão e êxtase sem rival.

De súbito, imobilizou-se.

— Vai! — ordenou num sussurro. Ouvira vozes e uma suspeita incómoda atravessou-a, uma suspeita gélida e simultaneamente escaldante que recusava nomear.

Assim que se achou sozinha, avançou em bicos de pés e escutou de novo junto de uma porta próxima. Era a voz de Filipe. Aproximou-se mais, encostando a cabeça aos painéis.

— Há razões de Estado que exigem que eu esteja com ela, o vosso tio deve ter-vos explicado. Mas Beatrice, minha querida Beatrice, mesmo assim fui um louco ao negligenciar-vos tão cruelmente. Por favor, dizei que me perdoais.

— Perdoo-vos, Senhor.

— Senhor, não. Dizei: «Perdoo-vos, Filipe.»

— Perdoo-vos, Filipe.

Joana tapou os ouvidos e virou-se para escapar à traição pungente daquelas palavras que lhe pertenciam, palavras ditas quando ela e Filipe se haviam encontrado pela primeira vez. Devia ter-se ido embora, mas era impossível. Também não podia escancarar a porta para pôr fim àquela infâmia. Havia algo que a levava, que a obrigava a ouvir mais.

— ... amanhã à noite, sem falta. E então já saberei dos preparativos finais da nossa semana de caça e onde vamos ficar.

— Prometeis?

— A minha palavra de honra. Santo Deus, se ao menos nos tivéssemos conhecido há anos, como as nossas vidas seriam diferentes.

— É tolice olhar para o passado, Filipe, para o que não pode ser alterado. Vamos é ficar gratos ao meu tio Carlos, o príncipe Chimay, por me ter trazido aqui quando o fez.

Fez-se um silêncio. Não havia dúvida de que haviam caído nos braços um do outro. Joana deixou-se abater de encontro à parede. Era a sobrinha de Chimay! Porque a haviam chamado? Por quem? Quando! Quantos sabiam daquilo e há quanto tempo? Porque é que ninguém lhe contara? Que havia de fazer? Sentiu-se enjoada. O seu mundo, aquele mundo glorioso e feliz despenhara-se, despedaçado para sempre.

Sem saber bem como, afastou-se da parede e endireitou-se. Como num transe, desceu o corredor com a voz excitada de Filipe nos ouvidos, a bela voz risonha falando de uma nota que iria esconder algures no jardim para a «querida Beatrice».

Uma vontade de ferro fez com que Joana passasse pelos cortesãos e a sua má-língua ofensiva; chegou aos seus aposentos, onde se deixou cair de joelhos, em soluços.

Zayda correu para o seu lado.

— Minha Senhora, que aconteceu?

— Pergunta à Maria.

Esta não respondeu.

— Conta-lhe, Maria, deves saber, provavelmente há já algum tempo — prosseguiu Joana, balançando-se para a frente e para trás tal era o seu desgosto.

— Não tinha a certeza. Era melhor não dizer nada se não tinha a certeza. E avisaram-me que não o fizesse.

— Quem?

— Madame Halewyn.

Portanto, eram a Halewyn e o Chimay. Quem mais entraria na conspiração?

— E seguiste as instruções dela, traindo-me ainda mais?

— Minha Senhora, peço-vos humildemente perdão, ela assegurou-me que não era nada, que o caso acabaria em breve, que vos faria mais mal que bem saberdes.

— Que mentirosa, isto não é nenhum caso. Filipe está apaixonado, ama-a, prefere-a a mim! Ouvi-o dizê-lo! — Joana uivava.

— Não, não, não, Senhora, não pode ser. Lamento tanto.

— Quem é ela?

— Uma baronesa viúva. Chimay trouxe-a para cá para recuperar da morte do marido faz alguns meses.

— E Filipe que me escreveu a implorar que regressasse. Disse que tinha saudades, que me queria. Mentiras, só mentiras! A minha mãe tinha razão. Quem ele queria que voltasse à Flandres era a herdeira de Espanha, não a sua mulher. Enquanto eu discutia tão amargamente com a minha mãe, estava ele nos braços da sobrinha de Chimay. Que devo fazer, Zayda? Estou perdida!

— Nunca! — Zayda ajoelhou-se a seu lado e tomou-lhe as mãos. — Não estais perdida. Vós e eu havemos de arranjar forma de ganhar esta batalha. Lembrai-vos das palavras do vosso irmão sobre Joana, a lutadora.

— Desta vez não funcionam.

— Ainda não vos falharam. E eu sei ajudar de muitas formas.

— Amanhã tenho de estar no jardim. Tenho de lá estar, há uma carta.

— Falaremos disso mais tarde, Senhora. Primeiro tendes de dormir e recuperar as forças para o desafio que vos espera. Eu tenho os filtros e poções necessários. Vou buscá-los imediatamente. — Antes de sair, lançou a Maria um olhar furioso. — É uma barbaridade que haja alguém que ouse insultar a princesa Joana desta forma.

* * *

O Sol estava suficientemente forte para que fosse confortável estar sentado cá fora, enquanto a sombra das árvores e dos arbustos do caramanchão protegiam Joana e Maria dos seus raios.

Joana quebrou o silêncio.

— Acabou-se a costura por hoje, os meus dedos estão a tremer. — Deu uma última olhada ao bordado. Era o mote de Filipe com a sua resposta romântica: *QUI VOUDRA — MOI TOUT SEUL.* Escapou-se--lhe uma gargalhada amarga. — «Quem me quer — apenas eu.» Como seria maravilhoso se fosse verdade.

Levantou-se do banco e escovou as mangas. Maria guardou o bordado no cesto, antes de procurar palhas e raminhos por entre o padrão das saias de brocado de Joana.

— Um pequeno passeio, Senhora?

Vaguearam pelo caminho ladeado por buxo, seguido por uma fileira de rosas brancas. Joana puxou as pétalas de veludo para si, para aspirar o seu perfume.

— A rosa branca de York. A velha bruxa morreu por fim. Madame La Grande é uma a menos a gozar ou a conspirar contra mim.

As saias de ambas iam varrendo as pedras, à medida que deambulavam em direcção a um cacho de rosas vermelhas que trepava uma parede, deliciando-se com o sol.

— Estas são as minhas preferidas, Senhora. São de um vermelho tão intenso, tão macias ao toque e com um aroma maravilhoso.

— A rosa vermelha do amor! As suas pétalas cor de sangue são ao mesmo tempo fogosas e macias como o veludo. — Envolveu uma nas mãos. — A bela Beatrice vai encontrar a nota — disse, cortando a rosa. — Eu hei-de encontrá-la — prosseguiu, cortando uma segunda rosa —, e depois veremos o que veremos. Arrancou e deitou fora as pétalas.

Voltaram para trás, até ao caramanchão e puseram-se à espera.

Passados poucos minutos, Joana ouviu passos apressados. Via perfeitamente sem se mover um milímetro do seu posto de observação. Uma jovem corria para uma das urnas colocada junto de um arco de murta e enfiou a mão lá dentro. Tirou um pedaço de papel dobrado. Joana observou o grande sorriso deliciado, enquanto levava a nota aos lábios.

— Santo Deus, concedestes-lhe tudo: beleza, elegância, belas mãos de dedos finos, tranças douradas, um nascimento nobre. E agora o meu marido.

Joana continuou a olhar, afogada em angústia, enquanto a jovem desdobrava a nota, a lia avidamente e a escondia dentro do corpete.

— Isso, põe-na junto dos seios brancos de leite que Filipe conhece tão bem — gritou, caindo subitamente sobre a sua presa, arrancando--lhe bruscamente a nota. — Fico eu com isso. Que diz ele? — Tremiam-lhe as mãos e a pulsação na garganta parecia estrangulá-la.

— *Minha querida Beatrice...*

Beatrice arrancou-lha, rasgou-a rapidamente e enfiou os pedaços na boca.

Joana lutou com ela, vociferando.

— Isso, espero que te engasgues. Sua puta, como te atreves a roubar o meu marido? Afasta-te dele, ouviste? — Puxava-a e empurrava-a, primeiro pelas roupas, depois pelo cabelo.

Joana conseguiu deitá-la abaixo e sentar-se sobre ela. Subitamente, tinha nas mãos a tesoura da costura. Começou a cortar e a dar golpes nos caracóis dourados, ignorando o olhar aterrorizado que a fitava e a boca aberta, incapaz de soltar um som. A tesoura enlouquecida arranhava e rasgava cabelo e carne e das feridas abertas escorria sangue.

Completada a sua tarefa, Joana levantou-se para admirar o seu trabalho.

— Podeis ir, baronesa, que esta lição vos sirva para vos manterdes bem afastada de Filipe.

Maria não se movera. Parecia de pedra, incapaz de ir em auxílio de qualquer das damas. Ficou como que paralisada, enquanto Beatrice se punha pesadamente em pé e fugia, tropeçando às cegas pelo empedrado. Continuou a olhar, imóvel, enquanto Joana saía do jardim com a mesma serenidade como se acabasse de abandonar um baile.

— Maria, penso que um dos banhos especiais da Zayda seria maravilhoso. Os óleos perfumados irão exercer a sua magia habitual sobre Filipe.

CAPÍTULO 21

A água estava pronta e Zayda adicionava-lhe o primeiro óleo quando Filipe chegou, acompanhado de alguns amigos. Olhando a escrava com aversão, dirigiu-se à sua colecção de frascos e espatifou-os no chão.

— Rua! Estou farto desta bruxaria. Quero-te fora do palácio e da Flandres, já!

Zayda passou discretamente pelo grupo de cavalheiros e damas reunido junto à porta.

Filipe virou-se para Joana:

— Grande idiota! O que vos passou pela cabeça? Ela podia muito bem ter ficado cega. Os médicos estão agora com ela. Para vosso bem, rezo para que o seu rosto não fique marcado para sempre — gritou, furioso. — Só Deus sabe quando recuperará do choque, já para não falar dos ferimentos. Sois louca, tendes alguma ideia do que haveis feito?

Joana não planeara as coisas assim. Esperara que a rapariga fugisse da corte, envergonhada, e se escondesse nalgum lugar longínquo e nunca regressasse. Pela sua experiência, era isso que acontecia em Espanha. Sempre que a mãe descobria uma das amantes de Fernando, a rapariga era rapidamente despedida da corte e ofereciam-lhe um palácio algures muito longe. Arranjavam-lhe um marido e esquecia-se a questão. Nunca passara pela cabeça de Joana que a jovem tornasse público o acontecimento, nem que ela própria fosse chamada a responder pelas suas acções. A rainha Isabel nunca fora confrontada com tal obrigação, mas se tivesse de ser, assim seria.

Inspirou fundo e principiou, forçando-se a elevar a voz acima do ruído ensurdecedor do batimento do coração:

— Meu Senhor, desejo dizer duas coisas. Primeiro, haveis mudado as regras do jogo, pois não era suposto vós amardes. Fostes falso para

133

comigo com essa promíscua. Segundo, ela atreveu-se a desafiar-me, recusando-se a entregar-me, a mim, a princesa Joana, a carta. Naturalmente que tive de a castigar.

— Nem uma ponta de pena, Madame? Nenhum arrependimento pelas vossas acções? — vociferou ele.

— Não, e admiro-me que pergunteis. Só teve o que merecia — retorquiu Joana com a cabeça erguida.

Ele agarrou-a pelos ombros e começou a abaná-la violentamente, gritando o ódio que lhe tinha e o amor pela amante.

A sua força, a convicção na rectidão das suas acções, a recusa em aceitar qualquer culpa desintegravam-se.

— Partilharei o vosso corpo, se assim tiver de ser, mas por favor nunca mais me peçais para partilhar o vosso coração — defendeu-se.

— Digo-vos que, a não ser que lhe pedirdes desculpa imediatamente, podeis esquecer o facto de eu alguma vez voltar a ter convosco qualquer tipo de relação.

— Nunca! A putinha só teve aquilo que merecia e a realeza nunca pede desculpa às meretrizes — retorquiu, recuperando a coragem.

Filipe esmurrou-lhe o rosto com o punho e ela caiu ao chão, desamparada. Numa voz ainda forte e determinada, prosseguiu:

— Independentemente do que fizerdes, não pedirei desculpa. Não permitirei que nenhuma mulher me tire aquilo que me pertence. E elas que não se esqueçam de que farei o mesmo de novo, ou pior, se se atreverem.

— Mas que comportamento digno de uma rainha, vedes o que tenho de tolerar? Um animal selvagem no meu lar. Bom, a não ser que se consiga domar, não poderá gozar de qualquer liberdade. Levai--a para o quarto e trancai a porta. Eu decidirei quem tem licença de entrar e sair.

Observou-a com um ódio indisfarçável, enquanto Joana se levantava, limpava o sangue da boca, se endireitava e erguia o queixo orgulhoso.

Filipe fez sinal a Moxica.

— Vinde. Decidi que há algo mais importante para fazerdes do que tratar das contas domésticas. Sim, acho que de agora em diante o vosso dever será manter um relato pormenorizado do comportamento desta louca. Devem gostar de o ler em Espanha. Ajudá-los-á a fazer um julgamento justo do estado mental da sua querida princesa, a pessoa que pretendem que herde o trono.

Joana limpou mais sangue da boca antes de lançar a Moxica um longo olhar gélido.

— Ah, o vira-casacas. Não duvido que tenhais vivido ansioso por esta oportunidade. Sei que desempenhareis a vossa tarefa na perfeição. Escolheis bem, Filipe, uma vez que um meu inimigo declarado não terá falta nem de inspiração nem de dedicação nas palavras que escreve.

Fez uma vénia a Filipe e dirigiu-se orgulhosamente para o seu quarto.

— Trancai a porta e mantende-a trancada até que eu ordene diferentemente. Meus senhores, minhas senhoras, comunicareis qualquer incidente, por mais insignificante, a Moxica. Isto é uma ordem. Agora tenho de ir ter com Beatrice.

CAPÍTULO 22

Numa fresca manhã primaveril de 1505, Joana recebeu formalmente uma importante delegação de Espanha.

— Vossa Majestade, Fonseca, Conchillos e Ferreira.

Os três cavalheiros vinham da parte do rei Fernando com instruções para discutir questões de grande urgência com Joana e apenas com ela. O rei escolhera os seus emissários com cuidado, pois ela conhecia-os e confiava neles. Eram o seu secretário pessoal, Conchillos, Fonseca e Ferreira, que a escoltara na sua viagem de regresso à Flandres.

Entraram, curvaram-se e depois ajoelharam-se um de cada vez para beijar a mão da sua nova rainha.

Sob o seu semblante eclesiástico, Fonseca tinha os pensamentos conturbados devido ao seu último encontro em Medina, quando Joana o ameaçara com a tortura e a morte quando fosse rainha.

— Vossa Alteza, rainha Joana de Castela, viemos jurar vassalagem e oferecer as nossas condolências pela morte de Sua Alteza, a rainha Isabel.

— Morreu na sua amada cidade de Medina. — Ela olhou para ele, erguendo o sobrolho. — Não será uma das nossas favoritas, talvez?
— O tom de voz era ligeiro, o que lhe dizia que o incidente era para esquecer e a sua amizade restaurada. — Disse-lhe coisas tão terríveis, coisas que uma filha nunca deveria dizer a sua mãe; a última recordação dela sobre mim deve...

Fonseca interrompeu-a.

— Ela compreendia perfeitamente os vossos problemas, Senhora. E as notícias recebidas em Espanha desde o vosso regresso fizeram aumentar a compreensão dela para convosco. Contudo, a sua prece fervente era ainda poder confiar em vós, para que prosseguísseis a missão dela em prol da Espanha, fortalecendo-a, protegendo-a e preservando-a...

— Como está o meu filho, o príncipe Fernando? — Joana recusou-se a ouvir mais; no que lhe dizia respeito, tudo fora combinado segundo a vontade da mãe.

— Está bem e é adorado pelo avô.

— E aqui vêm os meus outros filhos.

Os três pequenos avançaram lentamente para a mãe e os visitantes importantes em passos com um misto de dignidade estudada, pavor e, na mais pequenina, timidez.

Carlos, caminhando num passo comedido, muito orgulhoso dos seus cinco anos, envergava uma túnica de veludo vermelho, meias pretas e um barrete de veludo preto com a beira virada. Era um autêntico principezinho.

Seguiam-se as irmãs. Leonor, de sete anos, e Isabel com quase quatro, estavam vestidas de igual, de azul-escuro, mas enquanto Leonor caminhava recatadamente, com um ar de menina crescida, repousando as mãos no painel frontal do vestido, a irmã seguia-a agarrada a uma boneca, que devia ter ficado no quarto, mas que escapara, meio escondida atrás dela. Os olhos de Fonseca humedeceram-se ao contemplá-los. Eram aqueles os frutos de um casamento tempestuoso, os descendentes de uma jovem atormentada, motivo de conversa em todas as cortes europeias. Leonor, tão dócil, talvez demasiado séria para a idade, Isabel, uma delícia com as suas bochechinhas gordas e olhos azuis cintilantes, o rosto enquadrado por uma coifa branca. A boneca, agarrada pelo pescoço, fora empurrada para o meio das dobras da saia.

Virou-se de novo para Carlos, líder daquele grupo encantador, uma jovem versão de Filipe, incluindo a arrogância. Aquela criaturinha seria um dia o governante de toda a Espanha, do Sacro Império Romano, da Áustria, dos Países Baixos e ainda mais. Talvez casasse com a princesa francesa. Caminhava como se estivesse bem consciente de toda a riqueza e poder que o esperavam.

Depois de se ter dedicado tempo suficiente aos cumprimentos formais e ainda muito mais a pretender compreender o discurso do jovem Carlos, que era praticamente incoerente, as crianças foram levadas da sala.

Fonseca perguntou:

— Senhora, por que motivo recusais tão frequentemente ver os vossos filhos?

— Porque tenho vergonha de os ver. Eles sabem que sou uma prisioneira.

— Uma prisioneira? Com todo o respeito, Senhora, muitas vezes haveis procurado consolo na reclusão, encontrando a paz na quietude dos vossos aposentos.

— Referis-vos à minha única estratégia útil? — Joana abanou a cabeça. — Não, refiro-me ao facto de Filipe me manter atrás de portas trancadas. Refiro-me a ter um guarda à porta, não vá eu escapar.

Fonseca, tal como o resto da Europa, sabia da infidelidade de Filipe, da sua violência contra ela, de a ter confinado aos aposentos por causa do ataque a uma senhora da corte. Conhecia o conteúdo dos vergonhosos diários de Moxica, diligentemente enviados para Espanha e que relatavam a sua recusa em comer, mudar de roupa, dormir na cama e os acessos de raiva contra os seus opressores.

— Mas não nos deparamos com uma prisioneira, Senhora. Não há guardas à porta.

— Muito fácil de explicar: a minha mãe morreu e Filipe achou bem libertar-me para fingir que tudo está bem entre nós. Sem mim, ele não pode herdar, portanto decidiu que a minha saúde é da maior importância. Procura também mostrar ao mundo que vivemos em harmonia; daí a minha gravidez.

— Magoa-me ouvir tal amargura.

Joana pegou-lhe nas mãos e apertou-lhas tranquilizadoramente.

— Não fiqueis assim tão triste, meu amigo. Sou uma sobrevivente. Senhores, tendes outros assuntos?

Coubera a Conchillos incitar Joana a dar ao pai o seu apoio incondicional; por escrito. Tirou um papel de uma bolsa de pele.

— O rei Fernando enviou-me em busca do vosso apoio escrito.

Joana leu a carta.

— Não vejo qualquer problema. As Cortes já juraram fidelidade ao meu pai como governante, declarando mesmo que ele pode deter a regência, se necessário, até o nosso filho Carlos ter atingido os vinte anos.

— Infelizmente, há quem comece a revelar discórdia. Alguns dos grandes ainda estão zangados por causa da confiscação das suas terras.

— Terras que pertenciam à Coroa!

Conchillos apressou-se:

— Seja como for, o enviado de Filipe está a oferecer a devolução das terras, se apoiarem Filipe contra Fernando. E o número está a crescer. Podeis confirmar isto, Ferreira.

— É verdade.

— Como podem ser tão mercenários? Que tenho de fazer? Não pode haver dúvidas sobre a minha vontade de ter o meu pai como regente.

Conchillos suspirou de alívio. Joana iria concordar com o pedido de Fernando, que seria claramente reconhecido como regente.

— Precisamos de uma declaração assinada da regência do rei Fernando e de um mandado, conferindo-lhe todos os poderes adicionais que ele julgue necessários.

— Será feito de imediato. O meu pai tem de ter a autoridade de proteger a coroa e o país para mim e para o meu filho. Espero o apoio total das Cortes.

Escreveu rapidamente, a pena rasgando vigorosamente a sua determinação ao longo do papel. Conchillos sorria, satisfeito. Depois, cobriu a tinta com areia, dobrou cuidadosamente o papel e guardou-o no fundo da sua bolsa.

Joana estava curiosa.

— Meu senhor bispo, não tendes nada a dizer?

— Não, Senhora. Há tantos acontecimentos recentes que me entristecem, tantos rumores que me cansam, sinto-me enjoado de tanta politiquice. O meu coração anseia por sossego.

— E serei eu que vos confortarei, a vós que precisais de ser confortado? — Joana estendeu-lhe as mãos.

Ele ajoelhou-se para lhas beijar.

— Deus permita que a Espanha em breve esteja em paz consigo própria.

— Ámen a isso.

— Temos de partir. — Conchillos parecia agitado. — Quanto mais cedo partirmos daqui...

Ferreira interrompeu-o:

— Espero que não pensásseis partir antes de ter uma audiência com o rei Filipe?

— Bem, claro... — protestou o outro.

— O rei Filipe está de regresso da sua caçada e deve chegar hoje, mais tarde.

— Bom, ainda bem. — Joana sabia que, embora a pressa fosse importante, o protocolo exigia que tivessem uma audiência com Filipe, sendo o seu regresso atempado muito afortunado. Todavia, era esquisito que tivesse interrompido a sua adorada caçada.

CAPÍTULO 23

Eram onze da noite quando foram informados da chegada de Filipe, dizendo-lhes que o esperassem no pequeno salão de recepções. A conversa era incómoda, mantida viva pelas descrições de Joana dos diversos retratos de Filipe, ela própria e os três filhos. Depois, falou dos livros na biblioteca, que ia crescendo e da qual se sentia muito orgulhosa; já cobria uma parede inteira e convidou-os a observarem o que lhes interessasse, quer fosse música, poesia ou natureza.

Depois, Filipe apareceu e dirigiu-se-lhes muito lentamente, deixando guardas à porta.

A confiança de Joana, já enfraquecida, desapareceu:

— Senhor, regressastes tão cedo, não fazia ideia...

— Senhora, há várias coisas sobre as quais não fazeis ideia. Por exemplo, provavelmente não vos dais conta do motivo da presença destes homens aqui. — Avançou para Conchillos e prosseguiu: — Sei que sois Conchillos, secretário de Fernando. Possuo também uma informação fidedigna de que transportais convosco uma carta muito importante.

— Uma carta, Senhor?

— Ferreira, recordai-lhe a carta.

Joana mirou Ferreira, sem querer acreditar.

— O meu Senhor exige a carta que tendes convosco. — Ferreira estendeu a mão.

Joana deu um passo na direcção dele.

— Será melhor recordar-vos, Ferreira, de que a carta em questão é minha. Filipe, escrevi ao meu pai, reafirmando o mandado que ele recebeu pelo testamento da minha mãe. Também dou autorização para que tome as medidas necessárias. O meu pai tem o meu apoio e a minha confiança totais. Nada mais há a dizer.

O riso duro de Filipe encheu a sala.

— Santo Deus, o famoso testamento. Fernando repetiu-o suficientes vezes às Cortes, em especial aquela parte... *se Joana for incapaz de compreender como se governa.* Compreendeis, isso e os excertos do diário de Moxica sobre o vosso estranho comportamento fizeram um trabalho excelente, convencendo as Cortes de que sois, na verdade, totalmente incapaz de governar. Idiota, haveis escrito uma carta de abdicação. Enganada pelo pai em quem confiais para lhe entregar Castela!

— Enganado estais vós. Sou sua filha e sei que ele apenas tenciona manter o país em ordem. Há quem gostasse de o ver em ruínas e esses poucos dissidentes têm de ser derrotados. Para tal, o meu pai exige poder absoluto e eu dar-lho-ei.

— Um ou dois dissidentes? — bufou Filipe. — É exactamente ao contrário. Ele pode apenas confiar num ou dois amigos. Sem o vosso apoio, Fernando está perdido. E ainda mais importante, nós estaremos perdidos se vós o concederdes. A carta, Conchillos.

Conchillos desapertou a fivela da bolsa e passou-lhe a carta.

— Queimai-a, Ferreira. Guardas, levai Conchillos para as celas. Ele que receba o tratamento adequado aos traidores.

Joana ficou a ver as chamas devorarem todas as palavras da sua ordem real.

— Não vamos perder Castela — declarou Filipe, agarrando-lhe o pulso. — Tenho outra carta que vós haveis escrito para as Cortes.

Joana olhou em volta, em busca de Fonseca. Necessitava da ajuda dele, pois não sabia o que fazer, mas ele desaparecera. Teve esperança de que se apressasse a regressar a Espanha sem demora para contar ao pai o que acontecera.

Sentou-se na cadeira e ouviu a «sua» carta.

Filipe leu: *Senhores, escrevo para me defender contra os que me acusam de falta de poderes mentais. Os diários de Moxica foram enviados ao meu pai para justificar as acções do meu marido contra mim e o seu conteúdo devia ter permanecido privado. Trata-se de uma questão de família. Quem acredita que eu sou incapaz de governar pode ter a certeza de que, se tal fosse verdade, eu transferiria o governo de todos os reinos que possuo não para o meu pai, mas para o meu marido, e apenas para ele, pelo amor que lhe tenho. Também não possuo qualquer intenção de conceder terras ou qualquer poder ao meu filho Carlos, enquanto o meu marido viver.*

Ditada em Bruxelas neste terceiro dia de Maio, 1505. Eu, a rainha.

— Assinai — ordenou Filipe.

Ela arrancou-lha das mãos e rasgou-a em pedaços.

— Recuso-me. Traístes-me perante o mundo com os vossos infames diários e agora temeis que, por causa disso, venhais a perder Castela. E quereis que eu minta para vos ajudar? Nunca!

— Não faz mal, tenho outra. Assinareis! Começastes agora mesmo a gozar a vossa liberdade e seria uma pena perdê-la de novo. Podeis escolher entre juntardes-vos a mim e partilhar da minha sorte, ou desaparecer, trancada para sempre.

De novo ela recusou e, portanto, ele pegou na pena e forjou a assinatura dela.

— Haveis ganho, Senhor, mas o jogo ainda não acabou. Cuidai em não celebrar cedo demais.

— Agimos bem, Ferreira. Esta carta e as minhas instruções para as Cortes para que não tomem qualquer decisão até à minha chegada deixam-nos livres para nos concentrarmos na organização da viagem. Joana — acenou para ela —, haveis provado que não sois digna de confiança. A partir de agora, ninguém que fale espanhol terá autorização de se aproximar de vós, com excepção do vosso capelão. E ficareis confinada aos vossos aposentos. Penso também que será apropriado arranjar instalações mais isoladas para vós.

E deixou-a, desesperada com os termos «desaparecer, trancada para sempre» e «instalações mais isoladas».

CAPÍTULO 24

Joana, o capelão e Madame Halewyn estavam sentados no profundo silêncio do salão, como acontecera todas as tardes nas duas últimas semanas.

A noite adensava-se para além do grupo das três janelas abobadadas e as velas e a luz tremeluzente do fogo esforçavam-se por iluminar suavemente uma sala demasiado escura, carregada de tapeçarias sombrias. Tantas vezes fora o seu refúgio no passado, mas agora o quarto não lhe transmitia conforto. As paredes já não a protegiam, tendo-se transformado na sua prisão, enquanto esperava a sentença final.

De vez em quando, o capelão virava algumas páginas do seu missal, enquanto a agulha de Madame Halewyn ia esburacando um pedaço de linho. Joana olhava-os alternadamente, contemplado por vezes o livro fechado que tinha sobre o colo. O silêncio oprimia-a.

— Padre, será que as palavras de Filipe não passavam de meras ameaças? — A voz de Joana tremia enquanto repetia a mesma pergunta de todos os dias.

— Depositai a vossa confiança em Deus, Senhora, como eu. — O padre tirou os óculos e o seu olhar lançou-lhe um sorriso amigável.

Madame Halewyn atirou a peça de costura para o colo, furiosa por não conseguir entender o que diziam em espanhol.

— E que novidades há do secretário do meu pai?

— Conchillos está a recuperar e talvez em breve esteja suficientemente bem para regressar a Espanha.

— O que lhe fizeram é imperdoável. Ficou aleijado para toda a vida. Se o trataram assim tão mal, que me farão a mim? — Correu até à janela e abriu-a, deixando que uma lufada de ar frio a envolvesse.

Na rua, lá em baixo, iluminado por uma fila de tochas presas em suportes de ferro, um grupo de homens dirigia-se aos portões do palácio.

— Vinde depressa, padre. Quem são estes homens?

Ele juntou-se a ela, assim como Madame Halewyn.

— Vejo soldados e...

— Ah, Chimay! Até que enfim! — A dama parecia aliviada.

Joana levou as mãos à cabeça.

— Então, vieram buscar-me?

Madame Halewyn assentiu com ar desdenhoso e anunciou com uma certa satisfação:

— Talvez tenham arranjado um lugar adequado para vos isolarem. Sereis então declarada louca e Filipe ficará livre para casar. — Atravessou rapidamente o quarto para abrir a porta.

O padre caiu de joelhos, mas Joana, passado um momento, afastou o medo e as palavras odiadas de Halewyn e dirigiu-se decididamente para a lareira, onde assumiu uma postura desafiadora.

Chimay e o capitão da guarda apareceram à porta e detiveram-se por momentos, antes de avançarem. Chimay fez uma vénia.

Era a oportunidade de Joana. Pegou num atiçador.

— Saí daqui! — gritou, brandindo a arma, antes de a deixar cair com toda a força sobre o ombro do homem. Este gritou e fugiu, retirando-se o capitão com ele.

— Matá-los-ei a todos, se necessário. Ajudai-me, padre.

A porta encheu-se de soldados, mas ela manteve-os afastados, tão cheia de bravura como qualquer cavaleiro.

— Serei assim tão perigosa para necessitar de tantos guardas? — quis saber Joana, erguendo o atiçador em sua defesa.

— Perigosa? — ecoou a voz de Chimay de um lugar seguro, por detrás dos soldados, tratando da ferida. — O mundo o julgará. Mas podeis ter a certeza de que toda a Espanha saberá disto.

Joana retorquiu:

— Penso que não, pois seríeis acusado de traição, tendo-vos atrevido a entrar nos aposentos da rainha com homens armados.

— Muito bem, Senhora, o vosso espírito de luta regressou! — Ainda de joelhos, o capelão parecia absurdamente jubiloso.

Chimay, agarrado ao ombro dorido, abriu caminho por entre os homens e olhou-o com desprezo.

— Desaparecei, padre. De futuro só vireis aqui dizer a missa, mais nada. Depois, partireis. Rua!

— Aiiii! — Joana dobrou-se, agarrando a barriga com as mãos.
— O bebé! Estou a perder o bebé. Halewyn, ide chamar Maria imediatamente. Preciso que regresse à corte. Tem de vir para o meu lado.
— Contorcia-se, o rosto deformado de dor. — Alguém que diga
a Filipe. E preciso dos médicos, rápido! Oh, não, não posso perder este
filho.

O som de botas pesadas e ordens gritadas ecoou pelos corredores.
O padre pôs-se em pé com dificuldade para a ir ajudar, mas Joana tropeçou e caíram ambos de joelhos.

— Rezai por mim, padre.

O capelão começou:

— Que Deus tenha piedade de nós, ouvi-nos...

Joana interrompeu-o.

— Primeiro, tendes de saber pelo que rezais. Pedi a Deus que perdoe as minhas mentiras. Não se passa nada com a criança que trago
no ventre. Só não me ocorreu nada melhor.

CAPÍTULO 25

— Tirem essas putas do navio! Não zarpamos até que estejam todas fora! — gritava ela, e falava a sério.

Joana estava de pé no cais, furiosa. Filipe atrevera-se a designar «aias» para ela.

— Estas são as vossas damas — insistira Filipe.

— A Maria é suficiente até chegarmos a Espanha e eu poder escolher damas decentes e honestas. Recuso-me a sofrer a indignidade de ter de suportar as vossas amantes flamengas junto de mim.

Engolindo a raiva e aceitando o conselho dos seus conselheiros para que lhe satisfizesse todos os caprichos até estarem a caminho (já despedira Moxica por essa mesma razão), concordou, embora jurasse a sua inocência e insistisse estar a ser injustiçado.

Com um nojo óbvio, viu-as desembarcar e só depois entrou no *Juliana*. Ia para Espanha para ser coroada rainha de Castela. Como nunca desejara a coroa, e continuava a não desejar, o facto de ser sua prometia uma libertação.

Observou a costa diminuir e desaparecer, dizendo, então, um último adeus ao país que lhe trouxera felicidade, mas ainda mais tristeza, infelicidade e, por fim, medo. Dez anos antes chegara ali como noiva, ao encontro do marido, e as suas tolas ideias românticas haviam-na enganado, levando-a a apaixonar-se por alguém que não a merecia. Agora era seu inimigo. Filipe considerava a sua mera existência tão detestável e intolerável que tinha em mente aprisioná-la, declará-la louca, divorciar-se dela e voltar a casar.

Naquele momento, a única tristeza de Joana era que as crianças, incluindo a nova infanta Maria, não viajassem com ela. Tinha esperanças de que não passasse muito tempo até que lhe fossem enviadas; entretanto, a sua cunhada viúva, Margarida, tomaria bem conta delas.

Pensou em Maximiliano e em como lhe ficaria grata para sempre por ter passado os últimos meses com ela. Se Filipe possuísse pelo menos metade da compreensão e compaixão do pai, pensava ela, censurando-se de imediato por ter sequer pensado nisso. Não havia forma de salvar uma relação tão destruída por muito que o amasse. Voltou a pensar no sogro. Ainda sentia bem forte a felicidade das inúmeras ocasiões maravilhosas que partilhara com ele.

Primeiro, houvera o baptismo de Maria em Novembro. Sorriu, lembrando-se de como Maximiliano, tendo por fim consentido em ser padrinho, logo o lamentou assim que lhe colocaram a criança nos braços. Maximiliano, com a estatura de um guerreiro grego, tremia de medo, não fosse esmagar aquele bebé minúsculo, envolto em nuvens de rendas e seda ou deixá-lo escapar pelos braços, estatelando--se no chão.

Recordou a sua brilhante actuação na festa do seu vigésimo sexto aniversário, nesse mesmo mês. Ouviu-se um aplauso retumbante quando ela chegou ao fim das suas peças para *vihuela*. Depois, Maximiliano apresentou-lhe o embaixador de Veneza, o qual, no final da noite, exclamou, espantado, como é que alguém tão nova e bela pudesse ter tais talentos, um intelecto tão vivo, graça, prudência e encanto. Todos sabiam como os venezianos gostavam de lisonjear e o embaixador suplantou-os a todos com os seus superlativos. Que importava? Gabara-a na presença de muita gente e passara tanto tempo desde que o haviam feito.

— E lá vai a minha loucura, Chimay — anunciou ela à ténue tira azul de terra, que era tudo o que restava dos Países Baixos.

Janeiro não era o melhor mês para viajar por mar, mas uma viagem por França fora excluída, uma vez que parecia que Filipe e Luís já não eram aliados. E era verdade, pois passadas poucas horas da partida, avançavam contra o vento e as águas alteradas do invernoso canal da Mancha.

Joana encontrava-se na sua cabina a escolher os anéis e os alfinetes que melhor se adequavam ao seu vestido de veludo verde.

Analisou a sua imagem no espelho de mão. Apesar da tempestade, Maria conseguira fazer com que ela parecesse pronta para uma grande recepção e não para um simples e breve encontro com o marido. Era esse o plano de Joana, fazer saber a Filipe que nem ele nem a tempestade a intimidavam.

Encaminhou-se para a porta com insegurança. O vento era constante; as ondas fustigavam os flancos do navio, lançando bateladas

147

de água sobre ela nos poucos passos até à sala de estado do marido. O navio estremecia, inclinando-se violentamente para um lado e espalhando o caos. Joana agarrou-se a um espeque para se aguentar, enquanto um marinheiro escancarava a porta, gritando que o lais e a vela do mastro principal puxavam o navio para o fundo, mas que um corajoso rapaz lutava, tentando soltar a vela; talvez o desastre ainda se evitasse.

Filipe ergueu-se do seu estado de terror paralisante, largando a bolsa de pele que apertava e que continha as cartas de despedida para os filhos, enfiando-a dentro do seu gibão.

— Ofereço à Virgem de Guadalupe o dobro do meu peso em ouro em troca da minha salvação — gritava. Tirou o chapéu, pôs lá dentro várias moedas de ouro e ordenou ao pajem que o passasse pelos restantes para as suas dádivas votivas.

O chapéu chegou, por fim, a Joana, a qual observou o monte de ouro e prata; depois, abriu os cordões da sua bolsa. Fazia tanto tempo que não tinha bolsa e nem sequer possuía o dinheiro suficiente para necessitar de uma. Com o máximo cuidado, escolheu por entre as moedas e retirou uma moeda de prata muito pequena que depositou suavemente no chapéu. A incredulidade espalhou-se em seu redor.

— Será suficiente. Sabeis, a realeza nunca se afoga. — Dissera o mesmo ao tio, havia muitos anos, e era verdade. — Vou precisar do meu dinheiro quando chegarmos a terra.

Filipe, o seu cruel carrasco, estava reduzido a uma criança assustada e chorosa e ela ansiava por embalá-lo nos braços. Todavia, limitou-se a observar, enquanto dois criados lhe vestiam um colete salva-vidas. Era feito de uma pele inteira de cabra, selada com alcatrão e coberta de tecidos amarelos, vermelhos, verdes e brancos. Tinha sinos e fitas. Nunca um papagaio parecera mais fabuloso. Nas costas, escrito em letras grandes, lia-se *Rei Filipe*. Depois de insuflado pelos criados, ambos avermelhados e sem ar, a coisa tinha um aspecto totalmente bizarro.

— Oh, Filipe, tendes tão pouca fé! — Apertou a capa em volta do corpo e saiu da cabina, tropeçando no meio da chuva intensa, as ondas saltando sobre a amurada. Lutando contra o movimento do navio coberto de água, conseguiu, por fim, sempre em luta contra o vento cortante, chegar ao castelo da proa. Uma vez aí, instalou-se para enfrentar a tempestade e desafiá-la.

Passado algum tempo, através do ruído da tempestade e do ranger violento das madeiras, ouviu gritos de «Ele conseguiu». Os vivas juntaram-se ao rugido da tempestade; Joana espreitou por entre a chuva incessante e conseguiu distinguir com dificuldade uma silhueta contra os mares enraivecidos, o lais danificado, liberto da vela, a ser descido para o convés.

Depois, pareceu que o vento já não soprava tão forte, as ondas talvez já não fossem tão altas e os homens voltaram a dedicar-se às suas tarefas com vigor renovado. Joana regressou à sua cabina, satisfeita por ter sido restabelecida a ordem.

* * *

De madrugada, a flotilha dispersa era dirigida por ventos mais benignos, não em direcção à baía da Biscaia, mas sim em direcção a um refúgio não desejado, mas necessário: Inglaterra.

Estavam todos no convés. A terra nunca parecera tão bela, tão sólida, tão convidativa. Em redor do *Juliana*, outros barcos apareceram, baloiçando suavemente nas ondas calmas. Inundou-os a todos uma sensação de vitória e alegria.

Filipe, já recuperado, mas ainda pálido e exausto, condecorou publicamente o jovem que lhes salvara a vida, arriscando tão corajosamente a dele. Pregou o emblema do seu grupo de guarda-costas de elite no peito orgulhoso e o jovem escocês mal podia acreditar na sua sorte; o seu futuro estaria seguro e seria extremamente bem pago.

Um conselheiro recentemente nomeado surgiu do convés apinhado e deu início a uma conversa urgente com Filipe. Joana reconheceu-o. Era Juan Manuel, em tempos enviado da mãe. Era mais um daqueles que procurava obter dádivas de terra uma vez em Espanha. Aproximou-se deles, curiosa. Parecia que insistia repetidamente que Filipe recusasse entregar alguém ao rei Henrique, que pesasse as consequências. Filipe estava cada vez menos à vontade e Joana aproximou-se ainda mais, com um sorriso aberto estampado no rosto.

— Bem sei que tenho de chegar a Espanha o mais depressa possível, mas esta oportunidade foi enviada pelos céus. Poderei visitar a minha querida irmã Catarina e também estreitar as minhas relações com Henry!

Estas palavras deram por terminada a conversa, o que muito lhe agradou. Joana prosseguiu o seu caminho.

Ainda era necessário negociar a atracagem a Weymouth. A costa estava cheia de ingleses aterrorizados, acompanhados pelas mulheres, todos armados. Soldados montados com lanças, homens erguendo os seus arcabuzes, lavradores com foices e forquilhas, mulheres com vassouras, todos estavam prontos a resistir à ameaça daquela invasão.

Por sorte, a presença dos estrangeiros foi rapidamente explicada e tiveram autorização para desembarcar. As armas de fogo foram guardadas, as vassouras encostadas e a boa gente de Weymouth olhava de boca aberta para os elegantes cavalheiros e os amigos, igualmente vestidos com esplendor.

Foi necessário ir buscar cavalos e um pequeno grupo de cidadãos importantes escolhidos para acompanhar uma delegação dos visitantes estrangeiros a Windsor, para informar o rei da sua presença, pedir a sua protecção e ser-lhes concedida permissão para ficar em Inglaterra, enquanto se procedia à reparação dos estragos dos navios.

CAPÍTULO 26

Joana foi chamada à presença do rei em meados de Fevereiro. Filipe já lá estava havia alguns dias. Mentira sobre a saúde dela, dizendo que estava demasiado doente e não podia viajar, enquanto ele, claro, gozava o seu papel de rei de Castela.

O pequeno grupo de Joana cavalgou para o interior do pátio do Castelo de Windsor e Lorde Mountjoy, o seu anfitrião durante a última semana, ajudou-a a desmontar. Beijou-lhe a mão a afastou-se para o lado. Maria inspeccionou a ama brevemente: estava pronta.

O rei, a sua família e Filipe achavam-se reunidos nos degraus. Henrique fê-los descer para lhe dar as boas-vindas. O olhar de Joana iluminou-se, pois reconheceu imediatamente o cavalheiro que, vários anos antes, se declarara «representante do rei» numa cidade chamada Portsmouth. Continuava igual, nem alto nem baixo, nem gordo nem magro, de olhos escuros. Todavia, parecia cansado, mais velho. A testa descaída, os lábios aparentemente mais finos e o olhar que perdera o brilho, estreitando os olhos como quem não vê bem. Ofereceu-lhe a mão magra e deu-lhe um sorriso de boas-vindas cheio de calor, um sorriso de prazer por voltar a vê-la.

— Agradeço-vos, meu rei, pela honra de ser chamada à vossa presença. — Joana fez uma vénia profunda e beijou-lhe a mão.

Ele beijou-lhe ambas as mãos, como um monarca demonstrando o seu respeito por outro.

— A honra é toda minha, rainha Joana, pois a vossa graça e beleza adornam o meu lar.

— Passaram dez anos desde a última vez que me haveis lisonjeado. As vossas palavras, agora como então, são música para os meus ouvidos. — A sua ousadia surpreendeu-a, mas desculpou-se de imediato devido à excitação do momento.

— E a vossa saúde está totalmente restabelecida? Tenho estado preocupado. — Era óbvio que Henrique sabia que Filipe ordenara que a detivessem algures longe de Windsor e daí ter emitido uma ordem real pela sua presença.

— Se a pouca saúde fosse a razão da minha ausência, então teria de admitir que estou totalmente recuperada. — E trocaram um sorriso.

— Agora tendes de conhecer a minha família.

O príncipe Henrique, um jovem belo e elegantemente trajado de escarlate, foi-lhe apresentado. Era alto, muito mais alto que o pai e tinha apenas catorze anos. Era Henrique, príncipe de Gales, o futuro marido da sua irmã Catarina.

A seu lado encontrava-se a irmã, a princesa Maria, dez anos mais velha e a seu lado... como o coração de Joana bateu quando Henrique a apresentou como Catarina, princesa de Gales. Só de ouvir o seu nome ficou mais alegre. Catarina! A sua irmãzinha de doze anos era agora uma mulher com vinte e um anos, com um nome inglês: Catherine.

Abraçaram-se e olharam uma para a outra, chorando lágrimas de felicidade. Duas irmãs vestidas de negro, de mãos dadas, recordando por um momento tempos mais felizes, antes das tragédias, da justiça indigna e dos maus tratos.

E, por fim, havia Filipe. Joana fez-lhe uma vénia muito ténue e ele curvou-se, alimentando o desprazer que sentia ao vê-la.

Na tarde seguinte, Filipe conduziu-a por uma porta lateral até uma sala de carvalho velho e paredes de pedra, cobertas de escudos e estandartes.

Henrique mostrou-se desconcertado quando eles foram anunciados.

— Esta reunião é para se manter secreta?

— Provavelmente, apenas no que diz respeito a certos conselheiros flamengos, creio eu — retorquiu Joana. — Mas essa história levaria muito tempo a contar.

Foi conduzida a uma grande mesa coberta de documentos. O seu nome fora acrescentado a vários acordos elaborados e assinados por Henrique e Filipe, enquanto ela estivera «indisposta» em casa de Lorde Mountjoy. Enquanto escrevia *Yo, la reina Juana,* sentia a irritação de Filipe por Henrique ter insistido na sua assinatura.

Para ela, os papéis não tinham grande importância. Os dois primeiros eram contratos de casamento: o filho Carlos era agora oferecido como marido à filha de Henrique, Maria (o contrato com a princesa Cláudia de França fora anulado); Margarida, a irmã de Filipe, recém--viúva, como noiva do rei Henrique. Como todos sabiam, tratados daquela natureza eram normalmente anulados mais tarde ou mais cedo, como provava o exemplo de Carlos, e, em dúvida, aqueles seguiriam o mesmo destino. Os outros acordos estavam principalmente relacionados com o comércio e, para Joana, o seu único interesse residia na irritação que causavam a Filipe. Havia um que não requeria a sua assinatura, mas que lhe dava um certo prazer. Filipe renunciava perante Henrique um pretendente ao trono inglês, alguém que pertencia à Casa de York e que aparentemente Madame La Grande protegera e preparara por muitos anos e que permanecera na Flandres depois da morte dela. Seria um golpe agradavelmente duro para Juan Manuel após todas as conversas que tivera com Filipe a bordo do *Juliana*.

Naquela noite, celebraram com um grande banquete no salão nobre, seguido de baile. Por fim, Joana e Catarina conseguiram juntar-se.

— Olha bem para nós, dois pobres e tristes corvos entre os alegres passarinhos.

Catarina retorquiu:

— Pelo menos, vós usais preto por escolha, eu uso-o porque é uma cor durável. Este é o meu único vestido bom e custou-me várias braceletes. Sabeis, o rei Henrique cortou a minha mesada. Costumava receber cem coroas por semana, mas agora não recebo nada. Estou reduzida a ter de vender a baixela de prata para pagar a minha parca criadagem.

Joana suspirou e abanou a cabeça.

— E, todavia, Henrique é tão generoso. Conheço muitos exemplos da sua generosidade. Até deu dinheiro ao irmão Tomás quando ele viajava para a Flandres.

— Desde a morte de Artur é como se eu não fosse ninguém. Henrique e o nosso pai discutem constantemente sobre o meu dote, que ficou por pagar. E agora o pai nem responde às minhas cartas.

— Prometo-vos que a primeira coisa que farei quando chegar a Espanha é falar com o pai para tratar do que for necessário enviar imediatamente. E se houver alguma demora tratarei pessoalmente de arranjar ajuda para vós. Oh, Catarina, como as coisas mudaram desde aquele serão no quarto da mãe, quando imagináveis o mundo dos adultos uma «beleza».

— Ficarei para sempre grata. Mas contai-me sobre vós. Acho que deveis saber que tem havido muitas histórias desagradáveis.

— Nada do que dissésseis me surpreenderia. Para além de desagradáveis, são mentira. O problema dos meus inimigos é que sou uma sobrevivente. Admito que, por vezes, tenho de usar estratégias mal aceites, normalmente a resistência passiva, mas noutras ocasiões digamos que me deixo envolver mais activamente.

— Os mexericos que entusiasmavam mais as pessoas diziam respeito aos vossos banhos...

— A minha recusa a tomar banho era parte da minha campanha, mas...

— Senhores, não, os ingleses ficaram impressionados com a sua frequência. Talvez não saibais, mas neste país desencorajam fortemente a ideia de tomar banho. Dizem que enfraquece o sistema da pessoa.

Desataram a rir à gargalhada perante o absurdo daquela ideia. Henrique olhou para elas, preso ao aspecto radioso do rosto de Joana. E sentiu-se furioso. Filipe e os seus seguidores, em especial Juan Manuel, não passavam de mentirosos. Joana não era a criatura meio louca a que se referiam repetidamente.

Joana ainda se ria, recordando-se de algo:

— Talvez sejais muito nova para vos lembrardes da altura em que a mãe se recusou a mudar de roupa até os mouros de Granada serem derrotados. Talvez fosse o cheiro que os levou à rendição.

Catarina juntou-se no riso até Filipe interromper.

— Parece que tendes muito sobre que falar e rir.

— É verdade — respondeu Joana. — Até vos convidava a juntar-vos a nós, mas as vossas maneiras necessitam de grandes melhorias. De facto, até terdes aprendido a comportar-vos perante uma senhora, acho melhor retirardes a fita de veludo azul da vossa perna. Se o rei Henrique tivesse compreendido que um verdadeiro «marinheiro humilde» teria mostrado muito mais respeito do que vós, talvez tivesse pensado duas vezes antes de vos ordenar cavaleiro da Jarreteira.

CAPÍTULO 27

Catarina e Joana permaneceram em Windsor mais uns dias, partindo num belo sábado de manhã, cada uma para o seu destino. Catarina seguiu a cavalo para Richmond e Joana para a casa de Lorde Arundel, de forma a ficar perto da frota, já reunida na vizinha Falmouth.

Estava-se em Abril e Joana esperava ainda a chegada de Filipe para que pudessem seguir viagem. Estava impaciente por se reunir ao pai, à sua gente. Todavia, queria que Filipe percebesse bem que havia certas coisas que não estava disposta a tolerar mais. E prometeu a si própria que não perderia a razão erguendo a voz; seria digna, racional. Esperara um mês por aquele confronto e não ia arruiná-lo, perdendo a calma.

Ao princípio da noite ouviu cavalos.

Ela e Maria estavam aparentemente absorvidas na leitura, Joana com o livro aberto sobre o colo. Pelo menos, daria uma aparência de compostura, mesmo que não a sentisse. Quando ele irrompesse pela porta, queixando-se como era habitual, ela esperaria, controlando a ira, pela sua altura de falar.

Como era de esperar, entrou enraivecido, direito a ela, seguido pelos amigos, tão zangados como ele próprio.

— Bem, desta vez o vosso pai foi longe demais. Casou-se, afinal, com a sobrinha do rei de França e pôs-se numa lamentável situação em Castela. Agora, não lhe restam lá muitos amigos, certamente. E está muito enganado, se pensa que ele e Luís podem fazer alguma coisa. Se intentarem algo, tenho dois mil soldados treinados comigo e bons conselheiros... — cuspiu-lhe.

— Filipe, é melhor não comentar acontecimentos que só conhecemos de ouvir ou que podem ser pura especulação. Prefiro esperar até estarmos em posição de avaliar em primeira mão.

— Santo Deus — zombou ele, mandando chamar Juan Manuel.
— Ouvis a voz da sabedoria?
— Uma jóia de inteligência e sabedoria como sempre, meu Senhor...

Joana interrompeu-o calmamente, ignorando os insultos.

— Recuso-me a ouvir mais sobre isso. No entanto, gostava de falar sobre assuntos de importância mais premente que têm de ser levados muito a sério. Estes vossos amigos, o que o inclui a vós, Dom Manuel, fizeram muito bem em pressionar-vos sobre a preocupação que sentem em relação às vossas promessas de títulos e potes de ouro. Preocuparam-se bem. Não permitirei que nada mais da fortuna de Castela passe para as mãos deles. Também vos devo avisar de que planos para me prenderem... — continuou a dirigir-se-lhes calmamente —, sim, ouvi-os todos, não serão tolerados pelo meu povo. Não há ninguém, fora do vosso círculo, que acredite numa única palavra do que dizeis e quem ousar repetir tal traição será castigado adequadamente.

Joana fechou o livro, pousou-o na mesa a seu lado, descansou os braços nos braços da cadeira e, falando ainda num tom moderado, prosseguiu:

— Também quero que saibais que me recuso a aproximar-me da frota enquanto as putas flamengas não forem mandadas embora. Não vos ficou nada bem, Senhor, ter conspirado para me enganardes assim. Eu partira do princípio, obviamente incorrecto, de que haviam sido despedidas antes de sairmos da Flandres, mas vós haveis-lhes arranjado alojamento noutros navios. Como é que o meu povo pode ter confiança num soberano estrangeiro que provou, por actos de falsidade, que não é digno de confiança? Meu Senhor, sereis visto como um aldabrão e um mentiroso. — Erguera o queixo e a cabeça e os olhos castanhos brilhavam de indignação quando se levantou e se aproximou do marido ofensivo.

Filipe fora apanhado completamente desprevenido; contara ser o acusador, não o acusado. Estava prestes a ameaçá-la, a bater-lhe, mas conteve-se e mandou sair toda a gente da sala.

— Isto requer atenção imediata — insistia Juan Manuel, agitando uma grande folha de papel na direcção dele.

— É essa a minha intenção. Paciência, Manuel. Saí.

O documento ficou sobre a mesa. Era uma promissória sobre as duzentas mil coroas de ouro emprestadas por Henrique para pagar as despesas da estada em Inglaterra, a reparação dos navios e os orde-

156

nados dos soldados de Filipe. Exigia a assinatura de Joana como rainha de Castela. Até estar assinada, não tinham ordem de partir.

Filipe aproximou-se dela com uma voz cativante.

— Lede esta nota que o príncipe Henrique me enviou. Enquanto vós cativáveis o velho Henrique, eu impressionei o novo. Vede onde diz... *dizei-me quando a vossa saúde estiver restabelecida, que desejo de todo o coração...* e aqui... *peço que Deus vos dê, a vós, o mais excelente e poderoso dos príncipes, uma boa e longa vida... vosso humilde primo...* Se, ao menos, a minha Joana fosse assim calorosa para comigo. Não recebi qualquer palavra vossa enquanto estive doente. — Aproximou o rosto do dela, encostando-lhe a face. — Sei que vos tenho ignorado, minha querida. Talvez até tenha sido indelicado para a minha querida, mas estes dias têm sido difíceis para mim, Joana. Tenho tido muitas preocupações. O rei Henrique é um negociador experiente e fez-me esperar até que o pretendente Suffolk chegasse em segurança da Flandres até à sua presença, como se Henrique achasse que a minha palavra não era digna de confiança. Creio que foi isso que me deixou indisposto. Também me aconselharam erradamente a apresentar-me como um homem duro, um homem de ferro. Henrique tinha razão. Devia ter-vos mostrado mais consideração. Tenho sido um idiota, mas compensar-vos-ei, minha querida.

Joana afastou-se dele e voltou a sentar-se, para não ser enganada pela voz que ainda amava.

— Haveis-me ofendido com inúmeras descortesias em Windsor. Haveis-me feito esperar aqui um mês. Mentistes-me sobre aquelas mulheres.

Ele puxou-a para si.

— Tendes razão e sei que não vos mereço, minha preciosa. Mas agora tive tempo para reflectir e percebi que estou profundamente enganado. O vosso coração conseguirá perdoar-me? Imploro-vos, passei demasiado tempo sem vós. Permitis ao vosso príncipe... — murmurou ele, beijando-lhe os ouvidos, em redor da boca, desabotoando-lhe o corpete, desapertando a fita do decote da camisa.

A mão dele deslizou lentamente sob a seda dócil para lhe acariciar o seio, enquanto a sua boca sensual lhe fechava os lábios.

O corpo de Joana estremeceu, acordando, ansioso pelo dele.

CAPÍTULO 28

Em Castela, o sol de Junho inundava o pátio interior do castelo, pintando de dourado os muros e o poço de pedra no centro. O seu calor pedia uma manhã de indolência e langor. Joana passeava sob a arcada, gozando a sombra e o aroma estonteante do jasmim.

Vozes de homens puseram fim à paz e ao silêncio. Uma ou duas palavras apanhadas sem querer levaram-na a esconder-se nas sombras de um arbusto de folhas verdes e pequenas flores brancas que descia em cascada da varanda, lá em cima.

Podia ter ficado e cumprimentá-los, pois conhecia-os bem, eram os seus «guardiões»; ou podia ter ido para dentro, mas não fez nada disso. Encostou-se o mais possível à parede e envolveu-se com os ramos retorcidos carregados de folhas.

Benavente, o dono do castelo, deu uma palmada nas costas do amigo e riu-se:

— Muito impressionante, hem, Villena? — Encostou-se à pedra da arcada.

— E é assim que o vedes?

— De que outra forma é possível? Todos aqueles lanceiros alemães? Mais de dois mil? Isto põe fim a qualquer plano de Fernando para vir libertar a filha.

Villena mostrou-se céptico.

— Provavelmente, isto não passa de mais uma história de Juan Manuel.

— Não interessa — prosseguiu Benavente —, ali estávamos nós, umas centenas numa magnífica exibição de poder quando aparece Fernando, todo de preto, com alguns seguidores, e logo montado numa mula. — Deu uma palmada ainda mais forte nas costas do amigo antes de limpar as lágrimas do riso.

— Fernando está a começar a parecer o pacificador — resmungou Villena — e Filipe um jovem com o seu exército estrangeiro que nos vem invadir. Os apoios começam a afastar-se. E, a propósito, ainda não pus os olhos num único ducado dos milhares que Filipe me prometeu por me juntar a ele. E vós?

— Nada. Esperemos que seja coroado. Embora ache um vexame a forma como os seus amigos flamengos foram rapidamente recompensados.

— Santo Deus, detesto estar associado a eles.

— Tivemos de aceitar isso quando mudámos a nossa vassalagem — lembrou-lhe Benavente, encolhendo os ombros.

— E ela? — Villena fez um gesto em direcção à galeria superior.

— Ninguém vai querer saber. Que fez ela desde que chegou a este país? Nada que mostrasse que devia ser rainha. Irá esbater-se lentamente, desaparecer, ser esquecida.

Joana mordeu os nós dos dedos. A sua resistência passiva, o seu isolamento, haviam feito o jogo do inimigo.

— Aquela cena sobre as mulheres flamengas foi uma vergonha para todas!

— Todas aquelas explosões e delírios sobre as mulheres de Filipe, como ela lhes chama.

— Depois teve um ataque porque ninguém quis fazer luto pela mãe. Santo Deus, já o tínhamos feito.

— Tudo muito patético, para dizer a verdade. É inimaginável um adulto amuar como uma criança — acrescentou Villena —, recusar-se a ver as pessoas, a escutá-las, mesmo do outro lado da porta, e uivar e atirar com coisas.

— E agora não tem licença para sair — riu-se Benavente.

Joana queria gritar que aquelas histórias não se ficavam por ali, mas era tudo tão trivial, comparado com o que se passara, enquanto ela ficara, teimosamente, a afundar-se na sua infelicidade. Permitira que Filipe a rodeasse dos seus guardas e Benavente e Villena como guardiães, não autorizando a aproximação de qualquer amigo. Estes mesmos guardiães, uns Judas em busca das suas trinta moedas de prata, juntamente com outros vira-casacas, tinham acompanhado Filipe no encontro com o pai. Para discutir o quê, perguntava-se ela, e como podiam discutir o que quer que fosse sem a sua presença? Esperava ter acordado a tempo, que não fosse demasiado tarde. Incitou-se a agir com uma determinação quase esquecida. Iria mostrar a todos que a rainha era ela e não seria ignorada. Com a cabeça bem erguida e o queixo esticado com determinação, saiu do esconderijo preparada para uma confrontação com o marido.

— Bom dia — atirou aos guardiães ao passar.

— Será que ouviu? — sussurrou Villena.

— Nem uma palavra e, se ouviu, não a terá interessado.

As portas do apartamento de Filipe estavam abertas e o marido ergueu o olhar do pequeno-almoço.

— Haveis-vos encontrado com o meu pai! — enfureceu-se ela, avançando decididamente para a mesa.

— É verdade.

— Com que fim?

— Foi necessário chegar a novos acordos.

— Os outros serviam muito bem.

— Não me serviam a mim.

— Nada pode avançar sem o meu consentimento.

— Tenho de vos lembrar que, há pouco tempo, haveis decidido nada querer ter a ver com estes assuntos e vos haveis afastado. Agora é demasiado tarde. Fernando e eu entendemo-nos maravilhosamente sem vós. Em todo o caso, observai-vos, a vossa figura, o vosso comportamento. Não estais em condições de vos envolverdes no governo deste país e acreditai que faremos tudo para que assim seja.

Joana mirou-se. Era a primeira vez em dias, talvez semanas, em que sequer pensara nas roupas que envergava. O vestido talvez estivesse um tanto sujo; o cabelo, apesar de não ter sido escovado nem entrançado, continuava preso na coifa de rede dourada e no toucado negro. Também se podia dizer que não se lavara, mas tudo isso fizera parte da sua estratégia. Quanto ao seu comportamento, não fizera nada de mais grave a não ser mostrar a sua ira a quem a merecia, o marido em especial. Nunca ouvira uma palavra de crítica relativa ao comportamento de Filipe para com ela: as mentiras, as calúnias, o abuso físico e verbal.

— Uma vez que estais interessada, lede isto, poupar-me-á o esforço de explicar — disse Filipe, atirando-lhe um documento do outro lado da mesa.

Que seja feito público que a rainha Joana não necessita de forma alguma de envolver-se em quaisquer actos administrativos, de governo ou de qualquer outra natureza. Se o fizesse, isso significaria a destruição total e a perda destes reinos devido à sua doença. E se, quer por vontade própria, ou induzida por outros, desejar, ou desejada, a envolver-se no governo, nós, Filipe e Fernando, não o consentiremos. Nisto estamos de acordo. E apoiar-nos-emos mutuamente contra quem se aliar contra nós... 27 de Junho de 1506.

Aquilo era obra de Juan Manuel. Era o único suficientemente astuto e maldoso para redigir aquele vil documento que atava as mãos do pai. Como se atrevera!

— Haveis usado coerção e intimidação. O meu pai nunca teria assinado isto de livre vontade — desafiou-o ela.

— Que esperta, Joana! Sim, Fernando faz aquilo que eu lhe digo e é pago para isso: as suas rendas, a sua parte da riqueza do Novo Mundo e por aí fora. Se recusar, ou decidir não abandonar Castela, ou demonstrar o mais leve indício de inimizade para comigo, perderá tudo. Já tive de lhe chamar a atenção. Juan Manuel descobriu alguns planos para vos «salvar». Fernando não tentará isso de novo e, se for sensato, os boatos que põe a correr sobre o facto de eu vos manter prisioneira, terminarão sem demora. O repúdio deste tratado, dizendo que foi assinado sob coacção, é igualmente nulo. Vistas bem as coisas, estou bastante satisfeito. Agora vou celebrar com os meus amigos. Touradas e banquetes. Adeus.

E partiu. Joana hesitou, mas apenas por um momento. Havia apenas uma opção, tinha de contactar o pai antes de ele deixar Castela. Procuraria os que simpatizavam com a sua causa e tinha a certeza de que os números iriam crescer a partir do que ouvira no pátio. Mas como?

— Cavalos, Benavente! — ordenou. Levai-me a ver o vosso parque animal. Se Filipe se vai divertir, nós também.

CAPÍTULO 29

Joana seguia a cavalo entre os seus dois guardiães e um guarda acompanhante de entre a dúzia de soldados austríacos. Os cavalos marchavam, preguiçosos, sob o calor e o pó, abrandando gradualmente o passo até pararem à sombra de um pequeno bosque.

— Que belo dia! Um belo dia espanhol. — Joana acalmou o cavalo e olhou em volta para fixar bem a paisagem. — Meus senhores, desperdicei tantos dias privando-me de tais prazeres e delícias. Olhem ali para cima, naquele ramo... não, têm de olhar mais alto que Benavente... protegei os olhos ou não sereis capazes de ver...

Esporeando o cavalo, partiu num galope furioso através do parque. Um grande fosso de defesa abria-se diante dela, mas Joana forçou o cavalo, gritando:

— Liberdade ou morte!

Manteve as rédeas curtas e, com um puxão imperioso, pediu-lhe que saltasse o espaço assustador.

— Vá lá, vamos conseguir.

As pernas dianteiras ergueram-se e voaram como se tivessem asas, um Pégaso levando um cavaleiro desesperado sempre mais para cima, até ao outro lado. O capuz soltou-se e voou para longe, deixando que o cabelo buscasse a liberdade da coifa de rede. Quatro cascos trovejaram sobre solo firme do outro lado e o cavalo relinchou, satisfeito, a boca cheia de espuma, declarando o seu orgulho.

— Oh, maravilhosa criatura. Estou livre — gritou ela, inclinando-se e abraçando o pescoço suado, cheia de gratidão.

Olhou para trás e viu os guardas frustrados e confusos. Benavente e Villena gritavam-lhe que voltasse imediatamente.

— Creio que não, senhores — retorquiu ela. — Anda, beleza, temos muito que cavalgar.

Fê-lo galopar sem descanso até que chegaram a uma pequena aldeia, a qual tiveram de circundar ao avistarem vários soldados montados. Não se atreveu a deixar que eles a reconhecessem. Avançou para um grupo de choupanas, mas viu-se de novo frustrada com o aparecimento de ainda mais soldados.

— Neste país não há mais nada senão cavaleiros? — perguntou ao cavalo, vendo-se forçada a mudar de novo de direcção.

Partiram de novo a galope.

— Santo Deus, que descubra algures, alguém.

* * *

— Que Deus tenha piedade de nós.

Joana inclinou-se para a frente, habituando os olhos à escuridão do pequeno quarto, que tresandava ao cheiro de bacalhau a cozer com grão, e ao odor azedo da cama que se agarrava ao colchão de palha e às cobertas. Havia uma cómoda de madeira barata, uma mesa e um banco. Juntamente com a cama, eram a única mobília da humilde habitação.

Vergada sobre a lareira estava a dona da voz, uma trouxa de trapos castanhos e acinzentados. Permanecia imóvel com uma concha no ar, a boca desdentada e aberta, o olhar espantado fixo na intrusa.

— Não vos alarmeis, boa mulher. Só preciso de descansar aqui um pouco.

A figura endireitou-se, provavelmente uma mulher de meia-idade, um tanto gorda, as faces redondas e uma boca pronta a sorrir e a gargalhar.

Joana ficou a observá-la, enquanto os dedos calosos e vermelhos tentavam libertar as bainhas das saias, presas na cintura de forma a que caíssem sobre o saiote encardido.

— Por favor, quereis sentar-vos, Senhora? — ofereceu a mulher, sem saber o que fazer ou dizer àquela pessoa que não devia estar ali e muito menos sozinha.

Com a saia, limpou um lugar no banco, aprontando-o para aquela visita indesejada, e depois afastou-se para o lado, arranjando com gestos deselegantes a coifa acinzentada e ora puxando nervosamente as mangas para cima, ora para baixo. Depois, pôs-se à espera.

Joana aceitou o lugar com graciosidade e sentou-se, contemplando a lareira com as suas tenazes e o enorme caldeirão, que largava vapor sobre as chamas que o lambiam.

— Estais perdida, Senhora? Talvez queirais que vos mande uma mensagem? Terei todo o gosto em fazê-lo. — Ficaria satisfeitíssima de fazer fosse o que fosse que explicasse a presença daquela senhora na sua casa.

— Preciso apenas de uns momentos para descansar e pensar, obrigada.

A camponesa olhava furtivamente a estranha, apercebendo-se das saias de brocado negro com o seu padrão floral, sem ousar erguer o olhar mais para cima.

— Desejais beber alguma coisa?

— Isso seria muito agradável, se não vos incomodar demasiado. Tendes água?

— No palheiro. Guardo-a lá porque fica muito mais fresca. Bom, mas não tão fresca como quando a tiro do poço. Mas só lá vou de manhã...

— A do palheiro será excelente.

— Então, vou buscá-la.

Atou um grande avental, convencida de que devia proceder assim, fez uma pequena vénia àquela pessoa sentada no seu banco e que não desejava presente. Certamente nada de bom ia sair daquilo.

Abriu a porta uma nesga, mas fechou-a rapidamente, encostando-se contra ela.

— Oh, meu Deus, há soldados ali fora! Não fizemos mal a ninguém, a sério que não. Tratamos da nossa vida, o meu marido trabalha duramente como qualquer bom cristão. Vai para a padaria todos os dias, enquanto eu cuido da casa. Vamos regularmente à missa, somos gente honesta, ajudamos os amigos e os vizinhos no tempo das sementeiras e das colheitas, eles vos dirão... — Tapou os olhos com o avental, como se este a protegesse da terrível calamidade que se abatera sobre ela.

— Por favor, não temeis, boa mulher. Os soldados não vieram por vós, nem pelo vosso marido. Vieram por mim. Mas ficai certa de que não se atreverão a levar-me, pois eu sou a rainha, a rainha Joana.

— Oh, meu Deus! — Baixou o avental até à boca. — Soldados à minha porta e uma louca varrida sentada à mesa! — Deixou-se cair de joelhos, orando profundamente pela salvação. Não sabia quem devia temer mais, se os soldados se aquela louca, e esperando sem grande convicção que o marido chegasse. Sem se mexer, fixou firmemente o olhar na trave do tecto, de onde pendiam ramos de ervas. Com as mãos unidas em súplica, ia murmurando pedaços de preces meio esquecidas.

Joana contemplou a sua figura desarranjada. O vestido e as botas, que já não estavam muito limpos, achavam-se agora cobertos de uma camada de pó, com ramos e ervas secas que se lhe haviam pegado e manchas da espuma do cavalo. Não davam grandes mostras da qualidade nem dos materiais, nem da perfeição do fabrico. Levou as mãos à cabeça: não tinha capuz e, com os dedos, sentiu os cabelos arruivados despenteados pelo vento e um monte de rede dourada que fora em tempos a sua coifa. Riu-se.

— Concedo que não apresento uma figura muito convincente de rainha. Mas tende a certeza de que o sou e prometo-vos que nada de mal vos acontecerá.

— É certo que falais como uma senhora e vejo que as vossas roupas são feitas de bom tecido — retorquiu a velha. Continuava com os olhos fixos no tecto, seguindo agora o progresso hesitante de um rato.

— Mas sei que a verdadeira gente nobre tem jóias, anéis e coisas assim. Até o nosso magistrado usa coisas dessas.

Joana sorriu.

— Sim, é claro que tendes razão. Só que eu não ligo...

Ouviram-se sons de passadas pesadas e ambas olharam para a porta, à espera.

Filipe entrou na casa, mas não se atreveu a avançar. Primeiro levou um saquinho de ervas aromáticas ao nariz, seguido do lenço.

A mulher do padeiro gemia, enfiando na boca os nós dos dedos.

— Oh, meu Deus. — Quem seria? E agora? Brocado roxo, um fio de ouro cintilante sobre o peito daquele senhor, fechos de ouro no toucado e no casaco, anéis nas mãos enluvadas, era irreal.

— Este é Filipe, o príncipe consorte — anunciou Joana como se se dirigisse a um embaixador de visita.

Filipe ignorou-a.

— Espera lá fora — ordenou à miserável que tremia, ainda ajoelhada aos seus pés, de boca aberta.

— Oh, meu Deus, vou a caminho da morte — chorava ela, tropeçando em direcção à porta, convencida do pior.

Filipe libertou toda a sua raiva.

— Agistes muito bem, Joana. As notícias da vossa «fuga» já se espalharam. Haveis despertado as emoções de muitos, que já se agrupam em redor da vossa causa, seja lá isso o que for. E eu fiquei muito mal retratado. Isto deixou-me numa situação muito difícil no respeitante ao meu próximo passo e terei de ser cauteloso.

— O próximo passo é meu, meu Senhor, não vosso — retorquiu ela, convencida de que estava totalmente segura desde que permanecesse fora das muralhas de qualquer castelo. — Vós ides regressar ao castelo de Benavente. Aí, organizareis a nossa viagem para Valladolid. Entretanto, eu esperarei o vosso regresso. Depois, podemos prosseguir juntos a nossa viagem. — A voz dela soava como se pertencesse a outra Joana e a sua força era impressionante.

— Valladolid? Valladolid? — Um calor aparente espalhou-se-lhe pelo rosto e encheu-lhe a voz. — Os meus ouvidos enganam-me ou ter-vos-ei finalmente convencido de que chegou a altura de sermos coroados como rei e rainha pelas Cortes de Valladolid? — Tratou de não demonstrar a sua alegria. Se ela o fizesse, assim que fossem coroados, exibiria o documento assinado por Fernando e ele próprio que relatava as capacidades mentais de Joana. E dizia-lhe adeus.

— Coroados, talvez, temos de esperar e ver. — Não lhe recordou que, se tal cerimónia tivesse lugar, teria de ser em Toledo. — Mas estarei perto dos amigos e tenho sentido a falta deles.

CAPÍTULO 30

— Oh, Senhora, não sei se temos tempo de vos preparar — arfava a velha, fazendo uma vénia e dando palmadinhas nos grandes seios, apressando-se para o lado de Joana. Começou a alisar-lhe as saias e as mangas do vestido negro de Joana, depois arranjou-lhe o capuz e, por fim, o pesado véu negro que lhe cobria o rosto.

— Preparar-me para quê, Marta?

— Para as inúmeras visitas importantes que estão sempre a chegar, Senhora.

Visitas! A palavra originou uma onda de alarme. Quem seriam? Qual seria o esquema de Filipe? Estaria ligado ao facto de se ter retirado para aqueles aposentos? Sentia não ter alternativa. A viagem para Valladolid detivera-se, pois Filipe recusara-se a avançar sem oferecer qualquer explicação, surdo às suas súplicas para que continuassem. Continuava a ser tratada pouco melhor que um prisioneiro, portanto não tivera outra hipótese senão recolher-se naquele santuário. E agora aquilo!

— Marta, que tipo de visitas? — A pergunta saiu-lhe mesmo sem querer.

— Não são do tipo que trazem preocupações, bendita sejais. Mas tenho de vos dizer umas coisas antes de eles chegarem.

Desde que Maria fora mandada regressar à Flandres (fazia parte do plano de Filipe negar a Joana todo e qualquer apoio) acabara por confiar inteiramente naquela velha criada. Marta fora sempre uma excelente lavadeira e agora aprendia a arte de vestir a sua ama. Também se revelara como a sua única fonte de informação.

— Apressa-te, então.

— Bem, o rei Fernando escreveu ao rei Filipe, dizendo que, se ele queria tentar alguma acção contra vós, teria de o fazer sozinho.

167

— Filipe está decidido a manter-me prisioneira e eu sabia que podia confiar no meu pai para não me abandonar. Se, ao menos, conseguisse mandar-lhe uma mensagem. Quanto tempo me resta? Mas há mais?

— Oh, Senhora, deixai-me acabar. Não vos quero enervar. Se me deixardes chegar ao fim, vereis que tudo está bem. Agora esta parte é desrespeitosa.

— Conta.

— O rei Filipe quer que sejais declarada louca...

— Isso não é nada de novo, tem tentado fazer isso desde a morte da minha mãe.

— Mas quer fazê-lo agora, hoje, se puder. Oh, Senhora, ele quer que as Cortes assinem uma ordem dizendo que estais louca e declarando-o rei. Mas não temeis — apressou-se Marta a continuar —, porque os *procuradores* não querem ter nada a ver com isso. E pronto! Cisneros e Juan Manuel têm tentado todo o tipo de subornos e ameaças para os persuadir, mas sem sorte nenhuma. Os grandes, como sabeis, são de uma raça diferente, pois são. Alguns não hesitaram a assinar assim que lhes cheirou a dinheiro.

— Mas não muitos?

— Não, não muitos, nem de longe, graças a Deus. Seja como for, Juan Manuel convocou o porta-voz dos *procuradores* para vos interrogar, isto são palavras dele, não minhas, agora mesmo, para dizer aos outros, que estão à espera lá em baixo. Ele pensa que quando este senhor vos vir aqui sentada sozinha, ficará convencido de que vós... de que vós...

— Compreendo, Marta. Portanto, Filipe não pode esperar que cheguemos a Valladolid e a sua impaciência irá certamente dar origem a erros. Sinto-me muito melhor. É Padilla quem me vai interrogar?

— Exactamente, Senhora, e mais uma boa notícia: o vosso tio, o almirante, também vem.

— Excelente, ele ajudar-me-á, tenho a certeza. Ainda me sinto melhor.

— Na verdade, o rei Filipe está furioso, porque o almirante insiste em ver-vos antes de os grandes se reunirem para discutir este assunto horrível.

Ouviu-se bater autoritariamente à porta.

— Tinhas razão, Marta, há mesmo muito pouco tempo.

— Espero que tudo vos corra bem, minha Senhora — murmurou Marta, benzendo-se e orando; depois, para ajudar, cruzou os dedos.

Entraram três homens na sala e curvaram-se. Cisneros, Juan Manuel e Padilla. Este ficou por momentos impressionado pelo que parecia um espectro negro enrolado numa cadeira.

— Bem-vindo, Dom Padilla — fez-se ouvir uma voz por detrás do véu que cobria completamente o rosto de Joana. — Como é bom ver alguém da cidade onde nasci. Ouvi dizer que protegeis o seu orgulho com fervor, recusando-vos a deixar que Burgos usurpe a sua posição como primeira cidade deste país.

Ele ficou espantado. Ela reconhecera-o e sabia das últimas querelas. Padilla mirou os outros dois, cheio de suspeitas. Tinham dito que ela era incapaz de mostrar compreensão pelo que quer que fosse, muito menos política, preferindo esconder-se do mundo. Aquela jovem, a sua rainha, ali sentada no escuro, vestida de negro, pesadamente velada e apenas com uma criada, e logo uma velha feia e definhada, não era a louca que lhe haviam descrito. Mas algo lhe acontecera. Porque viveria assim?

— Vossa Majestade, estou aqui para vos trazer as boas-vindas e o respeito de Toledo, que, como afirmais, continua a manter a sua posição. E para vos trazer as boas-vindas e o respeito de todas as cidades de Castela.

— Os meus profundos agradecimentos por notícias tão encorajadoras. Já começara a duvidar de que alguma vez voltaria a ver ou teria notícias de amigos fiéis.

— Vossa Alteza, somos-vos todos leais, que ninguém duvide disso, mas preocupa-nos o facto de nos negardes a vossa presença.

Que devia ela responder que não pudesse ser mal interpretado? Agarrou o lencinho com força.

— Meu amigo, a razão é a seguinte: desejei chorar a morte da minha mãe e queria juntar-me ao meu pai. Estas coisas estavam em primeiro lugar, mas foram-me negadas. Depois proibiram-me o contacto com todos os meus amigos. — Inclinou-se para ele, quase murmurando: — E houve tantas intrigas e planos contra mim. Tenho estado presa e tenho sido ameaçada de pior. Portanto, como vedes, é-me difícil confiar em quem quer que seja. Só me sinto segura na minha própria companhia e na da minha criada, Marta. — Deu um tom mais leve à voz. — É um alívio tão maravilhoso estar, por fim, perto de um representante do meu povo e ser-me permitido falar convosco.

— Então, peço-vos humildemente que recebais os vossos súbditos fiéis que vos vieram saudar. — Padilla ajoelhou-se perante ela, incapaz de acreditar naquilo que Joana acabara de dizer, por ser demasiado incrível.

Para Joana, passou-se demasiado depressa e o desafio fora demasiado grande. Começou a mexer-se nervosamente, estudando-o com desconfiança, já sem confiar nele e perguntando-se qual seria o motivo de tanta pressa. Estaria a pôr-se em perigo? Poderia ter a certeza de que também ele não estaria a ser pago por Filipe e tudo não passava de uma armadilha?

Portanto abanou a cabeça.

— Não. Vós vedes que os meus inimigos estão presentes e que procuram destruir-me. Não, ficarei aqui, onde me sinto segura na companhia das recordações da minha família. Se, ao menos, o meu pai aqui pudesse vir! Que posso fazer quando ele foi afastado, deixando-me só e desprotegida nas garras de Filipe e dos seus seguidores miseráveis? Filipe, oh, Filipe, não mereço isto. Olhou para as mãos e cantou:

Sofro o vosso desfavor
Não me queixo porém
E ainda vos amo
Embora exista apenas desdém.

Sofro o vosso desfavor
Não me queixo porém
E ainda vos...

— Senhora! Vossa Majestade! — Padilla estava desesperado por que ela interrompesse a canção após a quarta ou quinta repetição e observava cuidadosamente Joana dedilhar algo que imagina ter sobre as saias.

Juan Manuel pegou-lhe no braço.

— Vistes o suficiente? Satisfeito? Podeis constatar que está totalmente louca.

Padilla virou-se para ele, irado, libertou-se da mão dele e declarou:

— Admito que a minha rainha não está bem; mas as coisas aqui também não estão bem; alguém, algo está na origem de tudo isto. Os que a rodeiam, Dom Manuel, deviam ter vergonha e um dia responderão por isto. Isto não é forma de tratar a rainha de Castela. Deus meu, quem me dera ser cego para não ter sido obrigado a testemunhar isto e surdo para não ter ouvido... Podeis ter a certeza, seja qual for a doença que aflige a minha senhora, de que Castela permanecer-lhe-á leal. Nada nos persuadirá do contrário. Ela é a nossa rainha. Senhores, desejo-vos um bom dia. Tenho de falar com os meus colegas. Algo tem de ser feito.

Fez uma vénia a Joana e saiu da sala, levando consigo as palavras persistentes do seu lamento e a imagem indelével de uma reclusa trágica.

Cisneros esperou que se afastasse antes de falar.

— Portanto, Dom Juan, as cidades estão contra nós. De momento, é um problema, mas não insolúvel. O próximo obstáculo é Dom Fradique. Sinto que podemos ganhá-lo para a nossa causa. O facto de se ter juntado a Fernando foi apenas por sentimentalismo, nada mais.

— Como sabeis, tenho muita relutância em permitir esta entrevista com o almirante — retorquiu Juan Manuel —, uma vez que ele se recusa a assinar até ter uma prova visual da insanidade dela. Rezo para que ela prossiga com esta exibição perfeita na presença dele.

— A vossa atitude é ofensiva, Dom Juan Manuel. Mostrai mais respeito pela rainha Joana. A minha única preocupação, tal como devia ser a vossa, é Castela. Temos de designar o melhor para governar o nosso país. Ambos concordamos que essa pessoa não é Fernando, cuja prioridade é Aragão, portanto tem de ser Filipe. Todavia, temos de ser extremamente cautelosos na forma de tratar o delicado problema de Joana ou podemos empurrar Castela para a guerra civil.

— Não temo uma guerra civil, arcebispo, quanto mais cedo melhor, despacha-se e põe-se o poder nas mãos apropriadas... — interrompeu-se bruscamente.

O almirante e o governador de Castela e o bispo de Málaga entraram.

— Vossa Majestade!

Joana ergueu o olhar e ficou deliciada. Três dos seus velhos amigos haviam finalmente chegado. Mal podia acreditar. Atirou para trás o pesado véu e quase correu para Dom Fradique.

— Tio, tio, já pensava que nunca chegaria a ver este dia.

Ele beijou-lhe as mãos. Joana agarrou-lhas, sem as desprender.

— Querida Joana, minha Joanita, que pálida. — Ficou triste por ver os olhos em tempos tão brilhantes cheios de olheiras e os belos lábios pendentes de infelicidade.

— Não é nada, tio, nunca pareço bem quando estou de esperanças. Quantas vezes disseram no passado que eu sofria de tísica, quando não passava de uma gravidez? Podeis ter a certeza de que estou bem.

O almirante observou longamente o que o rodeava.

— Joana, esta sala não é apropriada para vós, especialmente sendo a vossa condição tão delicada. Porque estão as paredes cobertas de panos negros? Porque não há tapeçarias? E baixelas de prata e de ouro? E aias para vos assistirem? E vós, minha bela Joana, vestida de negro, o vosso rosto precioso velado e escondido no fundo do capuz?

— Estou de luto.

— O tempo de chorar a nossa rainha defunta já passou. Chegou a altura de olhar para o futuro.

— Querido tio, há muito por que chorar. Choro pelos que me são queridos, mas também por mim própria, pela infelicidade e dor que me infligem. — Agarrou com mais força as mãos de Dom Fradique, ao mesmo tempo que ordenava a Juan Manuel e a Cisneros que se afastassem para que ela e as visitas pudessem conversar em privado. Como lhe agradava aquela nova força vinda do tio.

— Governador Bernardino, não nos encontramos desde o vosso casamento, em Toledo, há dois anos. Como está a minha meia-irmã?

— Sois muito amável em lembrar-vos. A minha esposa está bem, obrigado.

— E vós, meu senhor bispo de Málaga, também sois muito bem-vindo. Acho que tenho de me beliscar para ter a certeza de que tudo isto é mais que um sonho. Estou acordada? Sois verdadeiros?

— Somos todos verdadeiros.

— Então, dizei-me, tio, pois soube que estivestes com o meu pai. Onde está ele agora? Encontra-se bem? Filipe mandou-o embora sem me deixar vê-lo.

— Está bem e em breve partirá de barco para Nápoles. — Dom Fradique desejava ardentemente parar as lágrimas que enchiam os olhos de Joana.

— Então tenho de lhe escrever imediatamente. Vinde comigo. Enquanto escrevo contai-me tudo sobre ele, de que falaram, como se reconciliaram.

Dom Fradique riu-se.

— Parece que há pouco a dizer, já sabeis quase tudo. Alguém vos mantém bem informada.

— Na verdade, tio, ali está a minha informadora — sussurrou, indicando com um gesto de cabeça Marta, de pé nas sombras.

Terminou a carta, que foi rapidamente areada e dada ao bispo.

— Seria melhor que a escondêsseis até sair do palácio e tentai que o meu pai a receba antes de partir para Nápoles.

Aproximou-se rapidamente do governador e perguntou em voz alta:

— E que achais, vós e a vossa esposa, da vossa nova casa em Burgos? Estais satisfeitos? — Os passos de Filipe anunciaram a sua chegada e Joana temeu que ele descobrisse a carta.

Quando ele entrou, Juan Manuel e Cisneros, junto da porta, trocaram algumas palavras com Filipe. Este dirigiu-se imediatamente para a escrivaninha.

— Uma caneta molhada e areia espalhada. De novo a escrever cartas, Joana? E quem é desta vez o portador das vossas notícias? Tem de ser o bispo. Passai-ma, bom homem. Não? Então, terei de a encontrar pessoalmente.

Joana manteve a cabeça erguida, consternada, enquanto o bispo sofria a humilhação das mãos de Filipe a revistar a sua roupa.

— Ah, cá está, escondida neste ninhozinho, muito quentinha, pensando-se em segurança, pensando que só o bispo lá poria as mãos. Acreditais, Juan Manuel, que o bispo tinha a carta nos tomatinhos? Mas que imaginação para um padre espanhol. Surpreendeis-me! — Cortou o sarcasmo. — Saí! Nunca mais tereis autorização de entrar neste palácio.

Leu a carta.

— Mais uma mensagenzinha da filha querida para o adorado paizinho. Que comovente. — Rasgou-a e lançou os pedaços ao ar.

Joana chorava e o almirante bufava, furioso.

— Então, almirante, à luz da estupidez óbvia da nossa rainha, patente ao escrever ao inimigo Fernando, não concordais que é perigoso o seu envolvimento no governo destas terras? Não seria do interesse de todos mantê-la afastada?

— Não, Senhor — declarou o almirante, controlando a ira. — A rainha Joana está de boa saúde e notavelmente bem informada. Acabámos de ter uma conversa muito interessante, no seguimento da qual sou obrigado a concluir que haveis cometido contra a minha senhora graves injustiças, ao permitirdes que se espalhassem mentiras. E, santo Deus, uma carta de amor filial não merece uma tal censura. Sim, sou de opinião de que Joana deve ser coroada rainha de Castela e vós o seu consorte. Direi mais, sugiro que aconselheis os vossos seguidores a esquecer qualquer tentativa de negar a Joana os seus direitos. Correriam o risco de enfurecer um número demasiado grande dos meus conterrâneos. — Ajoelhou-se perante Joana. — Rainha Joana de Castela, os membros das Cortes estão aqui e aguardam a vossa presença. Senhora, haveis-me escutado?

A voz dele era a única que a conseguia convencer, para além de todas as desconfianças. Era a voz de um homem que nunca a traíra e nunca o faria.

— Filipe — a decisão fora tomada —, resolvi que devemos ser coroados. Tio, as Cortes podem ser informadas de que desejo ser coroada como rainha, tendo Filipe como meu rei consorte. Agora, se vos retirardes, preparar-me-ei.

CAPÍTULO 31

Joana entrou na antecâmara cheia de resolução. Não seria intimidada por ninguém, porque a outra Joana estava ali, cheia de coragem,
como o irmão uma vez dissera, para lutar por aquilo que estava certo
e lhe pertencia por direito.

Decidira continuar vestida de negro, mas o fato de cetim e veludo
tinha alfinetes e fechos com jóias que lhe desciam pelo corpete e lhe
seguravam as mangas abertas em ambos os pulsos e cotovelos. E, como
era uma ocasião muito especial, decidira usar o colar herdado da mãe,
a grande cadeia de setas de ouro artisticamente esculpidas. O manto
de brocado negro estava orlado de arminho e o capuz tinha uma
orla de flores douradas delicadamente bordadas. Ao caminhar na direcção de Filipe, sentia-se feliz e confortável com a sua aparência. E cheia
de confiança.

Filipe, que chegara mais cedo, tinha um aspecto magnífico. Joana
absorveu a aparência do seu belo marido. Trazia uma jaqueta escarlate
e calções; o manto que lhe chegava aos joelhos era igualmente escarlate com uma larga gola de arminho, forrada a tecido de ouro. Os seus
olhos seguiram a pesada cadeia do Velo de Ouro que jazia sobre os
seus ombros, aconchegando-se no pêlo branco da gola e atravessando
o peito largo que ela conhecia tão bem. O seu longo cabelo dourado,
que ela tantas vezes acariciara, as madeixas escorrendo-lhe como seda
por entre os dedos, ostentavam agora o seu diadema ducal.

E ainda vos amo
Embora exista apenas desdém.

Por momentos, a canção voltou, tentando persegui-la de novo.

Quatro trompas anunciaram-nos, salvando-a. As portas para a
câmara pública foram abertas. Os primeiros a entrar foram os ho-

mens de armas do rei, envergando os tabardos do ofício: Toledo, uma coroa dourada sobre um fundo azul; Sevilha, um São Fernando coroado sobre um fundo negro; Córdova, quatro barras vermelhas sobre um fundo dourado; Múrcia, seis coroas de ouro sobre um fundo dourado; Granada, uma romã verde com as suas sementes vermelhas sobre um fundo branco. Joana e Filipe caminhavam atrás do estandarte de Castela e Leão, dividido em quatro partes: o castelo dourado com três torres de ameias sobre fundo azul e o leão vermelho com a sua coroa dourada sobre fundo branco. O estandarte de Joana era adornado com um colar de setas douradas e o de Filipe com o colar do Velo de Ouro, ambos engalanados com uma coroa e a águia de São João.

Os membros das Cortes curvavam-se perante eles ao passarem. Joana olhava os grandes, alguns dos quais, possivelmente muitos, haviam tomado o partido de Filipe. Os outros eram por ela, mas a maioria mais como desafio a Filipe e ódio contra os flamengos. Se assim era, bastava, pois esse momento comprava tempo para que outros fossem persuadidos. E tinha todos os representantes das cidades do seu lado.

Recordou-se de uma cena muito semelhante àquela do passado longínquo, uma assembleia de senhores, senhoras, padres, o pai e a mãe, em que ela se sentira aterrorizada. Mas isso fora havia muito tempo e desta vez não tinha medo; pelo menos esperava-o honestamente.

Subiu os degraus do estrado e começou rapidamente a dirigir-se à audiência:

— Honrados senhores, reconheceis-me como Dona Joana?

— Sim, Vossa Alteza — responderam, estupefactos.

— Aceitais que sou a filha legítima de Sua Majestade Serena Isabel, *a Católica?*

— Sim, Vossa Majestade — afirmaram todos, ainda intrigados. O seu coração batia, estava quase lá.

— Então, porque estais aqui e não à minha espera em Toledo? — A sua voz fortalecera-se. — Sabeis todos que Toledo é o único lugar onde posso ser coroada como vossa soberana. Toledo é a cidade onde todas as nossas leis e a própria constituição do reino são formalmente juradas. Que vergonha, senhores, por terem vindo aqui!

Estava feito. Congratulando-se, desceu os degraus e atravessou a sala, dizendo adeus à assembleia.

Filipe virou-se para Cisneros, furibundo.

— Basta! Estou farto desta mulher. Mas garanto-vos que hei-de descobrir forma de sermos coroados e depois mando-a prender.

— Senhor, estou tão ansioso como vós de vos ver coroado — sussurrou Cisneros, ansioso, porque qualquer atraso era uma ajuda para Fernando, mas aborrecido com a óbvia dureza de Filipe. — Depressa, fazei com que Juan Manuel faça as perguntas.

Filipe fez sinal ao seu cúmplice, o qual deu um passo em frente, fazendo calar a assembleia.

— Senhores, mais um instante, por favor.

Todos desviaram o olhar dele para Joana.

— Com a vossa permissão, Senhora, tereis a amabilidade de responder a três perguntas?

Joana enfrentou o desprezível provocador sem medo.

— Primeira: tencionais governar este país e estais na disposição de partilhar o governo com o vosso marido, o rei Filipe? Segunda: tencionais vestir-vos apropriadamente e fazer-vos acompanhar por damas? Terceira: tencionais comportar-vos à altura da vossa posição e terminar o vosso isolamento?

Com a cabeça erguida, Joana regressou ao trono. Tivera esperanças de ter tido mais tempo, aguardar pela chegada a Toledo antes de revelar as suas verdadeiras intenções, mas o momento chegara e tinha de falar.

— Senhores, parece que tenho de recordar a alguns de entre vós que é totalmente inaceitável que Castela seja governada por estrangeiros. Lede o testamento da rainha Isabel, cláusula vinte e cinco. Que a vergonha caia sobre os que decidiram esquecer!

Fizeram-se ouvir exclamações de espanto e murmúrios de choque e incredulidade.

— Contudo — prosseguiu, silenciando-os —, talvez não saibam que na Flandres é inadequado que a esposa tenha precedência sobre o marido e eu nunca desonraria o meu com tal acto. Enquanto, por um lado, estaria de acordo com o testamento da minha mãe que eu reinasse com Filipe como consorte, por outro lado, se o fizesse, isso seria inaceitável segundo as tradições flamengas. Talvez agora compreendam o meu dilema. Portanto, devem entender que, nestas circunstâncias, é de longe preferível que o meu pai reine até o meu filho Carlos ter idade suficiente para assumir a responsabilidade do trono. É a única forma de ultrapassarmos este impasse terrível.

Um misto de sons de concordância e de divergência encheu o salão.

De novo Joana os silenciou.

— Senhores, respondendo à segunda pergunta de Juan Manuel, a qual censuro firmemente, uma vez que é de natureza pessoal, tenciono abandonar o meu luto na altura certa. Contudo, recuso a presença de aias na minha corte. Todos conhecemos o meu marido e o seu modo de vida e digo-vos que tenciono ser poupada à indignidade de ter as suas amantes junto de mim. Penso que também é aconselhável distanciar-me daqueles que me negam respeito e honra. Creio que percebereis que respondi à terceira pergunta em relação ao meu comportamento e desejo de solidão. Têm de respeitar os meus desejos de continuar assim até à cerimónia de Toledo.

Dom Fradique teve de se impedir de bater palmas, sussurrando para o ouvido de Dom Bernardino:

— Bem, a rapariga ainda sabe estar à altura, bendita seja. É uma vergonha enorme o efeito que esta guarda tem sobre ela. O que será preciso para que recupere completamente?

Padilla murmurou para quem estava perto:

— Se houvesse alguma dúvida no espírito de alguém, devem estar agora convencidos de que a nossa rainha está sã de espírito.

Filipe estava lívido e chamou Cisneros à parte.

— Será que isto ainda pode piorar? Foi um erro estúpido convocar as Cortes para aqui. E agora, que vou fazer?

— Acalmai-vos, Senhor. — Cisneros começava a perder a paciência com a petulância de Filipe. — Admitamos que Sua Majestade deu um excelente espectáculo, mas ambos sabemos pela experiência anterior que não vai durar. É necessária uma mudança de táctica. Sugiro-vos que sigais os meus conselhos e não os de Dom Manuel. Mostrai publicamente que vos haveis reconciliado com a vossa esposa. Começai imediatamente, livrando-vos dessa expressão azeda. Escoltai a rainha do salão, mostrando-lhe afeição e devoção profundas. — Resistiu à frustração de Filipe. — Confiai em mim, é um método muito mais rápido e fácil de ganhar a coroa.

CAPÍTULO 32

Haviam passado várias semanas desde que fora enganada e fizera o juramento. (Estava furiosa consigo própria pela sua incrível ingenuidade, enganada pelas ternuras do seu «amoroso» marido.) Nas semanas seguintes fora mantida em reclusão sob guarda constante. Depois, dois dias antes, fora levada para ali, em Burgos. Ela e Filipe tinham alojamento na casa da sua meia-irmã, a Casa del Cordón. Fora mais uma vez ingénua ao partir do princípio de que a irmã lá estaria para a receber, mas Filipe «convidara-os a partir» até à sua casa de campo.

— Desapareci-me da vista! — Joana agarrou-se aos braços da cadeira não fosse bater ao insolente despenseiro de Filipe. — Se o meu marido precisa desesperadamente de dinheiro, sugiro que peça ao amigo e conselheiro, Juan Manuel, pois tenho a certeza de que tem bastante.

— Como esposa obediente, não vos atreveis a recusar.

— Fora!

— Haverá repercussões quando o meu amo voltar.

— Sem dúvida. Agora, saí, por favor.

Marta rebentava de indignação.

— A lata dele vir pedir-vos a vossa prata para empenhar. Bom, as coisas chegaram a um triste estado quando não se paga aos criados.

— Mas o problema não é meu. Continua lá sobre o meu tio.

— Apesar de todas as ameaças, ele não se move, nem Alba, nem os seus seguidores. Mais de metade dos grandes estão do lado deles e disse que Filipe escusava de se dar ao trabalho de confiscar as terras dele, porque ele só as entregaria a vós e disse a Juan Manuel que tem um exército suficientemente forte para se defender dele ou de quem se atrever.

— Como é de confiança o meu tio! Mas é tudo muito perturbador, a fome e a peste talvez sejam as menores das preocupações de Espanha.

Anunciaram o doutor Marliano, o médico pessoal de Filipe.

Joana não resistiu a comentar:

— Espero que não seja mais um com a bolsa vazia!

— Nada disso. Vim, por delicadeza, informar-vos de que o meu amo sofre de um resfriado e pensei que era melhor que o trouxessem da casa de Juan Manuel para o seu próprio leito.

— Quando é que ele adoeceu?

— Na quinta de manhã. Como talvez vos lembreis, na quarta-feira foi caçar com os amigos. Seguiu-se um belo almoço e, um pouco mais tarde, o meu amo ganhou a um guarda espanhol um jogo de pelota longo e difícil. Na manhã seguinte, o rei Filipe sentiu-se mal. Disse-lhe que depois do jogo não devia ter bebido tanta água fria, e a água aqui é verdadeiramente fria, nem devia ter ficado sentado com as roupas suadas.

— Nem, que é o mais provável, devia ter ido dar umas cambalhotas com umas «excelentes *muchachas*» que lhe foram fornecidas, como me disseram, para seu divertimento nocturno.

— Continuando, durante dois dias, insistiu em agir normalmente, até acabar por admitir que estava doente.

Ainda ele não tinha acabado e já Joana correra para a porta.

— Tenho de ir ter com ele.

— É desnecessário. Em breve o meu amo terá recuperado a saúde. Administrei-lhe buglossa para purgar os humores dos pulmões, emplastros de raiz de malva para o lado dorido e pastilhas açucaradas para a febre. Vai melhorar em menos de um nada.

— Apesar disso, vou ter com ele. Marta, vem. — Afastou o pesado véu e a letargia que a invadira e correu pela galeria até aos aposentos de Filipe, afastando com um gesto os cortesãos que se amontoavam à porta.

Olhou para o paciente, que jazia, muito pálido e prostrado.

— É sempre a mesma coisa, meu pobre querido, adoeceis sempre que as vossas preocupações são em demasia.

Filipe tentou murmurar algo, mas tudo o que saiu foi um sussurro áspero, enquanto se agarrava à garganta.

O doutor Marliano inclinou-se sobre ele:

— O médico de Cisneros, Yanguas, veio espiar, portanto recuso-me a deixá-lo ver-vos.

Joana ficou furiosa.

— Que absurdo, duas cabeças pensam melhor que uma! Mandai-o entrar.

Filipe acenou debilmente demonstrando a sua concordância.

O jovem médico italiano inclinou-se, os olhos semicerrados numa atitude crítica, sobre o ombro do velho e curvado Yanguas, enquanto este examinava o corpo real do seu amo.

Por fim, após muito puxar de barba e cerrar de sobrolhos, Yanguas deu as suas recomendações:

— O que é preciso aqui é, escrevei: uma pasta de farelo misturada com leite e banha para o flanco; marmelo e açúcar para a inflamação da garganta, ou talvez beldroega com mel; e quanto mais cedo começar as bebidas com vinagre para parar a diarreia, melhor.

O doutor Marliano fez um esgar de troça.

— Mas que charlatanices são estas? Não o permitirei. Ou tendes más intenções ou não sabeis nada. Meu Senhor Filipe, quero que ele se vá embora.

Yanguas ouvira o suficiente.

— Eu vou. Certamente não vou ficar aqui a ouvir insultos. O arcebispo Cisneros, a quem sirvo há anos, foi magnânimo ao oferecer a sabedoria da minha longa experiência e não ficará satisfeito com esta afronta. Com que então, charlatanices. Meu jovem convencido, quem quer que sejais, ficai a saber que eu já era um médico famoso e ainda vós não passáveis de um fedelho!

— Eu acabo com a disputa. — Joana interpôs-se entre ambos, afastando-os com as mãos. — Marta, papel e caneta, imediatamente. Vou mandar chamar o médico do meu filho Fernando.

* * *

— Estou sentada há demasiado tempo — declarou Joana, afastando-se da cadeira, massajando as costas com as mãos, enquanto caminhava pelo quarto. Era a primeira vez que se movia desde a noite anterior. Uma figura de capa e boné negro sentada a uma mesa ao canto ergueu momentaneamente os olhos do livro e depois voltou aos seus estudos.

Joana regressou para junto do leito de Filipe.

— Estais finalmente a melhorar — disse, passando os dedos pelos lábios, as faces, as pálpebras que beijara e acariciara tantas vezes e desejando voltar a fazê-lo de novo, agora como uma mãe conforta um filho. — Sim, desde ontem, quando veio o doutor Parra, e chegou mesmo a tempo, notei uma grande diferença.

Mesmo antes da chegada de Parra, tinham todos ficado alarmados. Filipe cuspia sangue e uma enorme mancha de grandes borbulhas vermelhas escuras cobrira-lhe o corpo. E entrara em delírio.

— Mas isso já passou. Sim, meu amor, estais nas mãos capazes do médico do nosso filho Fernando, um médico que traz consigo não só todo o saber de Galeno e Hipócrates, mas também os seus anos de experiência na Universidade de Salamanca.

Joana olhou para o velho de vestes negras, curvado sobre os inúmeros livros, e agradeceu a Deus pela alteração que trouxera. A seguir a emplastros de óleo de linhaça e ervas aromáticas misturadas com gordura de ganso e pato, parecia que os humores dos pulmões de Filipe se tinham finalmente espalhado. As sanguessugas, que deviam ter sido usadas logo de início, haviam-no livrado do excesso de sangue. Os novos remédios com mel e orégãos e tanchagem também ajudavam, para além de terem melhor sabor. Joana sabia que assim era, pois insistira em provar todos antes de os oferecer a Filipe. Tinha de ter a certeza de que ele ia gostar, de que não o iriam deixar maldisposto.

— E, hoje, já sois capaz de dormir. A febre passou. Ides ficar bom.

Pegou num guardanapo limpo, molhou-o em água com lavanda e substituiu o que se encontrava sobre a testa de Filipe. Os olhos dele estremeceram como se se fossem abrir e os lábios moveram-se, mas não falou.

— Chiu, não vos deveis cansar, eu estou aqui. Ficarei a vosso lado até estardes bem. Tomai um pouco disto, ajudará a vossa garganta.

— E encheu uma colher de elixir.

— De novo a dormir? Não importa. Ainda aqui estarei da próxima vez que acordardes.

Uma voz rabugenta ralhou-lhe do outro lado do quarto:

— Senhora, peço-vos que não continueis a tomar todas estas misturas. São para quem está doente e não para quem traz uma criança no ventre. Receio pela vossa segurança e pela do bebé. — O olhar do médico continuou a ralhar-lhe por cima dos óculos, enquanto se aproximava do doente.

Começou a estudá-lo minuciosamente, começando com a pulsação no pulso e nas têmporas. Depois abriu-lhe a camisa para lhe examinar cuidadosamente o peito, o estômago e as axilas. Virou-se para Joana:

— Senhora, importais-vos de vir aqui?

Ela seguiu-o, curiosa e ansiosa de saber que nova informação tinha para lhe dar, que nova sugestão estava prestes a fazer. Concordaria com tudo, depois das maravilhas dos dois últimos dias.

O médico sussurrou:

— Chegou a altura de mandar chamar o confessor do rei.

Não podia ser. Era um engano tremendo. Devia ter ouvido mal. Adormecera durante a sua longa vigília e aquilo era um sonho mau.

— Não, não, deveis estar enganado, doutor Parra. Ele parou de tremer... estava todo suado... isso são bons sinais... a febre passou... o perigo passou... vede, ele dorme pacificamente... tudo indica uma recuperação total. — As palavras tentavam sair por entre o crescente pânico que sentia. — Não o haveis dito vós mesmo?

— Disse e normalmente é assim, mas dói-me dizer que o rei caiu num sono profundo. Receio que seja do tipo que se vai tornando cada vez mais fundo, levando inevitavelmente à...

— Não! Não! Não! Recuso-me a ouvir, nem mais uma palavra! — Tapou os ouvidos com as mãos, chorando a sua recusa e apressando-se a sentar-se de novo junto ao leito. Encorajava Filipe a melhorar, encorajava-o a provar que o médico estava enganado. Ela fá-lo-ia ficar bom, se mais ninguém conseguisse.

O doutor Parra fez sinal aos assistentes do quarto para se aproximarem e deu instruções em sussurros para que chamassem o confessor e, quando regressasse, que informassem os membros da casa de Filipe que a saúde do amo se deteriorava rapidamente.

* * *

Filipe foi ungido com óleo, acompanhado pelas preces do padre:

— Por esta santa unção e pela Sua misericórdia, que o Senhor vos perdoe e...

Joana continuava a sua vigília, incitando-o silenciosamente a acordar para que os seus olhos a vissem, para que ela o fortalecesse e, apesar do médico, apesar do padre, recuperasse.

Às sete horas da manhã seguinte, o doutor Parra foi-se embora. Não havia mais nada a fazer.

Pouco antes das duas horas dessa tarde, sexta-feira, 24 de Setembro de 1506, o rei Filipe I de Castela, arquiduque da Áustria, morreu durante o sono.

Passou algum tempo e depois o padre ajoelhou perante Joana, murmurando:

— Minha Senhora, o rei Filipe está...

Assustada, Joana voltou-se para ele com o dedo nos lábios, avisando:

— Chiu, chiu — sussurrou. — Nada de barulho. Não pode haver barulho. O rei está a dormir.

Inclinou-se sobre a cama e passou os lábios sobre a testa de Filipe.

— Descansa, meu querido, descansa e melhora.

Continuou sentada junto ao leito mais três horas. Ficara junto dele dias e noites sem descanso. Sua companheira constante, sua esposa dedicada, sua enfermeira e até mãe. Agora terminara tudo.

Marta abraçou-a e levou-a lentamente do quarto. O corpo de Joana estava entorpecido. O seu Filipe morrera.

Mais tarde, nessa noite, o almirante Dom Fradique e o governador Dom Bernardino, ambos chamados apressadamente, levaram Joana até outros que tinham vindo prestar homenagem a Filipe pela última vez.

A câmara de audiências estava iluminada apenas por algumas velas. De um lado, encontrava-se um pequeno grupo de monges a cantar salmos e entoando o serviço dos mortos.

Haviam pendurado nas paredes as tapeçarias mais ricas e Filipe fora colocado num palco ao fundo da sala.

Joana dirigiu-se ao trono, apoiada em ambos os cavalheiros, que a seguraram, enquanto fazia a vénia.

Filipe presidia à sua última audiência, segundo o antigo costume de França e da Borgonha. Nos degraus do trono viam-se os escudos da Borgonha, da Flandres, dos Países Baixos e da Áustria.

Filipe olhava do trono a sua última corte. Fora vestido para a ocasião num gibão de veludo negro até aos joelhos, com um manto negro comprido orlado a arminho com o brasão da Áustria, Borgonha, Castela e Leão. Via-se apenas uma nesga dos calções vermelhos acima do veludo negro dos sapatos ao estilo da Flandres. Uma cruz de rubis e diamantes caía sobre o seu peito. O toucado de veludo negro ostentava um único rubi enorme.

Joana aproximou-se dele pela última vez. Beijou-lhe as mãos e depois os lábios, sussurrando:

— Oh, amor da minha vida.

Desceu do trono, regressou para junto do tio e saíram da câmara.

Lágrimas de compaixão rolavam pelas faces de Dom Fradique, alojando-se na barba. Era certamente cedo demais para ser o fim, orava ele.

Tinha de ser o tempo de um novo início.

Parte II
Viuvez

CAPÍTULO 33

— Afastem-se! Afastem-se!

A coluna de cavaleiros que escoltava Joana para Burgos deparara-
-se com lastimosos grupos dispersos de camponeses esfomeados, que
avançavam às cegas em direcção à esperança, sempre presente, totalmente ausente. Rostos sem expressão e cabeças demasiado pesadas para
a estrutura frágil paravam para olhar.

Joana afastou a cortina e puxou a capa debruada a pele contra o
peito para afastar o gelo de um dia de Dezembro terrivelmente amargo
e a imagem desolada da falta de esperança.

Mais à frente, a sua escolta passou por grupos de gente da cidade
com carroças alugadas carregadas de posses e haveres, que se afastavam
para o lado antes de continuar a fuga da peste e da possibilidade de
guerra civil.

A Castela de Joana estava um caos. Precisara de três meses de
isolamento na casa de campo da irmã, onde pudera chorar em privado
antes de encontrar vontade para se livrar da dor e da angústia e abordar os problemas que afligiam o seu amado país. Por fim, após vários
dias de consultas intensas com os conselheiros, corria para a cidade,
pronta a reunir-se às Cortes que ela própria convocara.

Poucos minutos após a sua chegada às portas da cidade, entrava no
pátio da Casa del Cordón e dois pares de mãos fortes ajudaram-na a
sair da liteira.

As escadas até à galeria eram demasiado para ela e caiu contra
Marta e a balaustrada.

— Juro que esta criança será a minha morte — arfou.

Desta vez não havia no pátio um belo Filipe, magnífico em cor de
amora e verde, prestes a sair a cavalo com os amigos, quais pavões

extravagantes. Apenas uma meia dúzia de cavalariços e a sua diminuta guarda. Mas Joana não ia pensar nisso, nem na morte de Filipe; mais tarde haveria tempo para todas as suas mágoas. Naquele dia, iria estar positiva, não se deixaria desanimar por nada nem por ninguém. Não haveria distracções.

Entrou directamente no seu aposento privado, onde as aias a aguardavam com um jarro de água a ferver, tinas e toalhas.

— Marta, desejo beber algo leve antes de me reunir com as Cortes.

O salão escolhido para a audiência estava frio, apesar dos esforços de uma lareira e várias braseiras. O seu secretário levantou-se quando ela entrou, o que Joana reconheceu com um sorriso, fazendo-lhe sinal para que continuasse o trabalho.

— Não deixeis que vos interrompa, amigo, a não ser que desejeis aquecer um pouco as mãos ao lume.

— Estou quase a terminar, Senhora.

Sobre o estrado, um baldaquino tinha um aspecto singularmente imponente, pensou Joana, e iria definitivamente ajudá-la na sua tarefa. Instalou o seu corpo avolumado sobre o assento de veludo.

A irmã e Dona Ulloa, uma aia que chegara recentemente da corte do rei Fernando, alisou-lhe as saias e o capuz de veludo negro.

Marta, que nunca se afastava muito da sua senhora, lançava olhares horrorizados à sala, resmungando:

— É um pecado, um pecado, sim senhor.

Haviam passado poucas semanas desde que Filipe ali presidira às Cortes, as paredes forradas com tapeçarias flamengas e arcas a abarrotar de baixela de prata e ouro. Naquele dia, nada havia que alegrasse o olhar ou animasse o coração. O ar frio alastrava das pedras das paredes nuas e sem adornos, circulando pela sala, mobilada apenas com o trono e um simples banco para os bispos das Cortes. Tudo fora retirado: roubado, empenhado ou enviado de regresso a Bruxelas.

Roubos semelhantes haviam tido lugar em toda a Castela e nenhuma acção fora encetada contra isto e muitas outras coisas erradas. Todavia, Joana não podia ser considerada responsável, pois estivera demasiado doente. Mas a situação não seria tolerada nem mais um momento. Desde a sua recuperação, fora incansável no esforço de dar início ao processo de endireitar as coisas. A tarefa estava quase concluída. Depois do encontro daquele dia, deixaria os últimos detalhes nas mãos de outros. E isso incluía Cisneros.

Riu-se baixinho, deleitada com o facto de ele ter de lhe obedecer. Não havia dúvida de que ele ainda a achava desprovida e movia a terra e os céus para que o pai governasse Castela. Mas ele e as Cortes iam ficar surpreendidos.

Os membros entraram. Joana notou pelos seus rostos que aqui havia incerteza, ali curiosidade, mais além suspeitas e todos denotavam choque por ter sido ela a convocá-los. E alegrou-se, pois ouvira os rumores sobre o seu pobre estado mental.

— Bem-vindos, meus senhores e procuradores. Prossigamos. Não tenciono desperdiçar nem o meu nem o vosso tempo. Arcebispo Cisneros, continuais a manter o meu pai informado dos acontecimentos?

— Sabia que não passava um dia em que os mensageiros não corressem para cá e para lá entre ambos.

Ele irritou-se, furioso com a recusa peremptória de Joana em assinar uma declaração que o fizesse regente na ausência do rei Fernando, o que o ofendia intoleravelmente.

Olhou para ela, furioso, e depois dirigiu-se à assembleia:

— Mantenho o rei Fernando informado e suplico-lhe repetidamente que regresse, mas um pedido da filha teria mais peso. Não é verdade, senhores?

Joana sabia que ele ia também tentar aquele estratagema.

— Não, não creio. Deixo esse tipo de cartas para outros. — Após algumas experiências amargas, nunca mais se deixaria convencer a pôr por escrito o que quer que fosse sobre regências e, de qualquer modo, tinha algo muito diferente na ideia. — Mas, por favor, salientai que estou ansiosa por o ter aqui.

Cisneros mudou de assunto, pois conhecia outra forma de tirar o controlo de Castela a Joana; e com a ajuda dela.

— Falemos agora do assunto das vagas na Igreja. Há muitos bispados sem bispos. É pouco sensato deixar tantas ovelhas sem pastores.

— Arcebispo, não saberia quem aconselhar, tendo estado ausente deste país por tanto tempo.

— Aí posso prestar-vos auxílio.

— E se, mesmo assim, eu escolhesse maus pastores? Pensai como isso seria sério para as ovelhas.

O almirante afagou a barba, divertido, soltando um «Deus me salve!». Padilla chamou a atenção dos procuradores sentados à sua esquerda e à sua direita.

Com um gesto, Joana fez sinal ao arcebispo para que se sentasse.

— Estamos a desviar-nos. — Estava determinada a não se afastar mais da sua agenda. — O documento, por favor.

O seu secretário estendeu-lhe um enorme rolo de pergaminho, completo com os selos reais.

— Este édito que eu preparei fará com que Castela regresse à sua identidade, a Castela da rainha Isabel — ergueu uma mão para deter os sussurros. — Senti que era minha obrigação que estes doutores de leis, os conselheiros de maior confiança da rainha Isabel, o atestem. É um documento longo, mas necessário. Declara que todos os cargos, arrendamentos, nomeações eclesiásticas só podem ser dados a nascidos e criados em Castela. Também revoga todas as doações de terras dadas pelo rei Filipe. Vereis que todas estão inscritas por nome. — Não resisti a lançar uma olhadela aos piores ofensores, Benavente, Villena, Juan Manuel. — Todo o dinheiro será devolvido imediatamente ao Tesouro Real.

Houve alguma objecção, mas uma grande onda de aprovação. Cisneros não se manifestou, preocupado que estava com a óbvia intenção de Joana de governar Castela. Isso tinha de ser evitado a todo o custo. O rei Fernando tinha de regressar, pois o país não estaria seguro nas mãos daquela mulher.

— Arcebispo, incumbo-vos de executar as minhas ordens com a máxima urgência.

— Então, posso sugerir que, entretanto, vos retireis para um lugar que não foi atingido pela peste, talvez Arévalo?

— Agradeço-vos a vossa preocupação, mas tenho outros planos. — A resposta foi educada, mas por dentro Joana fumegava de raiva ao ver que ele se atrevera a sugerir a cidade onde a avó passara tantos anos como prisioneira na sua horrível torre. — Tenciono levar os restos mortais do rei Filipe para Granada. Era esse o seu desejo. Agora tenho de falar com o núncio papal, o embaixador do meu pai, Ferrer, o arcebispo de Burgos e os bispos de Málaga e de Jaen. Os outros podem sair. Tenho a certeza de que todos apoiarão o arcebispo de todas as formas possíveis.

Dom Fradique puxou a manga do governador enquanto saíam.

— Está melhor que nunca, não é nada parva, garanto-vos. Incrível, sabe muito bem o que a maior parte de nós sente por Cisneros.

* * *

Segundo os costumes flamengos, os cirurgiões haviam preparado o corpo de Filipe para o funeral. Haviam removido o cérebro, o coração fora colocado num cofre de ouro e enviado para a Flandres a fim de ser colocado sobre o túmulo da mãe. As entranhas tinham sido queimadas e todas as partes do corpo haviam sido sangradas totalmente para evitar o apodrecimento. O cadáver foi, então, cheio de perfumes, cozido e colocado num caixão duplo, o primeiro de chumbo e o segundo de madeira, sendo, então, levado para a Catedral para a missa de requiem. Mais tarde, foi transportado para o mosteiro dos cartuxos, apenas a cinco quilómetros, em Miraflores.

— Senhores — informou Joana os restantes cavalheiros. — Tenciono partir imediatamente para Granada, levando o meu falecido marido para o local do seu eterno descanso.

— Vossa Majestade, posso alertar-vos de que o tempo não é adequado a viagens, é Inverno e a vossa condição...

— Arcebispo, agradeço-vos a vossa preocupação, mas nada fará adiar a minha partida. É essencial que leve a cabo os desejos de Filipe. Também tenciono ficar entre amigos em Granada. Sabeis tão bem como eu que Granada sempre me apoiou incondicionalmente. Ficarei lá até as guerras em Castela terem terminado.

— Então, tereis de ir sozinha — veio a resposta ríspida. — Não dou autorização para que se transporte o corpo. Isto faz parte da lei canónica. Não pode ser deslocado durante, pelo menos, seis meses.

Joana entrou em pânico, pensando no pior. Alguém já levara o corpo e aquela gente procurava agora que ela não descobrisse a verdade. Na sua voz ouviu-se uma explosão de medo.

— Isso não é verdade! Os restos da minha mãe foram levados de Medina para Granada poucos dias depois da sua morte. Temos de ir para Miraflores imediatamente. Todos vós me assistirão. O caixão tem de ser aberto e eu tenho de ver se o corpo lá continua. Sereis minhas testemunhas.

Tentou apressar-se para a porta, a rapidez era vital. O bispo de Málaga tentou refreá-la com palavras suaves:

— Não vos angustieis sem necessidade. Nada mudou; vereis exactamente o mesmo que vistes no dia de Todos os Santos, quando abrimos o caixão para vós. O rei está embalsamado e o seu rosto totalmente coberto com as mesmas ligaduras embebidas de unguentos e cal. Só se vê uma figura.

Ela gritou-lhe:

— Credes que eu não sei se é ou não Filipe? Não tardaremos mais. A minha escolta de soldados está pronta e já preparei todos os detalhes da minha viagem. Tenho clérigos, doutores e enfermeiras. Uma carroça com quatro cavalos fortes está pronta, preparada para a sua preciosa carga. E digo-vos mais: rezo para que não me haveis enganado e que os restos mortais do rei Filipe ainda lá estejam, à espera da sua última viagem.

Tentando falar calmamente, disse às aias:

— Irmãs, não posso agradecer-vos o suficiente por tudo o que fizestes. Fostes muito generosas e não vos pedirei mais. Dona Ulloa e Marta acompanhar-me-ão.

Dona Ulloa sentia-se triunfante e impaciente por dizer ao rei Fernando que conseguira ser nomeada aia principal de Joana. Tudo se desenrolava conforme os planos.

CAPÍTULO 34

Numa pequena casa senhorial de uma aldeia a alguns dias de viagem de Burgos, Joana e três jovens senhoras, sentadas no chão em almofadões, riam-se e tagarelavam, virando ocasionalmente a sua atenção para a costura. Os acordes suaves de um alaúde competiam com o canto dos pássaros que invadia a sala, juntamente com os raios do sol estival.

Havia passado mais de um ano e Joana ia finalmente a caminho, encontrar-se com o pai. O encanto daquele amontoado de casinhas num cenário tão tranquilo tentara-a a deter-se por alguns dias.

As aias, recentemente nomeadas, aproveitavam a oportunidade para melhorar o seu conhecimento de inglês, da sua gente e da sua língua. Uma rainha viúva com apenas vinte e sete anos era agrada-velmente casadoira e as razões de Estado quase a obrigavam a isso. Henrique VII não seria um marido totalmente inaceitável. O casa-mento inglês oferecia oportunidades maravilhosas às damas caste-lhanas de casarem com nobres ingleses e muitas beldades tinham solicitado o privilégio de fazer parte da corte de Joana. Aquelas eram as poucas eleitas.

— De que vos lembrais mais?

— Era Primavera, mais frio que aqui. Havia grandes extensões de verde, um verde cor de esmeralda lindíssimo, e as ovelhas eram tão grandes e redondas que tenho a certeza de que conseguiam rolar pelos montes abaixo. E cisnes. Nunca tinha visto tantos. E havia milhas de florestas sombrias.

— Queremos saber das pessoas!

— Quereis saber dos senhores! Então, deixai-me dizer-vos que são normalmente mais altos que em Castela, mais robustos, pelos menos os camponeses eram, exactamente o oposto do nosso povo esfomeado. Peço a Deus que este ano nos mande melhores colheitas. Os senhores ingleses são muito ricos.

Suspiros de deleite, desejo e esperança interromperam-na. Joana prosseguiu:

— Mas isso é porque não gastam o seu dinheiro em guerras e subornos.

— E o mais belo e mais rico de todos é o rei Henrique — disse uma, ansiosa por ouvir qualquer coisa sobre aquele rei de livros de contos.

— É belo, bastante belo, especialmente nas acções e nas palavras. — E Joana contou de novo as suas recordações do tempo que haviam passado juntos. O seu pequeno público estava suspenso de todas as palavras.

— Lede de novo uma das suas cartas. São tão românticas.

Joana não se importou nada, pois também o pensava. Era viúva há cerca de dezoito meses e esta «corte» era um antídoto muito desejado contra a pesada mágoa depressiva que por vezes tentava esmagá-la. Escolheu uma, talvez a sua preferida, das muitas que guardava na sua caixa de jóias.

— Esta... *Lembro-me de que, quando nos encontrámos, vós faláveis com elegância e eloquência e de como vos interessáveis por tudo o que vos rodeava e do vosso espírito curioso e agradável. Movíeis-vos com elegância e dignidade. Sois tudo o que um marido pode desejar.* Contudo, talvez Henrique seja um pouco velho. Tem quase cinquenta anos.

— Acho que, para um cavalheiro, isso não é velho. Provavelmente vão-lhe cair todos os dentes antes de ficar sem sementes — atreveu--se alguém a dizer.

— Chiu, chiu. — Joana tapou a orelhas, mas riu-se tão alegremente como as outras perante o comentário jocoso.

Marta sorriu da sua cadeira, junto à porta, do outro lado da sala. Estava tão contente como uma galinha com a sua ninhada. Fazia-lhe bem saber que a sua senhora se sentia, por fim, feliz. Joana passara tempos muito difíceis. Meses de luta por estar trancada, o choque da morte de Filipe. O nascimento da filha Catarina fora também uma grande preocupação, pois o parto fora muito complicado e deixara Joana gravemente doente. Todos os seus outros filhos tinham vindo ao mundo com tanta facilidade e logo quando ela precisava de todas as suas forças, este último fora estranho. Os médicos tinham tido de usar uns instrumentos com um aspecto horrível e a peste seguiu-as sem lhes dar tréguas, abatendo o povo indiscriminadamente, sem qualquer respeito. Marta assegurara-se de que nem gente doente nem estranhos se aproximavam da sua amada senhora.

Mas tudo isso passou e o rei Fernando regressara de Nápoles e ele e Joana iriam em breve encontrar-se. Falariam do que era preciso fazer sobre Castela, sobre os restos mortais de Filipe. E depois Joana podia começar a sua nova vida em Inglaterra.

A porta abriu-se bruscamente e Dona Ulloa dirigiu-se rapidamente a Joana, deixando Marta a pensar que algumas pessoas não sabiam entrar numa sala com graciosidade, convencida de que isso tinha algo a ver com o seu carácter.

— Eclodiu um fogo na igreja!

— Santo Deus nos céus, rápido, Marta — Joana correu para a porta, pegando na mão da sua criada fiel.

A distância até à igreja da aldeia era curta. Era essa uma das vantagens de terem ficado ali, sendo a outra o facto de a maior parte dos senhores e seus seguidores, incluindo os soldados, haverem sido forçados a procurar alojamento noutras aldeias. Todavia, alguns tinham insistido em ocupar algumas casas locais, por mais humildes que fossem, tendo expulso os donos, que tiveram de se desvenci- lhar em celeiros ou sebes.

Línguas de fogo lambiam as janelas enegrecidas e o fumo da ma- deira a arder enchia o ar. Uma cadeia de aldeões passava baldes de madeira que deixavam cair água em direcção à porta, atrapalhando os soldados que tentavam manter a entrada livre para deixar passar oito homens fortes, curvados sob o peso do caixão.

O clérigo Ferrer, embaixador de Fernando, bradava instruções, lutando contra a confusão. Viu Joana e gritou:

— Vede o que fizeste! Bem vos avisei, mas vós nunca seguis o meu conselho.

O coração de Joana latejou de indignação; os modos do homem eram insuportáveis.

— Sou eu quem dá as ordens e quero cinquenta velas em redor do catafalco.

— E eu recordei-vos de que trinta é o número devido.

— E achais que foi uma das minhas velas excessivas que causou isto? — Perguntou a si própria por que motivo estava, sequer, a dis- cutir com o homem. Os restos mortais de Filipe estavam a salvo e o fogo em breve seria apagado e ela pagaria os estragos. — Os soldados levam o caixão para os meus alojamentos. Ide preparar um dos quartos para capela.

— A vossa casa não é o lugar apropriado para alojar os restos mortais do rei.

— Sugeris que mais um dos aldeões seja posto na rua para alojar um estranho, desta vez um morto?

— Essas palavras farão erguer algumas sobrancelhas — retorquiu o homem por cima do ombro.

Joana agarrou as mãos de Marta e deu vasas à sua frustração, rangendo os dentes.

— É a segunda vez que ele se atreve a criticar-me. Lembras-te de quando tentou insistir em que eu mandasse dizer orações em todo o país pelo regresso rápido do meu pai? Queria que se visse bem como eu sou inútil sem o meu pai ao meu lado. Quem é que ele pensa que é, este empregadozito ambicioso, a dar ordens?

— Deixai, em breve estareis livre dele — disse Marta, confortando-a. E de Ulloa, esperava ela.

— É verdade, o meu pai pode ficar com o seu embaixador. De facto, é a primeira coisa da nossa agenda. A segunda é livrarmo-nos de Ulloa. Ofereço-a à mulher do meu pai com a minha bênção.

O alívio espalhou-se pelas veias de Marta. Estava farta dos comentários perversos e maldosos de Ulloa e suspeitava de que o conteúdo das suas infinitas cartas levavam as mesmas mentiras sobre Joana. Mentiras que se alimentavam de si próprias, aumentando com as distorções e falsidades descaradas, como Joana ir sempre abrir o caixão de Filipe para lhe beijar os pés. É claro que era tudo um disparate, mas mesmo assim era muito difícil lutar contra gente desleal. Agradeceu a Deus o facto de em breve estarem longe daquilo tudo.

CAPÍTULO 35

Afinal, o casamento com Henrique não se realizou. O rei inglês morrera, pensava Joana, atravessando o longo salão. Para dizer a verdade, sempre soubera que não era viável. Como é que ela poderia reinar sobre Castela, vivendo em Inglaterra? Teria de ter feito o seu pai regente e isso não estava de acordo com os seus planos.

Haviam passado dois anos, os anos mais felizes que vivera, dois anos passados com os filhos. Fernando, agora com seis anos, e Catarina, uma querida de dois anos. Agradava-lhe prosseguir com aquela vida familiar, deixando o governo do dia-a-dia nas mãos do pai.

Tinham-se finalmente encontrado no dia anterior, após um intervalo de seis anos e o ajoelhar formal e o beija-mão em breve se transformaram em abraços saudosos, com ambos de joelhos abraçando-se vigorosamente, Joana agarrada aos ombros ainda tão fortes como os de qualquer guerreiro valoroso. Fernando tirou o barrete e o véu de viúva de Joana foi atirado para trás. Ver o pai de novo deixou-a profundamente emocionada e chorou abertamente. Por entre as lágrimas e com dedos frementes, tornou a familiarizar-se com as feições belas e marcadas do seu amado pai.

Naquele dia, pelo menos por alguns momentos, o seu encontro seria mais formal, mas assim que os documentos estivessem assinados, podiam começar a pensar em escolher uma casa conveniente para ela e para a sua pequena família. Era triste que Maximiliano não autorizasse os seus outros filhos a juntar-se-lhe (a odiosa política de novo a interferir; estava determinado a manter Carlos na Flandres).

De súbito, Joana riu-se.

— Bem, Ulloa, os poucos flamengos que restam devem estar em breve na corte de Maximiliano, tendo conseguido escapar de Castela com êxito. Que figuras ridículas devem ter feito, vestidos de frades franciscanos pobres, mas com um comboio de quarenta mulas carregadas com os ricos despojos que roubaram.

— O rei Fernando fez muitíssimo bem em livrar Castela dos seus restantes inimigos. Sempre teve no coração o bem de Castela e lamento que Deus só o tenha recompensado, a ele e à sua nova esposa, com um filho adoentado e que tão cedo subiu ao céu.

Joana mordeu a língua para não dizer como ficava irada com a ousadia da sua aia em oferecer opiniões não solicitadas, realçando o facto de que não pedira um sermão sobre os atributos do pai.

Mas lá estava ele! Ainda lhe parecia um milagre tê-lo perto de si. Cisneros, agora cardeal graças às negociações do pai com o papa, e Ferrer quase tropeçavam nos calcanhares do amo, de tão próximos. Era tão reconfortante saber que em breve não teria de enfrentar qualquer deles de novo.

Depois de dar as boas-vindas ao pai, acompanhou-o a uma mesa preparada com penas, tinta, vela, selos e o precioso documento. O secretário de Joana e quatro doutores em leis esperavam por detrás dos tronos. Joana teve de se forçar a manter a dignidade, quando só lhe apetecia pular e bailar. Ia dar o passo mais importante da sua vida. Aquele pedaço de papel ia determinar o seu futuro, um futuro sem incertezas, ansiedade e medo.

* * *

Ia ser exactamente como quando a mãe era viva: dois monarcas reinando. O pai, com os inúmeros anos de experiência do dia-a-dia do governo, viria ter com ela para discutir todas as decisões e pedir a assinatura da filha em todos os documentos. Ia ser rainha com todos os direitos e autoridade para tomar as decisões finais. Para além de tudo, menos que isso seria inaceitável para os seus conterrâneos, muitos dos quais tinham Fernando em pouca consideração.

O pai deu-lhe a mão.

— Agora, temos de decidir o melhor sítio para viverdes. Pensei na pequena cidade de Tordesilhas.

— E que vos fez pensar nessa cidade, com a sua história de rainhas aprisionadas?

Fernando deu-lhe uma pancadinha no nariz e riu-se.

— Isso foi há mais de cem anos, tonta.

— Mas é muito longe.

— De todo. É exactamente o que tu preferes: pequena e sossegada. Mas está convenientemente situada, razoavelmente perto de Valladolid, onde reunirei as Cortes, tornando-me fácil visitar-te. Concedo que fica um pouco desviada, mas isso tem as suas vantagens de momento. Ainda há bolsas de desassossego e o meu coração ficaria em paz, sabendo que estarias em segurança, enquanto eu estou em Granada a tratar dos rebeldes cá de baixo.

Joana fechou a mão sobre a dele, contente por poder ser prestável. Faria com que Granada aceitasse o pai como monarca reinante se ela estivesse a seu lado.

— Acompanhar-vos-ei. Sempre exprimiram o seu apoio relativamente a mim, escutar-me-ão. — Mal conseguia conter a excitação.

— E podia levar Filipe para o seu repouso final.

— Tem de ser uma operação militar. Eu e Cisneros vamos levar um exército; é a única linguagem que os rebeldes entendem.

— Mas isso seria desnecessário se eu estivesse presente — tentou Joana assegurar-lhe.

A voz de Cisneros interrompeu-a.

— Não tendes respeito pelo dever filial? Como vos atreveis a contradizer o vosso pai? Uma filha deve escutar e não falar.

— Talvez falásseis à minha mãe nesses termos, mas eu não o admitirei. Sou a rainha de Castela e estou a discutir questões importantes relacionadas com a sua segurança e desenvolvimento com o rei. Peço-vos que não interfereis.

— Controlai a língua, filha, ofendeis o cardeal! — avisou-a Fernando.

— Lamento, pai, mas a presença dele ensombrou-me como uma ave de rapina durante anos. Com a vingança em mente, atrevo-me a desdenhar dos seus conselhos.

— Basta, Joana! — Fernando suavizou depois o tom. — Granada está fora de questão. Pelo profundo amor que vos tenho, não posso permitir que vos envergonheis mais em relação ao cortejo fúnebre.

— E que significa isso?

— Parte-se-me o coração pensar que abris o caixão para ver o corpo de Filipe, para lhe beijardes os pés...

— Mentiras, tudo mentiras! — Olhou de Cisneros para Ferrer e depois para Ulloa. Qual dos três seria a origem de mentiras tão ofensivas e por que motivo?

— E houve aquele incidente num convento.

A mágoa e a ira tiraram-lhe o fôlego.

— Basta! Isto é uma infâmia. É obra de uma mente maldosa. Em Burgos insisti para que o caixão fosse aberto a fim de que eu e outras testemunhas pudéssemos ver que o corpo de Filipe não havia sido roubado. Que alguém sugira que eu voltei a fazer isso e que transforme as suas mentiras em algo nojento e mórbido é imperdoável. — O seu tom de voz foi ficando mais alto, demasiado alto. — O episódio do convento foi muito simples. Era um santuário de freiras e eu estava determinada a proteger a sua inocência, e provavelmente a sua virgindade, dos guardas lascivos que acompanham o cortejo. Foi por isso que ordenei que todos descansassem fora das portas e não para me abrigar dentro delas antes de partir de novo. Foi assim que tudo se passou.

A outra Joana veio em sua ajuda e disse a si própria que, ao explicar as suas acções, estava a entregar a sua autoridade, permitia que a transformassem em vítima. Não se pedem razões a uma rainha! Endireitou-se, com o queixo para a frente, e, num tom suave, anunciou:

— Não se volta a falar disto. Decidi que este seria o momento ideal para oferecer os serviços de Dona Ulloa à vossa boa esposa, Germaine, e devolver o vosso embaixador, o clérigo Ferrer. Precisais mais dele que eu. Agora, darei início aos preparativos para viajar para Granada.

CAPÍTULO 36

Joana entrou nos seus aposentos, enfurecida, gritando insultos a Dona Ulloa. Se tivesse as mãos livres, ter-lhe-ia certamente atirado com alguma coisa, ou arranhado aquele rosto enganador. Em vez disso, puxava e rasgava freneticamente os fechos do corpete e as rendas que ligavam as mangas aos ombros.

— Sua miserável, vós sabíeis.

— Eu...

— Não vos atreveis a falar! — Sibilava as palavras por entre os dentes cerrados, enquanto lágrimas escaldantes lhe escorriam pelas faces. — Marta, ajuda-me. Arranja-me um vestido e um manto, um véu, um capuz, qualquer coisa, depressa. E traz o meu cofre de jóias.

Marta, espantada, entrou em acção, curiosa mas também preocupada, sem saber por que motivo a ama queria envergar trajes reais após meses de completo desinteresse pela sua aparência. Se ao menos Ulloa não a tivesse proibido de se afastar daquela zona nas traseiras do palácio, alguma ideia haveria de ter. Enquanto procurava na única arca, ouviu Joana mandar que Ulloa lhe fosse buscar um espelho e engoliu em seco.

— Quereis que mande trazer água quente? Seria agradável.

— Não temos tempo para isso, Marta.

Os dedos de Marta tiveram êxito onde os de Joana tinham falhado, e as mangas de lã, suadas e encardidas soltaram-se, seguidas pelo corpete manchado. Seguiu-se a combinação, acompanhada de um fedor de suor cediço. As imundas saias de lã e os saiotes manchados emanavam um pivete ainda pior a urina.

Joana enfiou um vestido largo sobre os ombros e contemplou o monte de roupas que despira. Pouco antes considerara-as constrangedoras e vulgares, totalmente desapropriadas, o que era bastante sério.

201

— Marta, há quanto tempo ando eu assim?

O mal-estar da criada cresceu, pois não desejava abrir velhas feridas. Durante meses, fizera todos os possíveis para tratar e reconfortar a ama e ambas tinham aprendido a lidar com a adversidade, mas falhara quanto a ajudar Joana a manter algum orgulho na sua aparência e a tratar de si convenientemente. Continuou a atarefar-se com o vestido de Joana.

Esta arrancou o espelho das mãos de Dona Ulloa.

— Saí, esperai lá fora! Santo Deus, não! — A imagem que a contemplava estava coberta por uma camada de sujidade, com manchas mais claras que deixavam ver uma pele pouco saudável; no rosto descarnado, os olhos pareciam enormes e o cabelo, aquele cabelo em tempos tão belo que Zayda lavara e oleara com óleos perfumados, não passava de uma cabeleira suja e emaranhada.

— Marta, o que me aconteceu?

— Minha senhora, há já algum tempo que não estais bem. E, atrevo-me a acrescentar, é por causa de alguns que têm demasiada autoridade e nenhuma decência — atirou as palavras na direcção da porta, sabendo que Ulloa estaria à escuta.

— Porquê? Quando?

Marta atarefava-se a lavar e a vestir Joana.

— Foi quando o rei Fernando vos tirou o vosso filho. Mas não devemos falar disso tudo outra vez, só vai incomodar-vos mais.

— Mas recuperei-o?

— Só quando dissestes que viríeis para Tordesilhas. Foi nessa altura que o trouxeram, mas assim que aqui chegámos, levaram-no de novo, porque este lugar não é suficientemente bom para um príncipe, foi o que eles disseram. Foi então que ficastes mesmo mal.

— Fiquei? Estive doente? Quando foi isso tudo? — Tinha de perceber, tinha de pôr ordem nesses dias esquecidos.

— Talvez um ano, talvez mais, mas haveis dado muita luta. Haveis-lhes mostrado, Deus meu, a sério, recusando-vos a sair do vosso quarto e não indo à missa e tudo o mais.

— Mas falhei?

— Bem, sim, mas não vos conseguiram impedir de berrar contra Ferrer, sobre a forma como vos tratou, como não vos deixava fazer nada; nem sequer vos permitia visitar o túmulo do vosso marido no convento. Isso assustou-os. Portanto, trouxeram-vos para aqui, para as traseiras do palácio, onde ninguém vos podia ouvir. — E ela fora obrigada a ver, sem poder fazer nada, enquanto arrastavam a ama pelo corredor.

— Portanto, perdi a batalha.

Marta chorava enquanto finalizava o trabalho.

— Não completamente. Vivemos muitos dias maus, mas depois, passado algum tempo, deixastes de querer saber de vós. Parecia que havíeis desistido. Lamento.

Passara mais de um ano? Que fizera ela durante todo esse tempo? Talvez lesse, ou tocasse na sua amada *vihuela* ou por vezes no cravo, talvez bordasse, ou ficasse sentada sem fazer nada, absolutamente nada horas a fio. Apenas quando o pai a vinha ver, o que era raro, é que tomava conhecimento e falava do que se passava para lá daquele quarto, daquele palácio, Tordesilhas ou Castela.

— Marta, não podemos deixar que isto volte a acontecer, tenho de ser mais positiva. Tenho de dar algumas explicações difíceis, mas depois as coisas devem compor-se. — Joana estudou-se no espelho.

— Marta, fizeste um milagre.

Tinha um aspecto majestoso, com o vestido de veludo negro e o colar de ouro da mãe de espigas e setas. Rubis e pérolas em alfinetes cintilavam no corpete e nas saias. As tranças sem vida haviam sido enfiadas num novo capuz lavado.

Marta cruzou os braços, satisfeita.

— Não sei quem vos veio visitar, mas nunca saberão que não tendes estado bem.

Joana fechou os olhos e não disse nada, cheia de esperanças.

Apressou-se pelo corredor, passando pelos guardas ali estacionados para sua «segurança».

— Apressai-vos, Ulloa.

Dobrou a esquina e dirigiu-se ao salão nobre, onde cerca de uma hora antes entrara com o pai. A enormidade dessa visita desastrosa atingiu-a com toda a força.

Sim, ela e o pai tinham entrado no salão, ele com a sua jaqueta de brocado negro e dourado, uma longa capa de veludo vermelho orlada a arminho e na cabeça um chapéu de veludo negro debruado a ouro. E ela... envergando não um simples vestido de lã, como pensava, mas aquelas roupas nojentas, incrivelmente sujas, que agora jaziam no chão do seu quarto.

No salão, à espera de a cumprimentar, havia embaixadores da França e da Áustria, arcebispos, bispos, o almirante, o governador, os duques de Alba e de Medina-Sidónia, condes de que não se recordava. Uma esplêndida exibição de poder: o poder de Espanha, o poder da Europa.

Ninguém lhe dissera da audiência, senão teria mudado para algo mais apropriado. Ficara transida de vergonha, que se transformara em descrença. Não acreditava que o pai lhe fizera aquilo. Com um esforço supremo, falara:

— Meus senhores, tendes de me desculpar, não vos esperava. Não estava preparada. Peço a vossa indulgência por uns momentos e depois conceder-vos-ei uma audiência com todo o gosto.

E depois fugira, ouvindo pedaços de comentários pelo caminho. «Santo Deus, deve estar doente... que desmazelo... lamentável... a sua mente deve estar... não está em condições de... Fernando tem...»

O almirante seguira-a, insistindo para que o escutasse, mas ela não parara.

— Agora não, tio. — Não podia dar-se ao luxo de perder um segundo.

As portas abriram-se e mais uma vez entrou no salão nobre.

Estava vazio. O salão estava vazio à excepção de Fernando, que se encontrava junto da janela a gozar a vista do rio e dos prados.

— Onde estão todos?

— Foram-se embora, minha querida, todos.

Perdera a batalha. Não voltariam.

Sem desviar o olhar, ele continuou:

— Ficaram cheios de vergonha e pena de vós. Partiram depois de me oferecerem o seu apoio total, reconhecendo que, tristemente, não estais em condições de ser considerada rainha.

— Não acredito que me tenhais feito isto. — Joana sentia-se confusa, desorientada, assustada. — Estivestes aqui ontem e falámos de muitas coisas. Haveis-me contado os vossos encontros com os enviados da França e da Áustria com vista a formar uma liga contra Veneza. Nem uma única vez mencionastes a minha aparência, nem me dissestes que hoje haveria uma audiência real. Mas agora sei porquê, agora vejo tudo. Não estáveis contente com todo o poder que eu, de boa vontade, vos devolvi! — Erguera a voz, gritava sem se poder controlar. — Não era suficiente, porque tínheis medo! Tínheis de fazer tudo para que aqueles que apenas vos toleravam por serdes meu pai me vissem desta forma, para vos darem autoridade total! Portanto, haveis-me exibido! Usastes-me. Não regressastes a Castela para me reconfortar e apoiar, hoje haveis provado isso para além de qualquer dúvida. Trouxestes a louca à festa e esfregastes as mãos de contente. Um pai que amasse a filha não a trataria desta forma!

— Tentai controlar-vos. Ser rei é a minha primeira responsabilidade. Disse-vos isso há muitos anos.

— Para ser rei tendes de ser um pai cruel?

Esmagou as lágrimas com as costas da mão, avançando para ele, o coração desfeito, os braços estendidos, implorando compaixão.

— Eu amava e confiava em Filipe. Amava-vos e confiava em vós. Marido e pai, ambos me traíram.

— Vós, as mulheres, tendes uma ideia tão estranha do amor. Fazeis dele toda a vossa existência. Nós, homens, temos outras forças que nos movem e que nos enchem o coração. O amor, quando existe, ocupa um pobre segundo lugar.

— O meu tio ama-me. Onde está ele?

— Partiu.

— Deixastes-me sem ninguém para quem me voltar. Não tenho meios para corrigir isto.

— Absolutamente nenhuns. Tenho Castela na palma da mão. Não haverá nenhum senhor que se ponha do vosso lado ou do vosso filho Carlos. Parto amanhã para Granada para tratar daqueles rebeldes de uma vez por todas. Ficareis aqui, retirada do mundo. Em breve, o mundo deixará de se interessar por vós. Ferrer governará esta casa e, se vós tentardes impedi-lo ou aos seus criados de levarem a cabo as minhas ordens, ele tem a minha autorização para usar a força que for necessária.

Joana tentava compreender as palavras do pai. Que ameaças eram aquelas? Porquê? Que iria ele ordenar a Ferrer que fizesse e porque seria preciso usar a força?

— Vou ser tratada como uma criatura selvagem que precisa de ser domada até se curvar perante a vontade do dono? É só isso que sou para vós, um animal sem valor?

— Não iria tão longe quanto isso. Na verdade, tendes muito valor, uma vez que preciso de vós viva para poder continuar como regente de Castela. É importante que detenha o seu poder e a sua riqueza para apoiar a causa de Aragão.

Como podia ela lutar contra aquilo? E quem a apoiaria? Pelo menos, tinha Marta, em quem podia confiar, e talvez houvesse outros.

— Preciso de algumas das aias que serviram a minha mãe. — Era possível que pudessem ajudar.

— Logo veremos — respondeu Fernando com indiferença. Não tinha muita importância quem fosse colocado ao serviço de Joana, pois seriam escolhidos por ele e só dele receberiam ordens e a ele responderiam.

Joana ia ser mantida viva, mas longe dos olhares do público.

Esquecê-la-iam em breve, mas desde que vivesse, Castela seria dele.

Joana perdera uma batalha crucial, mas, determinada, acreditava que a guerra não estava perdida. Ocorreu-lhe que tinha, na verdade, uma arma no seu arsenal que tencionava usar imediatamente.

Iria recusar-se a comer.

CAPÍTULO 37

O ano de 1516 foi importante para a Espanha e o frade franciscano perguntava-se se seria igualmente importante para Joana. O irmão Juan de Ávila olhou em volta do quarto miserável: nem melhor nem pior que os restantes alojamentos, pensou. O sol de Abril apenas visitava aquela parte do palácio através de um pátio húmido, acompanhado do fedor do lixo, que era amontoado por baixo das janelas da cozinha, ficando ali a apodrecer.

Visitara os alojamentos de Joana todos os dias desde a sua chegada a Tordesilhas como guardião espiritual de Joana, há cerca de uma semana, e a sua vergonha e ira aumentavam constantemente. A negligência pairava no ar como se aquele quarto tivesse há muito sido esquecido. Segundo compreendera, ela estava ali confinada havia, pelo menos, cinco anos. O seu olhar atento passou de uma mesinha com um único candelabro para a mulher humilde que a assistia, antes de regressar a Joana, no seu vestido de lã cinzenta, sentada a seu lado numa das duas cadeiras, que, para além da mesa, constituíam a única mobília. Teve de lembrar mais uma vez a si próprio que ela era rainha de Espanha e não alguém que fazia lembrar uma freira.

Tinham terminado as orações, mas em vez de se ir embora, deixara-se ficar.

— Vossa Alteza Real, tenho de vos informar... — endireitou o grosseiro hábito cinzento —, desejo que vos prepareis para... — Não conseguia pronunciar as palavras, ainda não. Fez um sinal a Marta. — Tens de arranjar vestes próprias para a tua ama. Vai haver uma audiência no salão nobre.

Joana ergueu a cabeça.

— Uma audiência?

— Sim, Senhora, um mensageiro do cardeal Cisneros.

Que estranho! Ela nunca recebia visitas naquele quarto, quanto mais no salão nobre. Teria de pensar naquilo cuidadosamente. «Ninguém aqui vem, ninguém me vê para além destes dois...» Ergueu primeiro um punho e depois o outro.

— O bispo de Maiorca, o mensageiro, traz notícias importantes do cardeal Cisneros.

— Cisneros... lembro-me dele. Porquê Cisneros? Porque é que este bispo não vem do meu pai? De qualquer forma, não podem ser boas notícias. — Estendeu a mão para Marta.

— O cardeal é regente de toda a Espanha. Senhora, o rei Fernando, vosso pai, morreu. — Pronto, estava dito, fizera o que o bispo lhe pedira.

— O rei morreu, Cisneros é regente. Parece-me que, em tempos, já foi regente de Castela, mas isso foi há muito tempo. Nessa altura, não era meu amigo e sem dúvida que a sua opinião sobre mim não mudou. — Assentiu com um gesto de cabeça, concordando consigo própria. O pai morrera, Cisneros era regente, portanto nada mudara.

O irmão Juan esperou. Dizia-se que nunca chorara uma lágrima pelo marido, portanto talvez fosse a mesma coisa pelo pai. Era muito estranho.

— O bispo, Senhora, o mensageiro de Cisneros, a audiência?

Joana pôs-se de pé de um salto.

— Claro, tenho de mudar de roupa. — Anunciou aquilo como se se tratasse de uma ocorrência diária. — Como será maravilhoso livrar-me destes trapos imundos. — Sentou-se tão rapidamente como se levantara. — Mas como é que saberei que o bispo ainda estará no salão quando lá chegar?

— Senhora, foi tudo combinado.

— Mesmo assim, receio que ele e todos os outros tenham partido.

— O bispo de Maiorca é um homem amável e terá muito boas notícias para vós e não tenhais medo, porque eu estarei lá. Vou retirar-me agora e espero-vos no corredor. — Saiu do quarto e ficou de pé a uma pequena distância dos guardas postados à porta de Joana.

Marta encontrou veludos negros, brocados e arejou-os. As saias começavam a mostrar sinais de idade, mas serviriam.

— Que estranho Cisneros ter mandado um mensageiro. Achas que ele quer que eu governe Espanha? Duvido e, só Deus sabe, Ferrer nunca me deixaria governar esta casa, quanto mais dar-me autorização para governar Espanha. Que achas?

— É tudo muito complicado — foi a única resposta. Marta estava decidida a não entrar em qualquer discussão que pudesse tornar-se controversa. Fora assim que conseguira manter a sua posição como criada da rainha. Via o que via, pensava muito e dizia muito pouco, o que nem sempre fora fácil.

«É melhor usardes esta combinação, pois abotoa nos punhos e cobre essas marcas horríveis. — Quantas vezes aplicara a mistura morna de azeitonas, gordura e clara de ovo nas dolorosas feridas daquela pele delicada? Ficava tão zangada só pelo facto de alguém pensar em tratar a sua senhora assim, muito mais chegar a fazê-lo. Imagine-se, aqueles pobres pulsos, marcados com vergões vermelhos e cicatrizes mais antigas, onde as correias de couro a haviam atado à cadeira.

* * *

No salão nobre, o bispo de Maiorca organizava os papéis e as cartas. A seguir à morte do rei, houvera um levantamento na cidade de Tordesilhas e uma rebelião no palácio. Ao longo dos anos, muita gente se comovera com o mau tratamento infligido a Joana e achava que era uma oportunidade de a salvar de Ferrer. O capitão da guarda e o magistrado-mor haviam sido os primeiros a avançar, tentando entrar no palácio, mas tinham sido rechaçados por Ferrer e pela guarda real de Fernando. E depois o bispo chegara, de posse de uma autoridade inquestionável, detivera Ferrer e pusera-o em prisão domiciliária.

Um escrivão passou-lhe uma carta, sorrindo ainda perante o seu conteúdo.

— Há muitos agradados com a detenção de Ferrer.

— E ele que acha tudo uma grande injustiça. Como se atreve a falar de justiça? Queixa-se de mentiras maldosas, insiste que nunca manteve a rainha prisioneira, que a única razão por que a alimentou à força foi para a manter viva e, acima de tudo, que todas as suas acções foram por ordem de Fernando. — Atirou a carta para cima da mesa. — Escreve a pedir os agradecimentos de Cisneros sob a forma de uma pensão substancial por governar esta casa como um convento.

O escrivão suspirou, abanando a cabeça.

— A falta de interesse da rainha pelos deveres religiosos causa uma certa preocupação, mas nunca poderia justificar o uso do chicote. E talvez a insistência de Ferrer em como fosse a várias missas todos os dias tivesse despertado a sua rebelião.

— Concordo. Ferrer deve considerar-se com sorte por não ser submetido a um chicoteamento público, juntamente com os outros culpados do tratamento brutal da rainha Joana. A confirmação do novo governador do palácio está aqui?

O escrivão procurou entre os papéis.

— Aqui, meu Senhor. Que bela decisão. Quando o rei Carlos chegar, esta casa estará tão bem organizada que ele não terá necessidade de pensar em procurar alguém da sua própria escolha.

As portas do salão nobre abriram-se e o bispo ergueu-se rapidamente para receber Joana. Fez uma vénia profunda e ajoelhou a seus pés, esperando para lhe beijar a mão. Ficou chocado com o que viu: uma senhora de trinta e tantos anos, prematuramente envelhecida, envergando roupas igualmente velhas.

Ela olhou-o, confusa.

O bispo declarou:

— Vossa Alteza Real, rainha Joana de Castela, Aragão, Navarra, Nápoles, Sicília...

Joana olhou em seu redor.

— Ena, que grande sala. Já me tinha esquecido do tamanho; as janelas, a luz do sol, tantas coisas bonitas. — Maravilhou-se com as tapeçarias, as cadeiras, as mesas e a baixela de prata.

Foi conduzida ao trono, que tinha um dossel com o seu brasão.

Joana receava respirar, não fosse aquele belo sonho despedaçar-se. Era como se ela fosse outra pessoa a observá-la ao entrar naquela sala belíssima. Viu-se a ser cumprimentada formalmente por um bispo e depois avançar pelo meio de tesouros até um trono.

Com dedos trémulos, acariciou a madeira entalhada e depois sentou-se sobre uma luxuosa almofada de veludo, encostando-se cuidadosamente, pois as feridas ainda lhe doíam da última sessão com o chicote. Pousou o olhar sobre o colo durante uns momentos até se atrever, por fim, a olhar para os outros.

Ainda lá estavam todos!

— Vossa Alteza, estou aqui a pedido do cardeal. Ele espera vir muito em breve apresentar-vos os seus respeitos. Entretanto, aconteceram muitas coisas e gostaria de partilhar os detalhes convosco. O vosso administrador, Ferrer, foi despedido, juntamente com os seus criados.

Sem acreditar, Joana perguntou ao frade:

— Irmão Juan, ele foi-se mesmo embora? Para sempre? — Com os dedos, tocou nas feridas dos pulsos. — Mas quem vai tomar conta deste lugar?

Temia ao pensar em novas chicotadas, na repetição de insultos, gritos e ameaças, receava ter de proteger o rosto das bofetadas violentas, de mais lutas contra as correias que lhe queimavam e dilaceravam os pulsos e a atavam à cadeira, receava que voltassem a enfiar-lhe comida pela boca, mantida aberta à força.

— Quem vai ficar com o seu lugar?

— Hernan Duque. A certa altura, esteve ao serviço da rainha Isabel e do rei Fernando.

Joana bateu as palmas de alegria. Era alguém de um passado distante e feliz.

— Eu conheço-o, meu senhor bispo. Eu conheço-o. Era um homem sensível e amável.

— Está aqui presente. Quereis que o mande entrar?

— Porque ainda não o fizestes?

— Iria contra o protocolo antes de vós terdes dado permissão.

Protocolo! Adorava o som daquela palavra. Que excitação! Em breve, com um pouco de prática, lembrar-se-ia de tudo.

Hernan Duque, alto e belo nas suas vestes fulvas, um barrete de veludo castanho na mão, aproximou-se do trono. Joana inclinou-se para a frente para ver melhor o rosto daquele homem, agora na casa dos quarenta, com os seus honestos olhos castanho-escuros, tal como se lembrava.

— Sois muito bem-vindo, Senhor.

Ele ergueu o olhar para a senhora que falava. Estava tão magra e pálida que parecia feita de papel. Tinha sobrevivido a anos de terror indescritível, aprisionada como uma criminosa comum numa cela. Jurou que passaria os seus dias tentando levá-la a esquecer esses horrores passados e a guiá-la cuidadosamente através do que agora lhe devia parecer um mundo confuso.

Fez-se um silêncio embaraçoso. Joana não sabia o que dizer e sorriu. O sorriso dela entristeceu-o imensamente, pois era vazio, o sorriso de um idiota.

— Senhora, dei ordens para serem preparados aposentos para vós neste lado do palácio.

— Neste lado, com vista para o rio! — Entreteve a ideia por momentos. — Óptimo. E posso usar a galeria exterior?

— Este palácio é vosso. Vós tomais as decisões e nós, vossos vassalos, faremos o que ordenardes.

Joana odiava aquela palavra, ordenar.

— Não me interessa tomar decisões. Foi isso que eu disse ao meu pai. Preciso de alguém bom no governo do dia-a-dia, que me mantenha informada e me traga os papéis necessários para assinar. Então, poderei viver feliz com a minha filha. É tudo o que peço.

Hernan Duque duvidava de que ela voltasse a ser capaz de tomar qualquer decisão séria.

O bispo mudou de assunto, perguntando-se como seria possível Joana e Cisneros cooperarem.

— O cardeal discutirá estes assuntos convosco. Entretanto, temos de tratar dos vossos aposentos, das vossas roupas...

— Isso pouco me interessa.

— Com todo o respeito — a apatia dela chocou o bispo, chegando mesmo a irá-lo —, tendes de ter tudo o que pertence a uma rainha. Tanto vós como os vossos aposentos têm sido gravemente negligenciados.

Joana contemplou as saias, pois as palavras dele haviam-lhe despertado uma recordação.

— Começo a sentir que isto não passa de uma brincadeira maliciosa — principiou ela. A mão fria do terror apoderava-se dela. Tinha de se preparar para a verdade crua: era como da outra vez, aquela gente só ali estava para a atormentar, para a gozar, para a ridicularizar.

— Minha Senhora! — A voz de Hernan era gentil. — Talvez leveis algum tempo a convencer-vos, mas tentai acreditar que estamos aqui como vossos vassalos fiéis. A vossa casa está livre de todos os que vos desejavam mal. Esse tempo horrível desapareceu para sempre.

— Então vou testar-vos. Desejo dar um passeio lá fora — desafiou-o Joana.

— Quando vos agradar, mas não precisais de pedir. Dir-me-eis o que desejais fazer e quando. Estou ao vosso serviço.

— Ah, mas suponhamos que desejo caminhar até ao convento? E se pedir para ir ver o caixão do meu marido? Que direis então? — Esperou por um retumbante «não» que nunca chegou.

— Ficarei honrado em vos escoltar, Senhora.

Joana riu-se.

— Devo estar no céu. — Absorveu todos aqueles rostos e tudo o que estava no salão e sentiu-se tonta. Era demasiado e começou a tremer. — Tenho de voltar. Tenho de ficar sozinha por algum tempo.

Catarina, a sua filha de nove anos, entrou de rompante, a correr:

— Mamã, mamã — gritava, aos saltos. — Mamã, vamos ter novos quartos. Fui espreitá-los às escondidas. São tão belos como este. Tendes de vir ver. As tapeçarias, a mobília e sobretudo as cortinas do dossel. Nunca tinha visto nada...

— Sim, minha querida, mas primeiro as regras da boa educação. Estes senhores são os nossos novos amigos, o bispo de Maiorca e Hernan Duque, o nosso novo administrador. Devemos-lhes muitos agradecimentos.

— Oh, senhores, agradeço-vos. Agradeço-vos do fundo do coração. As salas são tão grandes e tão perfeitas e este... apetece-me dançar de alegria.

Todos se comoveram com a menina, com o seu corpete e saia negros, o cabelo preso severamente numa trança apertada. Como lidara com tantos anos de isolamento? Que danos teria sofrido? E quem poderia sequer pensar em encarcerar uma tal inocente?

Hernan perguntou-lhe:

— E os alojamentos são verdadeiramente perfeitos, minha princesa?

— Bem, gostava de ter outra janela, uma janela que desse para a rua. No meu antigo quarto, ouvi muitas vezes crianças a passar e calculo que também passem por este e gostava tanto de as ver e falar com elas. Passo o tempo todo a ver adultos.

— Tratarei que seja feito imediatamente. E há mais. Dona Beatriz de Mendonça, da vossa idade, ficará ao vosso serviço como vossa companheira.

— Ouvis, mamã? Vou ter uma amiga.

Catarina saiu aos saltinhos, a cantar: «Vou ter uma amiga, vou ter uma amiga. Esperai até eu dizer à ama!»

— Eu e a Catarina temos muito que aprender ou reaprender em termos de modos corteses. Acho que vou apanhar um pouco de ar na galeria antes de me retirar.

Hernan ofereceu-lhe o braço para a escoltar.

Saiu para um ar tão puro, tão cheiroso a liberdade que a fez ofegar e cair contra ele. Ali estavam paisagens que pensara nunca mais tornar a ver: as águas do rio a correr, árvores abanando com a brisa e gente, gente comum, a trabalhar nos campos.

— Esta última luta foi muito longa! Demasiado longa! Lembrais-vos do meu irmão? Ele tinha razão. Disse-me para lutar pelo que eu achava que estava certo, mas há mais uma coisa. — Afastou-se um pouco para olhar para ele. — Há bondade neste mundo e gente boa para me ajudar na minha luta. Os males foram corrigidos e por fim fizeram-me justiça. Estou livre. Sou de novo a rainha Joana. E desta vez sou rainha de toda a Espanha.

— Senhora minha, sois a monarca da maior e mais rica nação de toda a Europa.

CAPÍTULO 38

O franciscano, o irmão Juan, foi o primeiro a falar enquanto ele e o médico caminhavam de um lado para o outro na antecâmara.

— Estamos a viver tempos muito semelhantes aos de alguns anos atrás.

O médico puxou o barrete negro mais para junto das orelhas, como se quisesse afastar o mal desses dias em que Filipe era rei.

— Esses malditos flamengos! Leopardos que não mudam a pele!

— É verdade, doutor, todos os que desejem manter a sua posição oficial têm de a comprar a Chimay.

Pararam uns momentos para se aquecerem ao calor de uma braseira de metal no centro da antecâmara. O dia de Novembro não podia ser considerado frio, mas não viram motivos para se negarem àquele luxo.

O bispo entrou a resmungar:

— Mais problemas. Chimay propôs um flamengo como regente, sabendo que nós, os espanhóis, preferíamos Cisneros!

— Para dizer a verdade — comentou o irmão Juan —, aceitaríamos quase qualquer espanhol como regente em vez de um estrangeiro. E o segundo filho de Joana, em vez do arquiduque Carlos, ou devia dizer o rei Carlos, seria muito mais aceitável para muitos dos nossos conterrâneos.

Perdidos em pensamentos perante os perigos que aquilo colocava, deram várias voltas à sala.

O médico retomou a conversa.

— Creio que o rei Carlos não gosta que a assinatura da rainha apareça em primeiro lugar nos documentos.

— Não gosta mesmo nada — retorquiu o bispo. — Não gosta disso e do juramento que diz que, se algum dia Deus devolver a saúde à nossa rainha, ele tem de voltar à posição de príncipe.

O irmão Juan pigarreou, avisando os amigos de passos que se aproximavam.

Joana, que dava o braço a Hernan Duque, cumprimentou-os ao passar. Ia a caminho do salão nobre, seguida pela sua pequena corte de damas e cavalheiros. Os três homens juntaram-se-lhe.

— Hernan, haveis feito maravilhas.

— Não é uma tarefa difícil com tantos artigos maravilhosos por onde escolher. Os da Flandres contam-se entre os mais belos que tenho visto.

— Meu senhor bispo, doutor, irmão Juan, aproximem-se e escutem o que tenho para vos dizer.

Joana transformara-se muito para além de todas as expectativas no último ano e meio. Já não estava pálida nem tinha um ar adoentado. Apesar dos seus trinta e oito anos, muitos dos quais passados em condições intoleráveis, havia uma nova juventude que lhe dava outro vigor ao rosto e emprestava leveza ao seu passo. A notícia de que o filho Carlos e a filha Leonor vinham para Espanha animara-a ainda mais. Irradiava alegria.

Embora continuasse a preferir vestir-se de negro, um lampejo de cetim vermelho via-se por vezes do interior dos golpes das mangas e por entre as dobras das saias e começara a usar mais jóias. Joana desfrutara todos os momentos desde que Hernan Duque se tornara administrador da casa. Para completar aquela vida idílica, iria ver em breve dois dos seus quatro filhos que tivera de deixar na Flandres havia doze anos.

— Vossa Majestade — anunciou o capitão da guarda —, recebi a notícia de que o rei Carlos, vosso filho, está a caminho de Tordesilhas.

Joana olhou de sobrolho carregado para a figura ajoelhada.

— Para que se saiba, eu sou o único monarca. Sou a rainha e o meu filho Carlos é o príncipe e nada mais.

Talvez a sua voz soasse altiva, mas sob a superfície jazia um medo, a suspeita lancinante de que a esperava mais luta.

CAPÍTULO 39

Ao anoitecer daquele fim de tarde de Dezembro, Carlos entrou no salão nobre seguido pela irmã Leonor.

— Sua Alteza! — O bispo de Maiorca, o irmão Juan, Hernan Duque e um pequeno grupo de cortesãos curvaram-se profundamente. Quando ergueram o olhar, descobriram um jovem de constituição frágil, cujo rosto, de uma palidez mortal, revelava uns olhos protuberantes e um queixo e lábio inferior enormes e salientes. Contudo, o que lhe faltava em esplendor físico era mais que compensado pelo traje. Cintilava nas suas vestes vermelhas, amarelas, brancas e douradas que abafavam a luz das dezenas de velas acesas para a ocasião. A gola alta acolchoada da camisa estava coberta de pedras preciosas. A longa capa de veludo vermelho era orlada a tecido de ouro e a jaqueta de cetim branco brilhava com ouro e ainda mais pedras preciosas.

Leonor, caminhando dois passos atrás, cintilava como o sol de Verão nos seus brocados amarelos onde brilhavam as jóias. Era uma jovem bonita com uma pele muito clara e uns olhos muito azuis. Felizmente, fora poupada ao queixo dos Habsburgos que o irmão herdara.

— Hernan Duque, ao vosso serviço. Como administrador do palácio, declaro que estamos profundamente honrados em receber o nosso rei e a sua irmã, a princesa Leonor.

Um cavalheiro do séquito de Carlos deu um passo em frente.

— Sou o príncipe Chimay, conselheiro-mor de Sua Majestade, o rei Carlos. Como o meu amo real ainda não compreende a vossa língua, eu traduzirei para ele. — Chimay lançou a Hernan um rápido olhar gelado, ele que era o responsável pela melhoria da saúde de Joana, uma ameaça para os seus planos.

Hernan sentiu-se envolto num frio inexplicável. Os modos daquele homem e as histórias da sua crueldade para com Joana provocaram-lhe uma aversão imediata.

O bispo e o irmão Juan oraram para acalmar a ira que sentiam contra um homem que, ainda Cisneros não arrefecera no túmulo, tentava fazer do seu jovem sobrinho arcebispo de Toledo.

— *Je veux visiter la reine. Tout de suite.* — Carlos não tinha tempo para apresentações cansativas; estava impaciente por dar por terminada a entrevista com a mãe, para poder declarar a todos e em boa consciência que cumprira os mandamentos de Deus e satisfizera os desejos do povo ao honrá-la.

— Sua Majestade deseja ver a mãe.

Hernan curvou-se.

— Sim, eu compreendi. Falo várias línguas, pois vivi em diversas cortes estrangeiras. O francês não me é desconhecido. — Todavia, não acrescentou que lhe fora extremamente difícil compreender uma única palavra do que Carlos dissera. O seu discurso era horrível. A língua era demasiado grande para a sua boca e as palavras ficavam incompletas, porque o queixo estendia-se tanto para a frente que impedia a boca de se fechar.

Erguendo-se a toda a sua altura, dirigiu-se ao rei, decidido a não falar através de Chimay.

— Sempre que agrade a Vossa Alteza visitar a rainha, sentir-me-ei honrado em vos escoltar.

— Um momento, Hernan Duque. — Chimay ergueu um dedo a admoestá-lo. — O rei Carlos tem o título de majestade e ficaríamos gratos se vos lembrásseis disso. — Virou-se para Carlos: — Vossa Majestade, uma palavra em privado. — E afastou-se um pouco com ele. — Acho melhor eu ver primeiro a vossa mãe. Planearei a vossa entrada como uma surpresa. Podemos falar de Bruxelas, de vós e das vossas irmãs e de quando eram pequeninos e o vosso avô e a vossa tia cuidavam de vós. Depois, anuncio a vossa chegada. *Et voilà!*

— *C'est nécessaire?*

— *Je crois avoir raison.* Quando eu terminar, ela sentir-se-á confusa ao ver dois adultos e não duas crianças. E também espero vê-la esmagada pelo vosso esplendor. Irá minar parte do maravilhoso trabalho do tal administrador de que tanto temos ouvido falar.

— *Eh bien, excellent, Chimay.*

Hernan Duque teria gostado de saber quais os planos de Chimay, mas não conseguia ouvir nada.

— Se não vos importais de me seguir.

Conduziu-os pelo corredor no final do qual havia uma porta coberta por uma pequena tapeçaria. Os guardas fizeram sentinela e os criados afastaram para o lado o pesado tecido.

Chimay fez sinal a Carlos e a Leonor para que esperassem na pequena antecâmara.

— Se esperarem aqui com a porta aberta, ouvirão tudo.

Hernan não compreendia aquilo. Por que motivo Carlos e a irmã não entravam de imediato para ver a mãe? Uma intriga de Chimay! Mas porquê, com que objectivo?

Como habitualmente, Joana estava sentada na companhia de duas ou três damas; o quarto estava suavemente iluminado por algumas velas.

Hernan fez uma vénia.

— Com permissão, Vossa Alteza, tendes uma visita.

— A esta hora tardia?

— É o príncipe Chimay. Lembrais-vos dele? Deseja cumprimentar-vos.

Ela censurou-o com o olhar, dizendo-lhe que nunca poderia esquecer Chimay.

— Terei o maior prazer em recebê-lo.

Joana sentia-se confiante. Os tempos haviam mudado. Era a rainha. Não só o era como tinha muitos apoiantes leais. Estava no seu próprio país e não na Flandres.

— Sua Alteza real.

Ali estava o homem de joelhos perante ela (até que enfim, pensou).

— Ah, príncipe Chimay.

— Espero encontrar-vos de boa saúde.

— O vosso desejo está concedido, estou de excelente saúde.

— Trago-vos cumprimentos da vossa irmã Margarida de Sabóia.

— Pobre Margarida. A sua vida não foi fácil. No entanto, tratou de todos os meus queridos filhos como se fossem dela, Leonor, Carlos, Isabel e Maria. Não mos deixaram trazer comigo.

— O imperador também manda cumprimentos.

— Óptimo. Podereis mandar os meus a ambos. E, ao mesmo tempo, tendes de contar-lhes tudo sobre mim. Tenho a certeza de que será para vós uma tarefa agradabilíssima. Se bem me lembro, escrever cartas e espalhar rumores é quase um passatempo nacional na Flandres.

Chimay ficou muito surpreendido; e também desapontado, pois não esperara por nada daquilo. Aquela Joana era muito diferente da que esperara ver. Tinha boa memória e um francês perfeito. A voz conservava a mesma antiga sugestão de sarcasmo, era maldosa e não se mostrava nada enervada pela presença dele. A culpa era do maldito Hernan Duque!

— O meu outro feliz dever é contar-vos sobre dois dos vossos filhos, Carlos e Leonor. Os espanhóis não podiam ter recebido melhor os vossos maravilhosos filhos. Onde quer que fossem, as multidões mostraram-se jubilantes.

Ela sorriu e assentiu.

— Tenho a certeza que sim.

— É claro que o imperador Maximiliano comandou e supervisionou a sua excelente formação e educação. Não tenho palavras para louvar os vossos filhos. Não se lhes encontram falhas e os seus tutores consideram-nos alunos excelentes. Nunca encontrareis melhor. São virtuosos e prudentes, têm excelentes maneiras... — Atrapalhava-se. Era da forma como ela se deixava estar ali, sentada, a sorrir. Exasperava-o. — O que mais desejam é ver-vos e venerar-vos. E, se tiverdes a amabilidade de me ordenar que os vá buscar, fá-lo-ei com todo o prazer. Tenho a certeza de que ficaríeis feliz por os ver.

— Chimay, ficaria feliz por ver os meus filhos.

Quando ele saiu do quarto, ela fez sinal a Hernan.

— Para que será tudo isto? Onde é que ele tem de ir buscar os meus filhos? Estão em Valladolid ou aqui no palácio e porque não vêm ter directamente comigo? Sinto-me confusa.

— Chegaram inesperadamente há pouco tempo e têm idade suficiente para se apresentarem sozinhos.

— Então, para que são estes disparates desta criatura horrorosa? Não precisava de ter escutado tudo aquilo quando estou prestes a vê-los. E, quando os vir, posso julgar por mim própria se são prudentes, virtuosos e não sei que mais.

Chimay voltou a entrar com mais cinco ou seis pessoas e começou a fazer as apresentações, mas Joana interrompeu-o com um gesto da mão.

Um jovem e uma dama emergiram do grupo e dirigiram-se a ela, fazendo três vénias profundas a cada dois ou três passos. O jovem aproximou-se dela para lhe beijar a mão, mas ela levantou-se e abraçou-o. Depois, deu as boas-vindas à dama de braços abertos, puxou-a para si e beijou-a. Dando um passo atrás, olhou-os longamente da cabeça aos pés, absorvendo a elegância do traje, o ouro, as jóias. Escrutinou-lhes os rostos, tentando desesperadamente compará-los com os dos filhos de sete e cinco anos de há tanto tempo.

— E sois mesmo os meus filhos? Será possível?

— Eu sou Carlos e esta é Leonor — conseguiu Carlos apresentá-los. Uma recordação do seu querido irmão atravessou a mente de Joana, pois tivera problemas de fala semelhantes.

— Carlos e Leonor! Como gosto só de vos ouvir dizer os vossos nomes. Éreis tão pequeninos quando vos vi pela última vez, umas criancinhas que brincavam com os vossos brinquedos, e agora aqui estais, um jovem e uma jovem. É espantoso. Que idade tendes agora?

— Eu tenho dezassete anos e Leonor dezanove. Devo dizer que o vosso francês é espantoso. Pensava que não vos lembráveis.

— Oh, meu filho, nunca me esqueço de nada e tenho tido muito mais de que me lembrar que a língua francesa. Mas aqui estais. É incrível. Espero que a vossa viagem tenha sido melhor que as minhas. Parece que havia sempre tempestades e naufrágios. Tive de buscar asilo em Inglaterra por duas vezes; cargas preciosas foram pela borda fora e houve muita gente afogada, um horror.

Leonor retorquiu, fazendo com que Carlos franzisse o sobrolho, irritado, pois não lhe pedira autorização para falar.

— Não tivemos nada assim tão mau, mas houve alguma excitação. O vento desviou-nos da rota e chegámos a um pequena aldeia de pescadores em vez do porto de Laredo. A milícia em peso veio desafiar-nos. Imaginai! Pensaram que os íamos invadir! E depois houve uma demora terrível porque a nossa roupa foi levada para outro porto.

— Isso foi, sem dúvida, uma grande aventura. Não se perdeu nada, espero? Óptimo. Oh, mas isso recorda-me... — Toda aquela conversa infantil, era como se voltasse à Flandres, com as suas recordações indesejadas. — Basta disso por agora. Tenho a certeza de que desejais retirar-vos após uma viagem tão longa. Supervisionei pessoalmente a decoração dos vossos quartos. Vereis que foram preparados com toda a perfeição. Mas deixai-me olhar de novo para vós. Hernan, eis os meus filhos, e tão crescidos.

— Contamos estar aqui alguns dias, mamã. — Carlos estava cansado da agitação.

— É claro. E agora quereis descansar. Suponho que tenho de vos deixar ir. Perdoai a tolice de uma mãe.

— Mas ainda não, mamã. — Leonor falara de novo sem autorização, pedindo com o olhar ao irmão mais uns momentos. — Não podemos ver a nossa irmãzinha Catarina?

— Oh, claro que sim — retorquiu Joana, sem esperar pela opinião de Carlos. — E também tendes de combinar ver o vosso irmão Fernando.

Carlos respondeu friamente:

— Já vimos o Fernando. Dissemos-lhe adeus antes de ele ter partido para Bruxelas.

— O Fernando partiu para Bruxelas?

— Sim, é melhor para ele. Agora estou eu aqui para vos ajudar. Ele terá melhores coisas com que se ocupar em Bruxelas.

— Partiu e nem veio despedir-se? — Fernando fora-lhe provavelmente tirado outra vez e desta vez fora enviado para um país hostil, para viver entre os seus inimigos. Joana temeu pela sua segurança. Precisava de saber mais. — Dizei-me quem...

— Era importante que partisse de imediato. — Carlos respondeu bruscamente.

Catarina apareceu então perante aquele grupo que cintilava.

Leonor não queria acreditar que, primeiro a mãe e agora também a irmãzinha se vestissem com uns trajes tão feios e vulgares. Pareciam umas camponesas.

Catarina ficou pasmada com o esplendor. Nunca na sua vida vira tantas jóias e certamente não em apenas duas pessoas. As cores das roupas eram extraordinárias.

Leonor achou-a a mais bonita e talvez a criança mais triste que já conhecera.

— Catarina, sou a vossa irmã Leonor e este, minha querida, é o nosso irmão, o rei Carlos.

— Príncipe — corrigiu Joana, irritada.

O traje de Catarina, de um cinzento feio, fez com que Leonor tivesse suspeitas e quisesse saber se ela passava os dias como era devido a uma princesa.

— Diz-me, querida, o que fizeste hoje?

— Senhora — Catarina fez uma vénia àquela linda senhora —, tive as minhas aulas. Brinquei um bocadinho com a Beatriz, a minha companheira. Mais tarde, fiquei a ver as crianças a brincar na rua, lá em baixo. Fazem rodas tão bonitas e gosto muito de as ouvir cantar.

— E essas crianças da rua vêm muitas vezes? — Forçou um sorriso, tremendo por dentro.

— Oh, sim, porque eu lhes atiro dinheiro. Isso faz com que voltem.

Afinal, Catarina não era uma princesa, era um passarinho engaiolado, e Leonor não estava preparada para permitir que aquilo continuasse. Alguma coisa tinha de ser feita. Iria pensar nisso.

— É tarde e estou cansada. Temos de conversar mais amanhã, querida irmã.

— Então retirai-vos — decidiu Joana, ainda relutante em deixá--los ir —, haverá muito tempo para tagarelar depois de terem descansado. Boa noite, queridos filhos.

Ficou a vê-los sair, dois adultos elegantes e a sua pequenina inocente. Era quase ridículo acreditar que eram todos seus.

Chimay voltou a aproximar-se dela.

— Não referi como são perfeitos os filhos que Deus vos concedeu? E Carlos é um rei tão sábio e inteligente.

— Príncipe, não rei.

— Tenho a certeza de que vos sentis afortunada com a chegada do vosso filho.

Joana não sabia o que ele queria dizer com afortunada. Carlos estava ali por direito, pois aquela era a sua herança e seria preciso algum tempo para aprender sobre as terras, as gentes e, ainda mais importante, a língua. Aborrecia-a o facto de ter sido preciso muito tempo a algumas pessoas até compreenderem qual o lugar de Carlos e que, se tivesse chegado mais cedo, a teria protegido de muitas injustiças. Todavia, tudo isso fora corrigido sem ele e Joana gozara quase dois anos de uma liberdade abençoada sem a sua ajuda.

— Não, eu não escolheria a palavra afortunada para a chegada do meu filho. — Olhou para Chimay. — Senhor, sou afortunada porque todos os meus filhos são saudáveis e porque, passados tantos anos, acabei de ver dois que são agora uns adultos saudáveis. Tanto eu como eles somos afortunados por terem completado em segurança a perigosa viagem por mar, embora acredite que a realeza nunca se afoga.

— Então, talvez deva dizer que vos sentis aliviada pela chegada do vosso filho? — Aquela mulher era irritante.

— Sinto-me aliviada por ele ter, como já disse, chegado em segurança, embora tenham sido precisos tantos anos para ele vir para o meu lado. Porque não falais abertamente, em vez de usardes estas charadas idiotas?

— Eu digo que deve ser reconfortante saber que ele está, por fim, em Espanha. Uma vez que Deus vos concedeu tantos reinos, ser o único monarca deve ser uma tarefa árdua. Agora que o vosso filho está aqui, não precisais de vos cansar com o seu governo. Ele está aqui para vos dar assistência. Devíeis descansar após tempos tão difíceis. A propósito, esse conhecimento deixou um grande peso no coração dele. Deixai-o carregar esse fardo sobre os seus ombros, pois tem suficiente sabedoria e, mais importante ainda, e como vós bem sabeis,

Castela tem muitos conselheiros sábios e excelentes. Poderíeis então gozar os prazeres da vossa vida privada.

Tocaram os sinos de rebate. O pai oferecera-lhe aquilo mesmo e, todavia, tudo mudara tão rapidamente. Não passara muito tempo para que ela já não fosse considerada rainha em retiro. Na verdade, ficara prisioneira, ou algo ainda pior, e fora dominada e forçada a submeter--se a outros muito abaixo da sua posição. Tivera de sofrer as crueldades da tortura. Não poderia a mesma coisa voltar a acontecer?

Mas isso seria absurdo, argumentou consigo própria. Porque haveria o seu filho de a querer tratar dessa forma? Os tempos haviam mudado e aqueles dias não se iriam repetir. Carlos honrá-la-ia como era dever de um bom filho. Era o seu dever perante Deus.

Chimay esperou, perguntando-se como podia ela hesitar depois do seu eloquente discurso. Tinha outros problemas para tratar e queria despachar aquele. As Cortes seriam uma questão muito mais difícil. Tinham concordado que Carlos tivesse o título de rei, mas com restri-ções, a não menos importante sendo que Joana continuava a ser a soberana e o nome de Carlos devia aparecer sempre em segundo lugar. Como seu conselheiro-mor, Chimay considerava sua responsabilidade fazer com que o nome do seu amo aparecesse em primeiro lugar em todos os documentos. Afinal, ele era o rei.

— Discutirei isso com o meu filho. O que dizeis soa, de facto, aceitável. Carlos será a minha força. Sinto que devo ter confiança no meu filho, certa de que ele se dedicará ao serviço honesto do meu país.

— Joana olhou para Hernan para ver se ele concordava.

Este, porém, não estava em posição de dizer fosse o que fosse.

Chimay sabia que tinha ganho.

— É uma decisão muito sensata e que Deus vos conceda muitos anos de paz e felicidade.

Congratulou-se por ter conseguido dois dos seus objectivos: o prín-cipe Fernando fora afastado e Joana era fácil de manipular. Havia ainda muito a fazer e o funeral de Filipe e a questão de Catarina eram triviais e fáceis de resolver. O mais importante era as Cortes de Castela e Ara-gão, mas não estavam para além das suas capacidades.

CAPÍTULO 40

Marta não conseguia mexer-se. A manhã do dia 13 de Março ficaria gravada na sua memória para sempre e iria para a campa com ela. Talvez não faltasse muito, pensou, carregando na dor do peito com o punho fechado.

— Marta! Marta, que se passa? Devo ficar à espera? — O chamamento veio primeiro do quarto ao lado e depois a voz e a própria Joana apareceram defronte de Marta.

— Oh, Senhora, minha Senhora... — Baixou a cabeça, chorando lágrimas de angústia, lambuzando os olhos vermelhos e as faces molhadas com as costas da mão. Soluçava. — Não compreendo.

— Onde está a minha filha? — perguntou Joana, em pânico.

— Senhora, não sei.

— O que queres dizer com não sei, tem de estar aqui. A única saída para o corredor é pelos meus aposentos. Tem de estar aqui.

Arrancou as cobertas da cama.

— Tem de estar aqui! — berrou. — As pessoas não desaparecem! Procura, desgraçada, procura!

— Por favor, Senhora, já procurei e voltei a procurar. As duas damas de companhia também desapareceram.

— Mandai chamar Hernan Duque.

Marta pegou nas saias e arrastou-se o mais rapidamente que lhe permitiam as suas velhas pernas.

Joana inspeccionou o quarto como louca. A sua filha bela e preciosa não estava ali, era impossível, não havia esconderijos. O grande baú estava aberto, mas continha apenas roupas desarrumadas, atiradas de um lado para o outro por Marta, alarmada.

— Então, a janela. — Todavia, viu que continuava fechada com as trancas bem colocadas. Abriu-a e olhou para a rua. Não se via ninguém. — Deve ser feitiçaria! Foi levada em segredo. Que fizeram contigo, Catarina? — O pânico despedaçava-lhe o coração e o raciocínio. Apalpou as cortinas do dossel com ambas as mãos, como se esperasse encontrar a filha entre as dobras. Levantou almofadas e almofadões, como se esperasse descobri-la escondida por baixo. Deitou-se no chão e espreitou para debaixo da cama. Revistou o baú, de novo a cama e ainda os almofadões, chorando: Catarina, minha Catarina.

A sua última esperança era a tapeçaria e puxou por ela, arrancando-a da parede, talvez Catarina estivesse atrás dela, a brincar, mas sabia que a filha não faria isso.

Um uivo escapou da sua garganta.

— O que é isto? Quem fez isto? Meu Deus, entrou aqui alguém e roubou-a. Meu Deus, alguém venha cá e me explique o que se está a passar. Hernan, onde estais? Alguém tem de ter conhecimento disto! Quero a minha filha! Aqui, agora! Ouvis-me? Alguém tem de a ir buscar.

Abafou os gritos e os uivos num dos vestidos de Catarina, encostando-o ao rosto.

O seu novo camareiro entrou com toda a indiferença para saber o que se passava:

— Minha Senhora, porque estais tão aflita?

— Oh, meu Deus, Bertrand, alguém me roubou a minha filha — soluçava Joana.

— Roubou, minha Senhora? Não acredito sequer que tenha desaparecido. — O seu tom de voz dava a entender que ela estava enganada. — Mas em breve o saberemos.

— Sei que desapareceu — gritava Joana, puxando-o pela manga.

— Vinde, vede aqui. Alguém entrou por esta abertura por detrás da tapeçaria.

— Bem, minha senhora, isto é... isto é...

Ele próprio fizera aquele buraco com todo o cuidado durante uma série de dias, como parte do esquema que Carlos montara na sua última visita a Tordesilhas. Por ali entrara silenciosamente a meio da noite e escoltara Catarina e as duas aias para serem levadas para Valladolid para junto do irmão, o rei Carlos.

Fora muito difícil convencer Catarina. Tentara primeiro com histórias de riquezas, belas roupas, criados, festas e touradas, sem qualquer resultado. Só quando começou a falar na desobediência ao rei e na fúria que se abateria sobre a sua cabeça é que ela concordou. Chorou sem parar pela sua pobre mãe, levando-lhe a paciência ao limite e, portanto, prometeu-lhe solenemente que trataria de lhe dizer assim que Joana acordasse. Com as aias fora mais fácil, pois ou obedeciam ou iam para a prisão. Não precisaram que lhes recordassem que desobedecer ao rei era traição, o que implica um castigo especial. Uma liteira aguardava a postos na ponte, com as aias de Leonor e uma guarda montada. Todo o processo decorrera conforme o plano.

Agora, só lhe restava desempenhar o seu novo papel de incredulidade e indignação.

— Minha Senhora, isto é terrível, inacreditável. Vou mandar chamar Hernan Duque. Terá de dar muitas explicações. — As mentiras saíam-lhe da boca com todo o à-vontade.

— Já o mandei chamar. Deve estar a chegar.

Marta, porém, trazia notícias inquietantes.

— Ninguém sabe de Hernan — arfou da porta.

Bertrand sabia que ninguém o podia encontrar, porque no dia anterior, apercebendo-se de algo criminoso, Hernan recusara-se a deixar as portas do palácio destrancadas e, por essa insubordinação, fora despedido e enviado para um mosteiro.

— Não há sinais dele? Bom, a intriga adensa-se. — Bertrand afagou o queixo.

— Passa-se aqui algo de mau — soluçava Joana. — Convocai toda a gente. Oh, Deus meu, ajudai-me a encontrar a minha filha.

— Se me permitis a sugestão, há demasiadas pessoas para se reunirem aqui.

— Bertrand, não sugeris nada, eu decidirei o que se deve fazer. Vou interrogá-los um a um até chegar à verdade. A minha Catarina tem de regressar para mim em segurança.

Joana interrogou todos os que trabalhavam no palácio, do mais importante ao mais humilde. Exigia informações, implorava. Ninguém vira ou ouvira o que quer que fosse e a falta de sobressalto irritava-a. Diziam-lhe que tinha de ter paciência, pois haveria certamente uma explicação e ela ficava furiosa.

— Não compreendeis, um ladrão qualquer entrou no quarto da minha filha e roubou-a? Como se atrevem a ficar aí sem se preocuparem com a minha Catarina? Porque não dão início imediato a uma investigação, porque não se põem à procura?

Nesse momento, compreendeu a verdade. Aquilo já acontecera, quando lhe haviam tirado o filho Fernando. Todos sabiam. Todos sabiam porque não se encontrava Hernan. Não tinham dúvidas quanto ao paradeiro de Catarina e não tencionavam dizer-lhe nada. Era a única forma de explicar o seu estranho comportamento. De quem seria desta vez o plano para a torturar?

— Aviso-vos, não vou dormir nem comer até ter Catarina na minha frente. Ouvis? — gritou e, para realçar a sua determinação, repetiu-o várias vezes, atirando com pratos, tigelas e tudo o que tinha à mão.

— Vossa Alteza — interveio Bertrand, desviando-se dos mísseis —, irei falar directamente ao rei em vosso nome. Ele enviará mensageiros a todas as cidades e portos desta terra. Não temais, ele encontrará Catarina e devolvê-la-á. — Calculou que mais aquelas mentiras a deviam acalmar por algum tempo.

Por vários dias, nem uma gota passou pelos lábios de Joana e nada comeu das refeições que lhe deixavam. Também se recusava a lavar-se e a mudar de roupa. Recusava-se a ir para a cama e não dormia. Taças, pratos, jarros e bilhas eram atirados às paredes. Marta permaneceu a seu lado, à espera, orando e tentando dar-lhe algum conforto.

Bertrand, que não dera um passo para contactar Carlos, não se atreveu a demorar mais, pois estava preocupado e escreveu ao amo. Passadas algumas horas, Carlos chegou ao palácio com Catarina.

* * *

Carlos esperou pela mãe no salão nobre, preferindo poupar-se ao desconforto dos alojamentos dela, onde tinha a certeza de que a vantagem seria dela. Sentir-se-ia muito mais confiante naquela sala, sentado no seu trono impressionante.

Joana não perdera um instante. Assim que lhe disseram da chegada dele, correra ao seu encontro.

Enfrentou o filho.

— Onde está ela?

— Senhora minha, trago-vos boas notícias da vossa filha.

— Onde está ela, perguntei-vos — guinchou ela.

Carlos encolheu-se.

— Eu trouxe-a. Acreditai, tudo isto não passou de um tremendo erro. Sabei que foram membros da minha corte que me acompanharam de Bruxelas. Receio que tenham sido eles a ordenarem o seu rapto. Foi por sentirem tanta pena dela. Não gostaram da forma como estava a ser educada aqui, sem ninguém da sua idade e passando tanto tempo sozinha naquele quarto, sem poder sair ou andar a cavalo. Acharam que devia viver numa corte apropriada à sua posição.

— Mentiras e mais mentiras! São tudo mentiras e sabê-lo-eis muito bem! E, de qualquer forma, a resposta da vossa gente foi raptá-la? Dizei-me porque não ma devolvestes imediatamente, assim que vos foi entregue? Devíeis saber como eu estaria preocupada e, todavia, ficastes com ela. É tudo uma mentira tão transparente e, contudo, vós...

— Não interessa, pois não voltará a acontecer. Eu estava tão furioso que o sofrimento da minha irmã se tivesse tornado motivo de rumores entre os meus cortesãos que... — Sabia que outra mentira esfarrapada não a convenceria. — Contudo, decidi dar-lhe aqui uma corte apropriada.

— Bem, mas que amável da vossa parte! Era isso que devíeis ter feito para começar. Nunca teria sido necessário raptar a minha filha. Como pudestes ser tão cruel? E ninguém parou para pensar como eu me sentiria? Não haveis pensado no tormento que me infligiríeis, na angústia que sofri durante dias? Ou será que sim? Qualquer tolo acharia as vossas palavras desonestas, e acredita, Carlos, que eu não sou tola.

Ele ignorou-a.

— Trouxe uma corte de duas centenas de cortesãos, que será suficiente para vós e Catarina.

— Tenho a certeza de que sabeis muito bem que não gosto de grandes cortes.

— Faço isto por Catarina e deixai-me avisar-vos de que, se desejais mantê-la aqui convosco, aceitareis.

— Então, perante tal ameaça, não tenho opção. — Sabia que não conseguiria viver se perdesse a filha, o seu único conforto.

— E também tendes de concordar que Catarina tenha os seus aposentos a alguma distância dos vossos e a liberdade de entrar e sair à sua vontade, sem vós. E deverá também ter um grupo de crianças, jovens e pajens.

— Nunca a impedi de... Mas tive de ser cuidadosa, não fosse alguém, não fosse alguém tentar levá-la... tal como aconteceu. Como posso ter a certeza de que posso confiar em vós e nos vossos maldosos conterrâneos? Tendes de me jurar que ela estará sempre em segurança, mesmo quando não estou com ela.

— Mamã, fico ofendido por parecer que não confiais em mim, o vosso filho. É claro que estará segura. Mas insisto que saia e goze o ar fresco do campo.

— Ambas o gozamos já. Saímos frequentemente com Hernan Duque. Mas se Catarina quiser sair sem mim, embora não tenha a certeza de que tem idade para isso, e vós me garantis a sua segurança, bem, tenho a certeza de que tudo se pode arranjar. Falarei com Hernan.

— Ele já não é o chefe da vossa casa. Achei-o pouco digno de confiança.

— Como podeis dizer isso, quando durante dois anos ele foi...

— Basta! — Não queria continuar a conversa. — Nomeei o marquês de Denia. É o novo administrador desta casa. Também lhe dei controlo total sobre a cidade de Tordesilhas.

— Isso parece-me totalmente desnecessário. A cidade já tem um capitão e um magistrado.

— Denia receberá instruções directamente de mim, em relação ao palácio e à cidade. É pelo melhor. Vivereis aqui confortavelmente com a vossa corte como minha honrada mãe, sem terdes de vos preocupar com nada, salvo vós própria e os prazeres que desejais.

Chimay assegurara-lhe que, desta forma, cumpria à letra os deveres prescritos pelas Cortes de Castela. Dava à mãe uma residência que era mais que apropriada a uma rainha. Ao tirar Tordesilhas a Castela e transformando-a no seu domínio privado, assegurava que todas as notícias sobre a rainha vindas da cidade teriam origem numa única fonte: Denia.

Carlos bateu as palmas.

— E aqui está a nova princesa Catarina.

Esta entrou lentamente e envergonhada, envergando um novo vestido de cetim lilás orlado a ouro.

— Mamã, estou de novo convosco. Não tive intenção de vos magoar e lamento terdes sentido tanta mágoa. Algumas pessoas mentiram-me e obrigaram-me a seguir ordens, não tive hipótese. Mas agora estou aqui e prometo que ficarei para sempre.

— Meu tesouro, o pecado não foi vosso. O mal repousa fortemente sobre os ombros dos que vos enganaram e vos levaram de mim.

Carlos ignorou a crítica da mãe.

— O meu trabalho está terminado. Tenho assuntos importantes a tratar. Deixo-vos nas mãos seguras e capazes do marquês.

Joana abraçou Catarina. A filha voltara.

— Bom, vamos ter uma grande corte. Parece excitante; poderemos fazer ainda mais coisas do que fazíamos com Hernan. Se ao menos eu soubesse porque foi despedido. Mas vem, temos de ir ter com Marta. Esta história toda deixou-a bastante doente.

Joana apressou-se pelo corredor, escutando sem atenção as histórias de Catarina sobre o brilho da corte de Carlos, dos preparativos de Leonor para partir para Portugal a fim de casar com o rei D. Manuel.

— Segundo sei, ele está casado com a minha irmã Maria — retorquiu num tom prático.

— A tia Maria morreu há algum tempo, mamã.

— Bom, como vedes, ninguém me conta nada.

Entraram a correr nos apartamentos de Joana, chamando a sua criada fiel. Ao princípio não a viram, apenas uma trouxa de saias no chão.

— Oh, meu Deus, não. Catarina, ide chamar o meu médico.

Uma voz débil implorou, vinda da trouxa de roupa.

— Não, deixai-me ver a menina.

Conseguiram pôr-lhe almofadões debaixo da cabeça e Joana segurou-lhe nas mãos.

— Marta, querida amiga, que te dói?

— Nada, já vai passar. Nos últimos dias tenho tido umas pontadas. Mas aqui está a nossa Catarina, que voltou para junto de nós. Deus atendeu as minhas preces. Só espero que atenda as outras e castigue quem teve a maldade suficiente para fazer uma coisa destas.

Marta soltou as mãos e pressionou com elas a dor no peito, arfando, o rosto contorcido. Fez um ligeiro sorriso e depois a fiel amiga e confidente de Joana morreu serenamente.

CAPÍTULO 41

— É preciso uma paciência de santo para vos aturar! — O marquês de Denia, um homem magro e de aspecto desdenhoso, bateu com a porta, fechando-a, cruzou os braços e olhou, furioso, para Joana.

— E que sabeis vós de santos e paciência? Muito pouco, se é que alguma coisa, marquês. Estais a fazer uma tempestade num copo de água. Mandei-vos chamar simplesmente, como o fiz em tantas ocasiões, só Deus sabe quantas, para me acompanhardes ao convento. Talvez desta feita me façais a vontade? Por favor, não useis o mau tempo como desculpa, está um dia lindo.

Joana aproximou-se da janela e olhou para as criadas da cozinha, que se apressavam nos seus afazeres; despejavam lixo numa pilha crescente de restos apodrecidos. Até aquele cenário era preferível a ter de enfrentar o seu «carcereiro».

Haviam passado dois anos desde que Denia substituíra Hernan Duque. Joana não tinha corte própria. Antes pelo contrário, fora forçada a regressar aos alojamentos nas traseiras do edifício, onde vivia num verdadeiro isolamento. Era verdade que a filha Catarina gozava agora de uma vida melhor. Tinha cortesãos, jovens aias e pajens. Havia banquetes, bailes, saídas a cavalo. Contava tudo isto à mãe, cheia de alegria, se e quando lhe permitiam deslocar-se àquela parte do palácio.

Joana não tinha privilégios, na verdade, não tinha liberdade. Não lhe haviam dado razões ou explicações.

Estava vestida para sair, com a capa e o capuz e, porque sentia que aquele dia era especial, usava também um vestido limpo e engomado.

Sem disfarçar a sua impaciência, Denia respondeu:

— Quantas vezes é preciso dizer-vos que sou eu, e não vós, quem decide se e quando podeis sair? Hoje não ireis a parte alguma.

— Então, ordeno-vos que mandeis chamar os grandes de Espanha para virem aqui o mais depressa possível para verem como sou tratada. Quero que testemunhem pessoalmente que vós me tendes prisioneira. — Quantas vezes exigira a presença dos senhores, de quem quer que fosse, e nada daí resultara.

Denia respondeu bruscamente:

— Não tendes nada com isso. Não podem fazer nada por vós. Estou farto de me repetir, mas deixai-me lembrar-vos mais uma vez de que sigo as instruções do vosso pai e os grandes não estão em posição de questionar a autoridade dele.

Joana cerrou os sobrolhos, confusa, obrigando-se a encará-lo, perscrutando-lhe o rosto em busca de pistas, tentando fazer sentido do que ele acabara de dizer, desejando que Marta ainda estivesse viva e capaz de confirmar que o rei Fernando morrera.

— Repetis que estas ordens vêm do meu pai?

— Se me forçais a repetir, sim, vêm.

— Marquês, ambos sabemos que o meu pai morreu faz algum tempo.

— Não é assim. O vosso pai está vivo e é essa a verdade.

— O meu filho Carlos veio para cá porque...

— Porque — interrompeu Denia, com vontade de dar por finda aquela sessão de mentiras — queria interceder pessoalmente por vós. Desejava ardentemente implorar ao vosso pai para vosso bem.

— E onde está agora o meu filho? — perguntou Joana, tentando compreender.

— O vosso filho está em Aragão. Mas por que razão gastamos o nosso tempo a discutir isto? Tive de deixar o meu trabalho, uma correspondência importante, para vir aqui esta manhã.

— Então regressai para a vossa escrita, marquês, e enquanto tratais dela... — fazendo um esforço enorme para lutar contra o desânimo, tirou a capa e o capuz, mas apertou-os contra si, não fosse haver uma mudança à última hora — escrevei ao meu filho, fazendo-lhe saber que a mãe, a rainha, insiste que ele ou os seus representantes cá venham para... para... — para fazer o quê, perguntou a si própria.

— A razão por que estou aqui, a razão pela qual tive de deixar o meu trabalho, não tem nada a ver com a vossa saída, nem com o vosso tratamento. Estou aqui devido ao vosso comportamento para com os criados. Têm vindo ter comigo para se queixarem.

Joana olhou-o, incrédula.

— Nunca ouvi nada semelhante! Os criados a queixarem-se da sua ama. O que é isto? — Era tudo muito difícil; primeiro a confusão em relação ao pai e agora ser acusada por criados.

— Haveis-vos comportado de um modo vergonhoso. Atreveste-vos a atirar-lhes com pratos.

— Que quereis dizer com atrevi-me? Quem se «atreveu» a questionar as minhas acções?

— Devíeis sentir-vos envergonhadíssima. Nem imagino o que a vossa mãe diria se soubesse. Ela nunca se teria rebaixado dessa maneira.

— Marquês, a minha mãe dava-se ao luxo de ter os seus próprios criados. A mim negam-me isso e tenho de suportar os vossos. Devíeis era questionar o comportamento deles. — A sua voz estava cada vez mais alta e dura. Sentia-se furiosa por ter de se justificar. — São insolentes e recusam-se a obedecer até a um simples pedido. Falam comigo como se eu fosse igual a eles. Viram-me as costas e ignoram-me se lhes convém não ouvir. Tenho todo o direito de estar furiosa. E, pergunto, por que motivo tenho de vos dar explicações? Parece que todos se esqueceram de que sou a rainha.

— Então, quanto mais depressa começardes a agir como tal, melhor.

Joana fez um esforço enorme para se controlar. Iria tentar uma abordagem diferente.

— Eis uma solução simples para todos os meus problemas. — Sorriu e falou suavemente, adulando-o. — Ireis autorizar uma criada escolhida por mim para substituir Marta, a insubstituível. Escoltar-me-eis ao convento de vez em quando, em especial esta semana, pois é a Semana Santa. Com estes dois pequenos favores, marquês, vereis rapidamente como fico satisfeita e benevolente. A vida será muito mais fácil para todos nós.

Todavia, nenhum dos dois pedidos foi considerado aceitável. O marquês de Denia vira-se forçado a despedir todos os criados escolhidos por Hernan Duque, porque eles contavam abertamente na cidade o que sabiam, quando visitavam as famílias. Como escrevera ao rei Carlos nessa altura... *falavam de coisas que não deviam e levavam consigo informações que deviam ter deixado para trás, no palácio.* Também haviam sido considerados culpados de trazerem notícias do mundo exterior para a rainha, quando ele fazia tudo o que estava ao seu alcance para a manter na ignorância.

E, quanto a permitir a Joana visitar o Convento de Santa Clara, isso estava completamente fora de questão. Ela iria entrar em contacto com o povo da cidade e quem sabia o que poderia ser dito ou feito? O povo de Tordesilhas tinha já as maiores suspeitas das circunstâncias que rodeavam a rainha e a sua aparente falta de liberdade, acusando Denia de a manter prisioneira. A sua presença podia ser usada para afastar essas ideias, mas o risco era demasiado grande.

— Sabeis que não posso fazer mais nada a não ser obedecer às ordens do vosso pai até ao momento em que ele decida, ou visitar-vos, ou responder a um pedido escrito meu... — na sua ansiedade de lhe vencer a astúcia, mentira demasiado.

— Então, escrevei ao meu pai. — A voz de Joana permaneceu suave e amável. — Dizei-lhe que eu quero ir-me embora deste palácio, onde sou mantida prisioneira e não me permitem ver ninguém. Dizei-lhe que desejo ir para Valladolid, onde os grandes de Espanha me possam visitar, manter-me informada e aconselhar-me.

— Escrevei vós! Ele é vosso pai! — gritou Denia.

— Ordeno-vos, marquês.

Ele mudou de assunto.

— Ficareis satisfeita por saber que a partir de hoje vou autorizar que se coloque um altar no corredor.

— Fico esmagada com a vossa amabilidade. Ides permitir-me sair do meu quarto por uns momentos para ouvir missa no corredor. E dar-me-eis algum dinheiro para a caixa das esmolas? Seria um gesto esplêndido. Preciso de vos lembrar de que estou a falar do meu próprio dinheiro?

— Por amor de Deus — enfureceu-se ele —, estou cansado destas lamúrias contínuas! — Puxou da bolsa, tirou algumas moedas e atirou-as para cima da mesa.

— Desejo ver o meu tesoureiro por causa do meu dinheiro.

— Não vos é permitido. O assunto está encerrado. Já gastei demasiado do meu precioso tempo. Devia estar a tratar de assuntos importantes.

— Quero ver Catarina.

— Isto é ridículo! Já vos disse que está bem e em segurança. Certamente que a conseguis ouvir daqui, a ela e aos seus cortesãos. Só porque o vosso pai levou o vosso filho Fernando para a Flandres — engoliu em seco ao dizer aquilo, mais uma das suas mentiras —, não quer dizer que fosse roubar a vossa filha. Quando houver tempo, enviá-la-ei.

— E a minha dor de dentes? Quanto mais tempo tenho de sofrer? Haveis feito alguma coisa quanto a isso? — Joana desprezava-se, sabendo que parecia uma criança, tentando de todas as formas a concessão de apenas um pequeno pedido.

— Santo Deus! Toda a gente tem dores de dentes — bradou por cima do ombro ao sair.

Joana ficou sozinha, de pé por alguns momentos, ainda a segurar na capa e no capuz.

— Talvez tenhas ganho a batalha de hoje — acabou por dizer, erguendo o queixo em desafio à porta fechada —, mas a guerra ainda não acabou.

* * *

O marquês regressou à sua escrivaninha, envolvido no luxo da sua capa forrada a pêlo e na importância do seu papel como único correspondente de Tordesilhas para o amo, o rei Carlos I de Espanha, o imperador do Sacro Império Romano, Carlos V. Todas as letras tinham de ser escritas à mão e normalmente em código.

Releu as poucas linhas que tinha escrito antes da sua visita a Joana:

Em Valladolid e Medina e em todo o lado, todos dizem que a rainha está prisioneira e há quem pense em libertá-la e levá-la para Valladolid. Ela, claro, continua a queixar-se incessantemente daquele lugar...

Mergulhou a pena na tinta e prosseguiu:

Fui interrompido porque ela me mandou chamar. Quer que eu escreva ao pai imediatamente (eu repetira-lhe que era desejo do pai que continuasse aqui e que nada se podia alterar até ele o dizer). Pergunta constantemente por Catarina, pensando que o pai a pode raptar. Há tanto tempo que me pedia dinheiro que hoje lhe dei finalmente algum, o que a deve manter calada por algum tempo. Decidi que pode ouvir a missa no corredor, pois clamava por isso há meses e meses com uma linguagem inacreditável e, portanto, tive de aceder. Isto não quer dizer que não o venha a proibir como forma de castigo, se necessário. Hoje foi ardilosa, para além de se mostrar furiosa. A certa altura foi tão encantadora que quase me senti tentado a deixá-la sair. Tenho de manter a cabeça fria, pois ela consegue ser muito astuta. Na cidade, diz-se cada vez mais e com mais veemência que a mantenho prisioneira. Deveríeis pensar um pouco nisto.

Assinou, areou, dobrou e depois selou a carta, antes de se recostar, muito satisfeito com o trabalho daquela manhã.

CAPÍTULO 42

— Ana, os franceses provavelmente chamavam a isto um *déjà-vu.*
— A boca de Joana tremia, nervosa, enquanto abanava a cabeça.

A criada, Ana, uma rabugenta de meia-idade rejeitada pela marquesa, deu os últimos retoques no vestido.

— Desculpe? — perguntou, cortando a linha e alisando o corpete do lado onde cosera.

— Nada, nada, são só os meus pensamentos — suspirou ela, sem querer admitir que alguns deles a assustavam.

Alfinetes com jóias foram presos a intervalos ao longo das mangas e depois as mangas da combinação foram cuidadosamente puxadas e enfunadas por entre as aberturas. A outra única peça de joalharia que usava era o rubi, a prenda da mãe, pendurado do fio de ouro.

Mexeu nervosamente nos fechos e no colar e depois delineou com os dedos a orla dourada do capuz. Então, de súbito, as palavras soltaram-se:

— Tenho medo. Nem me atrevo a pensar no que vai acontecer. Parece-me que me vesti demasiadas vezes para...

A marquesa de Denia entrou num ruge-ruge de brocados caros.

— O meu marido, o marquês, está à espera, ainda não estais pronta? Despachai-vos!

Joana manteve-se calada, em vez de fazer um qualquer comentário sarcástico de retaliação. Não iria ter uma confrontação, nem permitiria a si própria ser culpada por estragar um dia que podia ainda revelar muitas surpresas agradáveis. Desejava muito que assim fosse, um dia especial. Inacreditavelmente e após tanto tempo, alguém a viera ver.

Estudou-se no espelho. Uma velha devolveu-lhe o olhar. Tinha quarenta e dois anos e o último ano tinha deixado as suas marcas. O cabelo, que se entrevia na orla do capuz, estava quase grisalho e sem vida. A testa e as faces ostentavam inúmeras rugas fundas e o olhar estava cheio de suspeitas e desconfiança. Os lábios curvavam-se para baixo de ira e amargura.

Joana falou à sua imagem:

— Denia deve considerar esta uma ocasião importante para me permitir usar o meu melhor vestido e receber uma visita. Um visitante, por fim. Oh, tenho muito que dizer e perguntar. Mas também pode ser algo de horrível, algo pior que tudo o resto. Ou podem ser notícias trágicas. Não, não deve ser isso, certamente Denia teria tido todo o prazer em dá-las pessoalmente.

A marquesa bateu com o pé, impaciente, tentando Joana a demorar-se mais um pouco a contemplar a sua aparência e a interrogar-se.

Tocou no rubi que pendia no peito, pensando nele como um talismã e procurando que lhe desse coragem.

— Estou pronta.

Decidindo não esperar mais, a marquesa tinha desaparecido. Os dias em que se teria dignado a esperar pela sua rainha e a fazer a vénia quando ela passava tinham desaparecido há muito.

Joana caminhou lentamente, gozando a sensação luxuosa das grandes saias pesadas, saboreando a liberdade de caminhar pelo corredor, sem guardas, sabendo que não iria ser arrastada à força de novo para o quarto. Ia finalmente fazer algo que lhe era negado já nem sabia há quanto tempo.

Tinha havido uma altura em que, atraída pela música e pelas vozes felizes e risos vindos do salão nobre, Joana correra por aquelas lajes, desesperada por avistar Catarina e os jovens cortesãos a dançar. Se estivesse com sorte, conseguia, por vezes, ver as filas de dançarinos, todos com cores tão estonteantes, executando os movimentos imponentes de uma pavana ou, ainda melhor, via Catarina com o seu par dançar uma galharda, os seus pés delicados levando-a com toda a leveza, qual pena, por entre os passos rápidos. Todavia, Joana era sempre descoberta e levada de novo para o seu aposento. No entanto, as imagens queridas da sua bela filha faziam-na aguentar nos dias que se seguiam, dias de tratamento cruel e rações magras de pão e água. E eles ainda lá estavam quando os intermináveis dias de solidão se tornavam quase insuportáveis.

Mas mesmo naquele momento, em que saboreava a sua liberdade, o medo, que nunca se afastava muito, voltou. Quem quer que tivesse vindo, fizera-o apenas para escarnecer, para a ridicularizar. O marquês mandara-a vestir assim com algum propósito maligno, não podia haver dúvidas. Já não estava satisfeito com o seu regime habitual e procurava divertir-se de uma forma diferente.

Agarrou o rubi, o seu talismã.

— Santíssimo Deus, não sei se consigo aguentar muito mais este tormento.

* * *

Havia um arcebispo e a sua pequena corte de clérigos à espera dela no salão, juntamente com o marquês, a marquesa e todo o seu séquito.

Todos se curvaram profundamente e depois o arcebispo aproximou--se e ajoelhou-se perante ela.

— Vossa Alteza Real — disse numa voz melíflua e grave. Procurou a mão dela para a beijar.

— Por favor, arcebispo, levantai-vos. — Todo aquele espectáculo de deferência enervava-a e Joana olhou em seu redor, alarmada. Disse numa voz ridiculamente alta: — Vejo pelas vossas vestes que sois arcebispo. — Irritou-se consigo própria por dizer algo tão idiota.

— Sou o arcebispo de Granada. O regente, Adrian de Utreque, enviou-me com este Conselho de Estado para Castela — indicou os outros na sala —, pedir-vos uma audiência.

Adrian de Utreque, sim, conhecia o nome, mas que fazia ele como regente? E que dissera o arcebispo sobre ela dar uma audiência?

— Talvez esteja um pouco surda, peço-vos por favor que repitais o que dissestes.

— Viemos pedir-vos uma audiência a pedido do regente, minha Senhora.

Joana fechou os olhos para ponderar. Tinham vindo pedir-lhe uma audiência. Ela é que pedia audiências havia anos. Aquilo não fazia sentido. No entanto, a partir do momento em que havia ali alguém para a ouvir, não podia perder tempo, tinha de falar. Havia coisas erradas que precisavam de ser corrigidas, mas tinha de ser cautelosa e não parecer demasiado ansiosa.

— Vossa Alteza. — A voz de Denia interrompeu-lhe os pensamentos. — O procedimento numa audiência real diz que o Conselho se deve sentar. Em vosso nome, vou mandar vir cadeiras.

Joana retorquiu friamente:

— Marquês, tenho de vos lembrar que o protocolo exige uma cadeira para o arcebispo e bancos para os conselheiros? Tem sido sempre assim desde os tempos da Rainha Católica, a Senhora Isabel, que Deus tenha a sua alma em paz.

Ao dirigir-se com solenidade e dignidade para a sua cadeira, achou levemente divertido ver que alguém conseguira encontrar o dossel com o seu brasão e, por um instante, acalentou a improvável possibilidade de que talvez Denia o tivesse guardado cuidadosamente para um momento daqueles.

Sorriu, apreciando todo aquele jogo, aquele mundo de sonhos em que era simultaneamente jogadora e espectadora.

— Minha Senhora — o arcebispo estava impaciente por começar —, Castela está num estado perigoso e viemos implorar-vos, como nossa rainha, que assineis este decreto para sufocar uma perigosa revolta que se torna cada vez mais forte. Se pusésseis simplesmente aqui a vossa assinatura — fez sinal que lhe trouxessem o papel necessário —, a nossa tarefa simplificar-se-ia imenso. Não nos podemos demorar.

— Não posso. Tendes de pedir ao meu pai que emita uma ordem dessas, pois a sua palavra teria muito mais peso que a minha — reprovou-o ela.

O arcebispo, que estivera prestes a apresentar a Joana o pedido, ficou sem saber que fazer. Denia informara-o de que, apesar de ela estar completamente demente, desde que fosse tratada como uma rainha e que todos mantivessem o fingimento que aquela audiência real era um assunto normal e habitual para todos, tudo correria bem, o pedido seria assinado e ele podia ir-se embora.

Todavia, agora falava-se de um morto que devia vir assinar, uma indicação, sem dúvida, da loucura de Joana, mas ele tinha de alguma forma de a fazer compreender que Fernando já não estava vivo e que ela era a única capaz de emitir ordens. Tinha de conseguir a assinatura dela.

— Minha Senhora, é meu triste dever e grande desgosto informar-vos de que o vosso pai morreu há já algum tempo.

— Isso não pode ser. Denia dir-lhe-á pessoalmente que ainda está vivo. Disse-me isso em inúmeras ocasiões.

Todos os olhares se viraram para Denia. O marquês curvou-se com um sorriso benevolente.

— De facto, disse-vos isso, mas só porque pensei que, ao fazê-lo, conseguia acalmar-vos os espíritos.

— Não é disso que me recordo. E surpreendeis-me ao dar a entender que alguma vez haveis tido qualquer preocupação comigo. Mas chega. Se, como dizeis, o meu pai morreu, então o arcebispo tem de mandar chamar o príncipe.

— Não é do príncipe Fernando que necessitamos — retorquiu o arcebispo.

— Obviamente que não é Fernando — ripostou Joana, irada por todos quererem confundi-la. — Refiro-me ao príncipe Carlos.

— Peço-vos perdão pelo mal-entendido. Só que Carlos, o vosso filho, é o nosso rei e não um príncipe.

Joana olhou de um para outro, tentando lembrar-se se devia saber aquilo. Estava convencida de que continuava a ser a rainha e, portanto, ele devia ser príncipe. E não estava com o pai, intercedendo em seu favor? Ou teria o seu pai realmente morrido?

O arcebispo continuou:

— O rei Carlos está na Áustria, Senhora, em consequência da morte do avô, o imperador Maximiliano, que Deus tenha a sua alma em paz.

— Marquês, temos de falar. — Tinha o espírito em torvelinho. A que verdade se devia agarrar? — Creio que tendes andado a enganar-me há já algum tempo. Agora, perante estes cavalheiros, desejo que digais a verdade. Primeiro, o meu pai morreu e podeis jurá-lo?

— O vosso pai morreu. Acompanhei os seus restos mortais, que repousam ao lado dos da vossa mãe. — Curvou a cabeça e suspirou. A sua obsequiosidade enojava-a. Como o odiava! Mas tinha de se concentrar.

— Quando morreu ele?

— Há quatro anos, Senhora.

— E o imperador Maximiliano, também morreu?

— Infelizmente, sim. O rei Carlos foi eleito governante do Sacro Império Romano.

— E quando morreu Maximiliano?

— No ano passado, Senhora.

— E, contudo, marquês — as próprias palavras tiravam-lhe o ar ao quererem sair para confrontar publicamente o seu carrasco com aquela infâmia —, há anos que tentais convencer-me a escrever a dois homens mortos, o meu pai e o imperador. Que tipo de trapaça cruel foi esta?

Não se ouvia um som, não havia um movimento; todos se concentravam em Denia. O arcebispo e os seus conselheiros aguardavam em silêncio. Envolvia-os um calor vergonhoso que igualava o do sol de Agosto nas planícies que rodeavam a cidade. O calor parado e pesado antes da chegada da tempestade.

— Não houve qualquer trapaça. Asseguro-vos de que só procurei distrair a vossa atenção.

— Procurastes impedir-me de ir em busca de justiça, marquês.

— Virando-se para os outros tremendo de raiva, tentou explicar-lhes:

— Acreditai, arcebispo, tudo o que vejo e ouço hoje parece um estranho pesadelo. Devem ser pelo menos... oh, tantos anos... já me esqueci. Não interessa, começou tudo há muito tempo na Flandres. Foi quando as pessoas me começaram a mentir e, desde então, tenho estado rodeada de mentirosos. Ninguém foi verdadeiro comigo. E aqui vedes perante vós o epítome de todos os mentirosos, aquele homem.

— Apontou um longo dedo magro em direcção a Denia, sem que o seu olhar deixasse o arcebispo. — E durante todo esse tempo fui maltratada; e, mais uma vez, o mais apurado foi o marquês. Provou ser um mestre de engano e crueldade.

Apesar de achar tudo aquilo muito penoso e provavelmente exigir um inquérito, o arcebispo esperava voltar rapidamente à sua questão urgente, antes que esta se perdesse completamente naquele pântano crescente de dificuldades, totalmente fora do seu âmbito.

Joana tentou clarear a mente, desesperada por usar ao máximo aquela audiência enquanto durasse, pois talvez não houvesse outra. Tinha de se concentrar.

— Senhor, dizei-me mais uma vez por que motivo aqui viestes.

— Há uma revolução em Castela. Vivemos tempos muito perigosos.

— Já me lembro. E desejais que eu assine um decreto real, ordenando que seja abafada.

Orações de graças elevaram-se do arcebispo e dos seus seguidores. Estavam no caminho certo, tinham quase conseguido completar a sua missão. Mandaram trazer a ordem, que foi mais uma vez oferecida a Joana.

Esta deu-lhe uma breve olhadela e depois enrolou-a.

— Senhores, quero lembrar-vos de que, durante anos, não pude decidir destrancar a porta do meu quarto. Portanto, deve parecer-vos tão irónico a vós como a mim própria que me peçam agora que ordene a milhares de homens que deponham as armas. Antes da vossa resposta, tenho de acrescentar algo mais e o marquês sabe-o muito bem. Há anos que lhe peço que escreva aos nobres ou a qualquer dos membros das Cortes pedindo-lhes que me visitem, para me contarem o que se passa no meu amado país. O marquês respondia sempre aos meus pedidos com desculpas e recusas directas. Os grandes de Espanha, dizia-me, não estavam aqui, estavam doentes, estavam demasiado ocupados, estavam com o rei, havia uma epidemia. Por consequência, não faço ideia da natureza do perigo de que falais, nem quem o pratica. Dizeis que não há tempo para demoras, mas eu tenho muito que saber. Deitemos mãos à obra imediatamente.

Denia estava furioso. O seu plano falhara miseravelmente. Pensara dar um gosto a Joana, mandá-la embonecar-se, permitir-lhe que se sentasse no trono e viver a experiência de assinar um documento importante. Depois, escoltá-la-ia de novo aos seus aposentos. Em vez disso, ela conseguira que ele fizesse figura de parvo, que parecesse um velhaco. Como se atrevera!

O arcebispo estava embaraçado. Aquilo devia ter sido fácil. Fora levado a acreditar que o estado mental de Joana era tal que assinaria qualquer pedaço de papel que lhe pusessem na frente. Mas tropeçara num ninho de vespas. E não ficava por ali, pois era agora obrigado a revelar tudo. E teria de escolher cuidadosamente as suas palavras, pois a rainha mostrara que era muito provavelmente capaz de compreender a situação.

— Senhora, há já algum tempo que tem havido problemas menores entre os espanhóis e os oficiais da corte do rei Carlos, os que o acompanharam da Flandres.

— Imagino que não sejam assim tão menores, especialmente se os flamengos detêm altos cargos no governo.

— Mas o vosso filho necessita de estar rodeado por aqueles em quem pode confiar.

— Tal como Chimay? — Havia bastante tempo que não pensava naquele nome.

— E o seu chanceler de Bruxelas, o senhor Salvagio, e o sobrinho de Chimay, o arcebispo de Toledo.

Os olhos de Joana esbugalharam-se, descrentes. Tudo o que a mãe declarara no seu testamento estava a ser de novo desrespeitado.

— Basta! Não me digais mais nomes. Dizei-me antes dos males que estas pessoas cometeram e que causaram um tal infortúnio no meu país.

— Não houve males, Senhora. Apenas agem como quaisquer outros conselheiros reais agiriam. Lançaram impostos, recolheram dinheiro para pagar a casa real, incluindo criados, um exército, oficiais.

— Isso não é suficiente para levar o meu povo à rebelião, a não ser, claro, que as somas fossem excessivas.

O arcebispo decidiu evitar aquela resposta.

— Houve também alguns sentimentos negativos quando Adrian de Utreque foi feito regente.

— Porque havia a sua nomeação de causar mais ressentimento do que outras?

— Há quem diga que o rei prometera solenemente não oferecer mais postos a estrangeiros.

— E um rei tem de cumprir a sua palavra! — Sentia-se amarga, pensando que todos os reis que conhecera, incluindo o pai, nunca o haviam feito. Inclinou-se para ele: — Contudo, há assuntos muito mais sérios?

Ele não queria que ela pusesse questões, queria apenas que escutasse e concordasse quando necessário.

— Na verdade, tem a ver com o momento, um momento infeliz. Compreendeis, com a morte do imperador, o rei Carlos não teve outra hipótese senão dar início à sua campanha de eleições, que são uma coisa dispendiosa.

— O que me dizeis é que a Espanha teve de pagar pesados subornos.

O arcebispo encolheu-se perante a sua franqueza.

— Estas transacções não são vistas dessa forma. E o rei teve de viajar para a Flandres. Precisou de barcos e soldados, que acarretam uma despesa enorme.

— E dizeis-me que a Espanha teve de pagar por tudo isso ou será que a Flandres participou nos custos?

— A Espanha sozinha, Senhora. — Aquela entrevista não estava a correr bem.

— E o governo deste país? Pergunto-me se, desde a morte do meu pai, alguém se preocupou com as necessidades de Espanha.

— Foi necessário suspender muitas coisas até ao regresso do rei Carlos. Entretanto, Adrian de Utreque e outros...

— Não precisais de dizer mais nada, arcebispo. Vejo o problema em duplicado. Um: temos o meu povo a sofrer de orgulho ferido, a ser pisado e roubado por estrangeiros. Dois: perdemos o controlo do nosso destino e os estrangeiros controlam todo o poder. Já não há Espanha para os espanhóis. Não admira que haja inquietação. Não se trata de ralé, pois não, arcebispo?

— Senhora, é um grupo de *procuradores* mal orientados e alguns grandes. De qualquer forma, não interessa quem são — respondeu com fulgor —, continua a ser traição. Naturalmente, têm uma populaça, uma mistura de descontentes, sob o seu comando. Os rebeldes juntaram-se em Ávila no mês passado para declarar que Adrian e o seu Conselho haviam sido depostos e que eles, este grupo de traidores que chamam a si próprios a Santa Aliança, são o único governo legítimo.

— E conquistaram Ávila?

— Assim é.

— É a única cidade que ocupam?

O arcebispo ficou furioso por talvez ser forçado a revelar toda a extensão da rebelião e, portanto, limitou-se à situação em Castela.

— Não, a revolta espalhou-se para Toledo, Madrid, Segóvia, Salamanca, Zamora, Leão, Valladolid, Burgos. A única parte tranquilizadora desta terrível situação é que o decreto deles declara que vós sois a única soberana de Espanha e que é a vós que prestam vassalagem. É por isso que estou aqui. Precisamos que assineis este mandato para abafar a revolta. Eles respeitarão a vossa assinatura. O vosso nome será suficiente. A salvação do país está nas vossas mãos. A vossa assinatura causaria um milagre muito maior que qualquer dos praticados por São Francisco. Imploro-vos, assinai.

Joana desenrolou o papel e, desta vez, estudou-o.

— Arcebispo, haveis-me dado muito em que pensar. Concordo convosco em como enfrentamos tempos muito difíceis, mas, contudo, não corremos perigo imediato se, como dizeis, me juraram vassalagem. Creio que temos de tomar mais cuidado com a redacção do conteúdo deste documento, temos de ser mais específicos quanto às nossas intenções e à forma como tencionamos consegui-las. Não deve ser uma declaração vaga como esta. Mandai preparar outra e trazei-ma amanhã. Podeis ir.

Ainda antes de o arcebispo sair da sala, Joana dirigiu-se à janela para olhar para além do rio, para as planícies que cintilavam sob o calor até ao horizonte distante, em direcção a Medina del Campo, escondida pela névoa estival. A cada inspiração, absorvia o calor e a liberdade da terra, da sua terra.

Sem se virar, dirigiu-se a Denia.

— Nunca se mencionou Medina. Com quem se aliou?

— Com ninguém. Perdemos Medina.

— Por uma vez, falai claramente.

— Precisámos de mais munições para lutar contra os rebeldes de Segóvia e tentámos tirar algumas ao arsenal de Medina. Os cidadãos recusaram-se estupidamente a entregar-nos o que quer que fosse, dizendo que se recusavam a ter armas espanholas usadas contra espanhóis. Não tivemos alternativa senão pegar fogo a alguns edifícios, como exemplo do que acontece aos traidores. Infelizmente, o fogo descontrolou-se e mais de três quartos da cidade ficaram destruídos.

Aquelas notícias trouxeram-lhe uma profunda tristeza, tanto pela amada cidade da mãe como por Espanha. Medina era um mercado internacional e grande parte da fortuna de Castela concentrava-se ali: ouro, prata, sedas, brocados, pérolas. Tudo devia ter ficado perdido. O marquês interrompeu-lhe os pensamentos.

— É muito grave. E tudo causado pelos rebeldes.

— Veremos de quem é a verdadeira culpa. Podeis ir.

Joana mandara-o embora! Congratulou-se. Estava livre até ao dia seguinte.

Necessitava de conselhos antes do regresso do arcebispo, pois a situação era complexa e perigosa. Não havia mais ninguém para quem se virar a não ser o seu confessor e confidente, irmão Juan. E, na ausência de advogados, quem poderia ser melhor? O frade franciscano era honesto e o seu julgamento sensato.

CAPÍTULO 43

Haviam passado quatro dias após a primeira visita do arcebispo e, em cada uma das visitas que se seguiram, ele trouxe um mandado com uma nova redacção. Joana não ficou satisfeita com nenhum, pois não contemplavam os agravos do povo espanhol. O irmão Juan fora uma enorme ajuda, mas ela lamentava profundamente a ausência de doutores de leis.

Encontrava-se na galeria com vista para as planícies banhadas pela luz matinal do Sol e que se estendiam até Medina del Campo (pobre Medina arruinada) e reflectia nas suas audiências com o arcebispo e os seus clérigos de mantos negros, que planavam como corvos, ansiosos por lhe arrancar o mandado, qual pedaço de carne podre.

Não sabia se havia de rir ou de chorar. Era o cenário mais ridículo que se podia imaginar. Era bizarro ela e o arcebispo estarem a discutir o futuro de Espanha. Ali estavam, numa cidadezinha qualquer, afastada de tudo, com o arcebispo a representar um regente sem poder e ela, há tão pouco tempo libertada da sua clausura, mal informada e insegura.

Todavia, gostava bastante daquele novo papel. Sentia uma enorme satisfação em ter gente a bajulá-la, em ver as suas tentativas sérias para agradar; afinal, era aquilo que os monarcas deviam gozar.

Ao longe crescia uma nuvem de pó. Depois, do seu seio, emergiu uma linha de cavaleiros que galopava em direcção a Tordesilhas. Era um autêntico exército!

Ouviu alguém tossir educadamente atrás de si.

— Estais disposta a dar uma audiência?

Joana voltou-se e deu de caras com o seu confessor, o qual, estava convicta, se não fosse um padre solene, teria um sorriso aberto estampado no rosto.

— Irmão Juan, vejo que temos mais visitantes que vêm pedir favores — declarou, apontando para os cavaleiros.

— Vossa Alteza é muito popular.

— Gostava de saber o que o arcebispo vai sugerir hoje.

— Talvez nunca venhamos a saber. Quem pede a audiência é o magistrado da cidade.

Era impossível!

— Mas Denia nunca permitiria que o magistrado entrasse no palácio.

— Exactamente, Senhora. — E, sim, estava mesmo a sorrir.

* * *

O magistrado dobrara um joelho, o rosto envelhecido e cansado com um misto de medo e exaltação, a voz titubeante.

— Vossa Alteza, o povo de Tordesilhas libertou-se do jugo dos ministros do rei. Posso pedir-vos para virdes ao pátio ver e ouvir o vosso povo?

Não foi preciso pedir duas vezes. O seu povo estava ali, no pátio!

Ao aparecer na galeria superior, foi aclamada por uma explosão de trompetas e tambores e um delírio de vivas. As cores dançavam e cintilavam: as mulheres acenavam com ramos de flores ou xailes de padrões alegres, o aço brilhava das alabardas... era demais. Depois de tantos anos silenciosos, monótonos e sem cor num aposento sombrio, sentiu-se abalada e vacilou contra o muro, fechando os olhos e tapando os ouvidos para abafar o ruído.

Lá em baixo, a multidão caiu num silêncio nervoso; olhavam para cima, esperando.

Então, Joana moveu-se.

O magistrado ajoelhou perante ela.

— Minha Senhora — ecoava a sua voz —, importais-vos de receber Dom Juan Padilla, o chefe da Santa Aliança?

A espera foi insuportável.

A indecisão provocava-lhe falta de ar. Não devia ter de tomar decisões, odiava-o, e aquela era a mais importante que jamais lhe haviam pedido. Se dissesse que não, estaria a negar ao povo os direitos por que lutavam, estaria a ajudar e a ser cúmplice dos odiados flamengos. Se dissesse que sim, daria um passo muito ousado, tomando abertamente o lado dos rebeldes, todos quantos se opunham à regência e ao governo. Não tinha ninguém que a aconselhasse. Onde estava o seu tio ou o governador? Uma voz do passado disse-lhe o que fazer, recordando-a da outra Joana.

Tomou a decisão e fez um sinal afirmativo.

Vivas fervorosos percorreram os pilares, fazendo eco nas paredes, elevando-se e envolvendo-a.

Um cavalheiro de um pequeno grupo que se juntara ao fundo das escadas aproximou-se e ajoelhou-se perante ela, dando azo a nova vaga de júbilo.

— Vossa Alteza Real, apresento-me perante vós para vos trazer a liberdade e vos conceder todas as honras enquanto rainha Joana. Estamos aqui para vos servir enquanto tivermos fôlego.

— Sois muito bem-vindo, Dom Juan Padilla. Que Espanha e eu vos achemos tão leal como o vosso pai. Deus sabe que precisamos de homens assim. Portanto, Dom Juan Padilla, escolhei quem, de entre o vosso grupo, vos deverá acompanhar ao salão nobre, onde terei todo o prazer em vos receber.

O ar foi mais uma vez cortado por gritos e vivas de regozijo. Joana nunca sentira uma tal vaga de calor envolvê-la. Ao virar-se para sair, olhou bem todos os que tinham vindo desejar-lhe bem. Nunca esqueceria aquele momento. Todas as dúvidas que tivera em vir para Tordesilhas desapareceram. Ali sentia-se em casa. Encontrava-se entre gente boa, decente e honesta naquela valente cidadezinha no alto de um monte.

* * *

O salão foi preparado à pressa. Ninguém sabia bem quantas pessoas estariam envolvidas na audiência e, portanto, vários bancos tinham sido colocados ao longo das paredes.

Joana sentou-se uma vez mais no trono com o seu dossel real, divertindo-se com a nova situação, saboreando de novo aqueles momentos na escada, ouvindo de novo a adulação da multidão.

Padilla liderava a fila de cavalheiros numa procissão solene.

— Vossa Alteza, estes homens são os meus colegas na nossa Aliança. Peço-vos que os recebeis. — Apresentou-os: Dom Bravo, Dom Zapata, Dom Maldonado e o doutor Zuñiga. Estamos aqui para vos defender e para cumprir as vossas ordens.

Era tudo muito surpreendente e maravilhoso. Joana olhou para lá dos líderes e viu o salão cheio de súbditos leais, súbditos seus, todos querendo servir a sua rainha. Não conseguia disfarçar a sua felicidade.

— Cavalheiros, a vossa presença aqui agrada-me muitíssimo. — Mas chegara a altura da falar a sério e teve de fazer um esforço enorme para se concentrar no assunto em questão. — Tendes de explicar as circunstâncias que vos levaram a criar esta Santa Aliança. E depois tendes de tornar bem claras as vossas intenções, pois haveis tomado medidas extremas, que podem ser vistas como traição, sendo vós próprios marcados como traidores. Apenas a vossa lealdade a mim, a vossa rainha, vos salva de tais acusações.

Padilla ajoelhou perante ela:

— Minha Senhora, os problemas começaram logo a seguir à morte do rei Fernando. Com todo o respeito, Senhora, o vosso filho Carlos deu aos seus ministros flamengos rédea solta. Estes estrangeiros pilharam o nosso país; o dinheiro tem corrido para a Flandres como um rio corre para o mar. Mais recentemente, o fardo dos impostos tornou-se intolerável. E Espanha possui hoje um exército demasiado pequeno para a defender. O rei Carlos não está cá para escutar as nossas queixas e, ainda pior, pôs o governo nas mãos de um completo estranho, quando temos castelhanos bons para o posto, como o almirante ou o governador. Muitas cidades levantaram-se em fúria. Eu e os meus amigos achámos essencial organizar os descontentes o mais depressa possível. Era vital controlarmos as paixões dos nossos conterrâneos, juntar as cidades para agirem juntas em busca de um fim comum. Não somos traidores, estamos ligados por um juramento solene: viver e morrer ao serviço do rei.

— Então, a vossa luta é apenas contra os flamengos, Dom Padilla?

— A nossa luta é contra as sanguessugas estrangeiras que sangram o nosso país até à morte. A nossa luta é contra os que nos negam sermos governados pela nossa própria gente. A nossa luta é contra os que nos negam o respeito por nós próprios. A nossa luta é contra os que apontaram as suas armas contra o povo espanhol.

— E houve o desastre de Medina del Campo. — Agradava-lhe mostrar que sabia dos recentes acontecimentos.

— Sabeis disso?

— O marquês de Denia contou-me.

— E disse-vos que o responsável foi o arcebispo de Granada?

— Santo Deus, não, não disse! E o arcebispo também não. E tem vindo aqui diariamente, há quatro dias. Mas o regente deve ter ainda um exército?

— Mandou-o destroçar, já não lhe podia pagar. O Tesouro está vazio, porque as cidades retiraram por fim os seus pagamentos. Minha Senhora, Espanha espera as vossas ordens. Todos vos obedecerão e ficarão felizes por morrer por vós.

— Senhores, sois os verdadeiros defensores de Espanha. — Mais uma vez, Joana teve de lutar para controlar a sua alegria. Aquelas palavras maravilhosas, que falavam de liberdade e lealdade, saber que partilhavam um inimigo comum, que a consideravam sem qualquer dúvida a sua rainha, tudo isso a deliciava para lá de quaisquer palavras.

— Eis, minha Senhora, como nos propomos manter Espanha em segurança.

Padilla entregou-lhe um rolo de pergaminho.

Joana leu-o em voz alta.

O rei deve regressar a Espanha e viver aqui.

Se sair do país, será ilegal designar um regente estrangeiro.

Ao regressar, não pode trazer consigo mais flamengos.

Não haverá tropas estrangeiras em solo espanhol.

Só os espanhóis podem ocupar cargos.

Os estrangeiros não se podem naturalizar.

Todas as cidades elegerão os seus representantes.

Enviar ouro, prata e jóias para fora do reino será ofensivo e castigado com a pena capital.

O actual regente tem de ser substituído por um castelhano.

O rei tem de perdoar todas as irregularidades que as cidades possam ter cometido por excesso de zelo.

O rei tem de jurar aceitar todos estes artigos e nunca procurar a absolvição do papa por este juramento.

Eram basicamente os mesmos motivos de queixa da geração anterior, quando Filipe era rei. Joana enrolou o pergaminho e esperou, procurando uma forma de começar.

— Após a morte da minha mãe, sempre obedeci ao meu pai porque era ele o rei. Sempre desejei ver-me envolvida e saber o que estava a acontecer. Mas depois o meu pai mandou-me para aqui, não consigo lembrar-me porquê. E depois, mais tarde, chegaram os estrangeiros. Levaram-me a acreditar que a única razão para a sua presença se devia à visita dos meus filhos, Carlos e Leonor, e que o meu pai continuava vivo. Tenho vivido rodeada por gente maldosa, que me contou mentiras cruéis, enganando-me.

Abanou a cabeça para se livrar da confusão que sempre ameaçava regressar.

— Amo profundamente o meu povo e magoa-me muito que tenha sido tratado tão mal. Admiro-me que não se tenham já vingado daqueles que praticaram esses males. Eu própria ter-me-ia esforçado

250

mais, mas receava sempre que algo de mal acontecesse aos meus filhos, aqui ou na Flandres, se insistisse demasiado. De qualquer forma, não tinha ninguém que me escutasse. Não faço ideia se esses inimigos continuam preparados para magoar os meus filhos ou a mim própria. Talvez estejamos seguros, agora que sou rainha e vós estais aqui para me proteger. No início, fui incapaz de me envolver no governo, porque tentava aceitar a morte do meu marido. E depois participei durante algum tempo, mas depois vim para aqui...

Joana sabia que não se estava a exprimir com coerência, mas era tudo muito complicado, impossível de explicar. Prosseguiu:

— Senhores, sinto-me aliviada por vos ver aqui, pois vós compreendeis os males que devem ser corrigidos e vejo que vos pesaria na consciência se não o fizessem. — Aquilo era muito melhor, estava de novo em terreno seguro. — Portanto, encarrego-vos do seguinte dever: nomeai quatro de entre os mais conhecedores e sensatos para virem aqui todos os dias informar-me. Escutá-los-ei e falarei com eles e farei o que puder à medida que for necessário.

Zuñiga chamou Padilla à parte:

— Faltam duas coisas. Primeiro, precisamos mais do que a palavra da rainha confirmando a nossa autoridade, ela tem de assinar aqueles artigos, e depois temos de relegar Carlos para príncipe. Como podemos aceitar ordens da rainha continuando o filho a ser rei?

— Muito simplesmente — respondeu Padilla —, porque as Cortes insistiram sempre que, caso a rainha recuperasse a saúde, isso passar-se-ia automaticamente. É óbvio que ela está bem. As Cortes não estão em sessão, mas não vejo ninguém em Espanha que objecte a Joana como rainha e a Carlos como príncipe. No entanto, obterei a assinatura, embora ache que estais a ser ultracauteloso.

Aproximou-se de Joana.

— Estamos às vossas ordens. Os quatro homens serão escolhidos imediatamente. Também acho que seria melhor se mudássemos o nosso quartel-general para aqui, para Tordesilhas.

— Uma ideia excelente, Padilla, tratai disso.

— E posso pedir-vos que assineis estes artigos? Isso impediria que alguém duvidasse da nossa autoridade.

— É uma ideia muito sensata. Quando voltardes amanhã com o vosso comité, terei aqui um secretário e trataremos disso. O irmão Juan, o meu confessor, tratará disso. Uma última questão antes de me retirar. Desejo ter algumas damas da cidade escolhidas para mim. Oh, e sabeis o que aconteceu a Denia?

— Denia não tem autorização para se aproximar do palácio.

Denia não tem autorização para se aproximar do palácio. Como eram doces aquelas palavras.

— Bom dia, senhores, encontrar-nos-emos amanhã.

O salão esvaziou-se e Joana ficou sozinha com o padre.

— Seria blasfémia chamar a isto um milagre?

— Talvez a mão de Deus tenha participado nestas coisas.

— Sou finalmente livre. Posso voltar a ir à igreja; na verdade, posso fazer o que quiser. Posso escolher os meus ministros. Faremos deste local o meu palácio em vez da minha prisão. Teremos aqui as nossas reuniões. Há tanto que fazer.

— Tendes homens honestos e bravos a trabalhar para vós e para Espanha para pôr as coisas como deve ser. Vai levar algum tempo e muita paciência. Tivestes um grande começo ao sugerir um comité de quatro. Sugiro que na audiência de amanhã lhes proponhais restringir a sua vinda perante vós a uma vez por semana. Será preciso tempo para considerar as informações deles antes de as comunicar a Castela e ao resto de Espanha.

— Caro irmão Juan, claro que tendes razão. Obrigada por me ajudardes a manter os pés no chão. Confesso que me sinto como uma criança superexcitada. Os artigos das comunas, deverei assiná-los? Concordo totalmente com todos eles, correspondem exactamente aos meus sentimentos, mas não quero fazer nada que sugira que estou a agir contra o meu filho.

CAPÍTULO 44

O almirante puxou a barba, esticou os lábios, pensou um momento e depois olhou para o amigo, do outro lado do tabuleiro de xadrez.

— Ainda me custa a crer no sucesso da nossa campanha contra os rebeldes, Hernando.

O tabuleiro tinha sido colocado junto de uma braseira para lhes proporcionar algum conforto das correntes de ar geladas daquele Janeiro, que circulavam livremente pelas salas do palácio. O almirante chegou a gola do seu manto orlado a pele de lince mais ao pescoço.

— Foi pena ter de ser no Inverno. Nunca gostei muito de Tordesilhas nesta altura do ano. Pode ser da idade, mas nunca esteve tanto frio. O movimento é vosso, cavaleiro comandante Hernando.

— Um momento, desconcentrei-me. Vejamos. — A seguir a alguma deliberação, o comandante moveu o seu cavaleiro branco para junto da rainha e recostou-se. — Sabeis, aquilo de sugerir que a rainha Joana se casasse com o príncipe da Calábria foi uma ideia precipitada.

— Foi aí que a Aliança perdeu o sentido dos seus argumentos, Hernando. Isso teria negado o trono a Carlos, o que não constava nos seus artigos — retorquiu Dom Fradique, resguardando o seu rei preto do xeque. — É tudo muito triste. Concordo com muitas das preocupações deles, mas no fundo continuo a sentir-me mais confortável à noite com o estandarte real hasteado sobre a cidade.

— Umas boas seis ou sete horas de trabalho dos nossos lutadores, hem? Foi inteligente da parte do filho do governador fazer marchar os seus homens para aqui de noite, prontos para um ataque-surpresa de madrugada, e muito esperto achar a parte mais fraca da muralha, à espera de ser derrubada.

— Foi pena Joana não ter conseguido persuadir o guarda para que nos mandasse abrir os portões.

— Impossível, claro, nessa altura já muitos receavam vingança — comentou Hernando, movendo o castelo para o topo do tabuleiro para tomar o do almirante, que ficara desprotegido.

— Maldição, devo estar a ficar demasiado velho, o meu pobre cérebro está confuso. — O almirante observou as peças que lhe restavam e viu que era apenas uma questão de tempo. Recuou a rainha, furioso por ter jogado tão mal.

— Foi glorioso, do nosso ponto de vista. Entraram pelo muro derrubado, treparam os portões e hastearam os nossos estandartes. — Hernando estudou o tabuleiro. — Os canhões, os tiros, luta corpo a corpo e depois trompas e tambores, juntamente com o clamor dos sinos das igrejas. Depois, foi só pegar fogo às casas...

— Talvez tenha sido um grande espectáculo para um soldado, mas não para Joana e Catarina. Deve ter sido aterrador. Imaginai, sozinhas e abandonadas no meio daquela confusão, a correr pelas ruas cheias de perigos, acotoveladas pela gente da cidade; conseguem chegar ao convento, mas descobrem que não há carroça para levar o caixão de Filipe, se fossem obrigadas a fugir. Depois, têm de regressar ao palácio, cheias de medo.

— E depois, segundo me contaram, o filho do governador entrou no pátio, saltou do cavalo e caiu de joelhos em frente da rainha, dizendo-lhe que era o seu protector. Oh, almirante, como gostava de lá ter estado. É disto que se fazem os romances.

— Se ao menos fosse assim, meu amigo. — O almirante tirou a boina e coçou a careca.

— Se fosse assim o quê?

Dom Fradique assentou as mãos no tabuleiro de xadrez e inclinou-se para ele.

— Se ao menos o rapaz tivesse continuado como protector dela, em vez desse maldito marquês de Denia.

— Muito verdade, muito verdade. É horrível. — Fez um ruído de desprezo. — Não conheço ninguém, nem um único grande que suporte o homem. Durante meses, muitos recusaram-se a juntar-se à nossa causa por causa dele. Se o rei Carlos não vos tivesse tornado regentes, a vós e ao governador, e tivesse oferecido recompensas aos indecisos, não sei onde estaríamos.

— Numa grande confusão!

Hernando baixou a voz.

— Fradique, escrevi ao rei. Contei-lhe que Denia voltou para retomar os seus deveres sem qualquer autoridade e com demasiado vigor. Disse que isso era muito malvisto e que muitos de nós estão preocupados. Pedi-lhe que escreva a ordenar ao marquês que controle o seu comportamento, que considere a forma de abordar as damas reais e as suas criadas e também disse que ele e a esposa devem receber ordens para tratar a princesa com mais consideração.

— Bom homem. Eu também escrevi, mas duvido que o rei preste atenção às minhas palavras.

— Certamente que o fará; afinal são parentes. E, além disso, sabe certamente a grande dívida que tem para convosco como grande líder de Castela.

— Veremos. Contudo, disse-lhe mais ou menos o mesmo que vós, realçando como o homem é impopular, não só aqui no palácio mas também na cidade. E destaquei que seria muito insensato deixá-lo governar a casa da rainha sem que alguém verifique as coisas. Devia ser uma responsabilidade partilhada.

— Excelente ideia.

Caíram em silêncio, o jogo de xadrez esquecido. Depois, o almirante levantou-se.

— Tenho de vos dizer, amigo, não consigo guardá-lo para mim mais tempo. Receio ter prejudicado grandemente a rainha.

— É isso que vos tem andado a moer a cabeça? Sabia que algo se passava. Nunca vos vi jogar tão mal. Mas vá lá, deveis estar enganado. A nossa rainha é, digamos, como uma filha vossa, há muitos anos que sois seu protector. Nunca poderíeis ser a causa de dano.

— Contudo, a maior parte das coisas que fiz parecem ter tido poucas consequências. — Limpou os olhos com o lenço, tossindo e atrapalhando-se com o manto. — Perdoai-me. Tendes razão, sempre a considerei como estando sob a minha tutela. Tem tido muito contra que lidar, mais que a parte que lhe cabia, primeiro com Filipe, depois Fernando e agora Carlos...

— Então, querido amigo, com todo o amor que lhe tendes, que vos faz pensar que podeis ser a causa de algum problema?

— Sem querer, Hernando, sem querer. Foi uma coisa simples, ou assim me pareceu na altura. Não vos esqueçais, ela nunca assinou nada para a Santa Aliança, nem mesmo quando a ameaçaram, correcto? Mas assinou uma coisa para mim. Receio bem que isso possa ser a sua ruína.

— Então, amigo, que pode ser assim tão sério?

— Assinou um decreto ordenando aos *comuneros*, à tal Santa Aliança, que depusessem as armas e mandassem embora os seus homens.

— Garantiria que todos os homens iriam acolher isso bem.

— Foi essa a minha reacção imediata, mas não tinha reflectido bem. O facto de ela ter assinado um documento persuadiria Castela de que ela está mentalmente saudável, fazendo de Carlos um mero príncipe. Pensai só nisso! Os outros dois regentes insistiram que eu o destruísse.

A entrada de Adrian de Utreque e do novo governador interrompeu-o.

O almirante foi o primeiro a falar, pensando como fora muito mais fácil trabalhar com o governador anterior, o pai daquele.

— Que novas há da Aliança?

O governador Iñigo estava ansioso por anunciar a sua desordem.

— Está dividida. Ainda há os que anseiam por roubar aos nobres as suas terras e rendas e oferecê-las ao rei em troca dos alegados direitos. A maior parte fugiu depois desta última derrota, enquanto outros regressaram às suas propriedades, cansados de tudo aquilo. Padilla, Bravo e Maldonado continuam a lutar, sendo o dinheiro necessário obtido pela mulher de Padilla, que roubou a baixela das igrejas e da catedral de Toledo. A maior parte das cidades está a acolher bem os nossos exércitos. Alegrai-vos, pois os nossos inimigos estão desanimados e vão perder. O mesmo acontecerá em Aragão, Navarra e Maiorca, já não há qualquer dúvida. Todavia, enfurece saber que muitos continuam a saquear e a fugir para casa com o seu espólio.

Adrian acrescentou:

— As boas notícias são que cada vez mais nobres se estão a juntar à nossa causa. Mas quero falar daquele outro assunto, almirante. Foi destruído?

— Rasguei-o com as minhas próprias mãos e queimei-o. Foi-se. Já não existe. — Ergueu as mãos deformadas para provar que tinha cumprido os desejos deles.

Adrian e o governador assentiram, mostrando a sua satisfação.

— Infelizmente, almirante, continuamos com falta de fundos. O Tesouro está vazio. — Adrian via-se obrigado a mencionar aquele facto, mesmo sabendo que receberia uma reprimenda de Dom Fradique.

E o almirante foi rápido a atacar, gozando da sua superioridade moral.

— Se vós e o resto dos ministros do rei não tivessem sido tão céleres a gastar, em vos apropriardes de fundos para os cofres da Flandres, ou para a campanha de Sua Majestade para a coroa imperial, não estaríamos neste triste estado. E, a propósito, tendes tomado em consideração o que isso nos está a custar a nós, os senhores, individualmente? Mandámos sair os vassalos das terras, deixando a agricultura sem amparo. Tivemos de providenciar as armas, pagar todas as provisões. Garanto-vos que não podemos continuar a carregar este fardo muito mais tempo, pelo menos à velocidade com que temos tido que vender a nossa baixela.

Adrian e Iñigo sabiam muito bem como estavam em dívida para com o almirante por ter conseguido juntar as forças necessárias à causa real e por ter tirado muito da sua própria bolsa. Era também o favorito dos nobres, ao passo que eles próprios não eram populares. Precisavam dele.

Adrian olhou para o governador, que não mostrava muita vontade de falar, deixando que fosse ele a fazer o anúncio:

— Chegou a altura de vender a baixela e as jóias da rainha.

— Só por cima do meu caixão! — rugiu Dom Fradique.

O comandante, que se mantivera calado, interveio, incomodado com a ideia de tocar nos bens pessoais de Joana.

— Certamente deveis consultar o rei. Ele saberá melhor onde ir buscar financiamento. E nenhuma decisão relativa à propriedade da rainha deve ser tomada sem o seu conhecimento. Ah, falando na rainha...

Joana ainda conseguia parecer elegante e, no seu vestido de veludo negro, debruado a vermelho e dourado, o capuz negro orlado de pérolas e ouro, o almirante achou-a tão bonita como sempre.

Catarina seguia-a, uma bela visão de veludo verde, com as mangas e as saias forradas de cetim vermelho.

— Dom Fradique, não consegui esperar nem mais um minuto. Dizei-me, a Aliança respondeu ao nosso decreto para deporem as armas?

— Senhora, não pude...

Adrian interrompeu-o:

— Com todo o respeito, os rebeldes estão a regressar gradualmente aos seus lares.

— Rebeldes, não — contrapôs ela, abanando-lhe um dedo —, mas sim homens que procuravam corrigir muitos erros e não era contra mim nem contra o meu filho. Mas não vamos discutir isso. Qual é o estado presente de Castela?

— A maior parte das cidades abriu os portões aos nossos exércitos sem luta e está agora a voltar à normalidade.

O governador acrescentou:

— São boas notícias. Não deve faltar muito até podermos convocar as Cortes por inteiro. Estar sem uma verdadeira liderança tem trazido tempos perigosos para o nosso país. Tem havido demasiada desordem e violência.

— É verdade, governador — concordou Joana. — Meu pobre país. E as Cortes, convocamo-las para aqui?

— Quando forem convocadas, será em Valladolid.

— Ainda melhor, eu e Catarina gostaríamos.

— Mamã — Catarina bateu as palmas —, adoraria lá ir e deixar este lugar com o marquês e a marquesa.

— Catarina, agora não é apropriado. — Joana ficou chocada pela interrupção de Catarina na presença dos regentes.

Iñigo ficou espantado.

— Surpreende-me saber que não estais feliz com o amo da vossa casa. Lembro-vos de que foi o vosso irmão, o rei, que nomeou o marquês administrador do palácio. Escrevi para a Flandres dizendo que tenciono passar todas as responsabilidades de novo para as mãos de Denia assim que convir a Sua Majestade.

O sangue de Joana gelou.

— Oh, santo Deus, não acredito. Não pode ser. Jesus Cristo, não o permitais.

O almirante ficou furioso.

— Também não acredito que tenhais tomado uma decisão tão precipitada na actual atmosfera de desconfiança. Porque não discutimos o assunto? Porque não considerámos uma nova nomeação em conjunto? Santo Deus, homem, devíamos buscar a harmonia e não o desacordo.

— Não podia fazer outra coisa, o homem está vivo, está aqui e, como disse, foi por ordem do rei que foi nomeado.

Dom Fradique aproximou-se de Joana e beijou-lhe a mão.

— Sabeis que eu e o vosso confessor tivemos o maior cuidado na selecção dos vossos criados e assim continuaremos a fazer. Eu e a minha esposa faremos da inspecção da vossa casa a nossa tarefa principal. Espero uma carta da Flandres que deve clarificar o assunto.

— E devo ficar aqui?

— Pode ser aqui, pode ser em Valladolid.

Imagens de quartos escuros, isolamento, ameaças, espancamentos e mais por parte de Denia, que agora iria procurar vingar-se pela indignidade que sofrera durante os últimos meses, invadiram-na violentamente, até Joana se ir abaixo e começar a cambalear.

Trouxeram apressadamente uma cadeira, onde a ajudaram a sentar-se. Catarina ajoelhou-se a seu lado.

— Senhores, nada deve ser mudado, tudo deve permanecer como está. Dom Fradique, por favor, suplico-vos. — Animou a mãe a que não desse asas ao pessimismo. — Mamã, estes senhores não permitirão um regresso ao antigo regime.

— Vim a esta sala para uma audiência com os regentes. — A voz de Joana tremia, formando uma corrente de palavras desligadas e inseguras. — Vim saber informações do meu país. Agora ficou tudo virado ao contrário. — Lutou para se ver livre da confusão e do medo, mas estava prisioneira nas suas garras. — Não consigo respirar, não consigo pensar. Tenho de apanhar ar.

* * *

Ao regressar ao salão, Joana viu que Denia e o secretário se tinham juntado ao grupo.

Todos se curvaram. Todos, excepto Denia. Joana agarrou a capa, alarmada.

Os outros também tinham reparado.

— Que temos nós aqui, Senhor, que não mostrais respeito pela rainha? — desafiou-o o almirante, aproximando-se dele.

Denia mandou-o calar.

— Deixai-me lembrar-vos de que, devido a circunstâncias recentes, agora só temos de responder perante o rei Carlos.

— Ouço o que dizeis e mais tarde chamar-vos-ei à pedra em relação a isso. Neste momento, digo que tendes de mostrar respeito, Senhor.

— E eu digo que apresento os meus respeitos onde são devidos.

Adrian interpôs-se entre ambos.

— Denia, sei que o nosso rei não apoiaria este comportamento nem por um momento. Para além da honra que tem de mostrar à mãe enquanto seu filho, deve, na verdade, sentir-se grato pelo amor que ela lhe demonstrou durante tempos muito difíceis. Sob grande tensão e com uma coragem extraordinária, ela deu apoio total e firme ao nosso rei. Não esqueçamos que, se não fosse por esse apoio, estaríamos hoje numa situação muito diferente.

— Mas não estamos. Oh, recuso-me a perder tempo com palavras inúteis. — Desdobrou uma carta. — Isto é de Sua Majestade. Por ordens dele, a rainha e a princesa devem, uma vez mais, ficar sob as minhas ordens. Não haverá mais audiências para os nobres. O rei reconhece que tudo o que fiz sempre o deixou satisfeito e incita-me a pegar uma vez mais nas rédeas, continuando o caminho anterior e a suportar tanto quanto é humanamente possível o escárnio, a troça e as calúnias de que possa ser alvo. Almirante, os vossos serviços como co-administrador desta casa já não são necessários. Podeis dar toda a vossa atenção à regência e às suas imposições. Este é o meu domínio e de mais ninguém.

— Isto não fica por aqui, Denia! — enfureceu-se o almirante.

— Marquês, lembrar-vos-ei de tratar a minha mãe, a rainha, de forma adequada à sua posição, pois não hesitarei em informar o meu irmão, o rei, se assim não for.

— Acho, minha jovem senhora, que com catorze anos, tendes de aprender quando podeis e quando não podeis falar com os mais velhos e que, quando sois autorizada, deveis falar num tom aceitável. Agora, ide para os vossos aposentos.

Joana não conseguia mover-se. Os *comuneros* não a tinham avisado de que aquilo iria acontecer? E ela tomara as palavras deles como ameaças.

Filipe desejara em tempos mandá-la prender porque queria a coroa. Ela propusera partilhar a coroa com o pai, mas isso não fora suficiente. Ele quisera-a toda para ele. Os *comuneros* haviam-na libertado e, todavia, ela afastara-se deles para pôr a sua fé nos nobres e no seu filho. Quereria realmente Carlos que a tratassem assim? Seria mais um não preparado para partilhar a coroa, preferindo mantê-la algures longe do mundo, como se ela tivesse deixado de existir. Era uma possibilidade. Quantas vezes dissera a Aliança que a preferiam a ela? Contudo, sempre que ouvira aquilo, saltara em defesa do filho e recusava-se a ouvir tais palavras. Qual a sua recompensa? Denia.

Perguntou a si própria, saturada, se teria espírito suficiente para outra luta. Tinha quarenta e três anos e estava cansada daqueles conflitos. Relanceou o olhar pelos que a rodeavam e que pareciam tão desarmados como ela. Mas o almirante erguia-lhe as sobrancelhas num sinal de encorajamento e isso era tudo quanto necessitava.

— A batalha nem sequer começou ainda, Denia — arremessou-lhe ela, caminhando na sua direcção com a firmeza que lhe permitiam as pernas a tremer. — Levai-me para a minha cela prisional, sua ratazana desprezível e ranhosa, seu mentiroso e carrasco. Oh, tendes uma longa luta à vossa frente, ambos vós, seu canalha, e a vossa maldosa esposa.

Aquelas palavras fortes haviam-na feito sentir-se muito mais forte do que se sentia. Conseguia sentir-se a escorregar e a afundar-se nas profundezas de um desespero terrível.

— Tio, fazei tudo o que estiver ao vosso alcance para me virdes visitar — sussurrou-lhe, beijando-o na face e tocando-lhe na velha barba sempre presente. Depois, com a cabeça erguida, deixou a sala sem olhar para trás.

CAPÍTULO 45

Era o segundo ano do novo regime de Denia, muito mais restrito. A porta do aposento de Joana abriu-se e fechou-se rápida e silenciosamente. No quarto sombrio com a sua vela solitária e as brasas moribundas como iluminação, Joana, sentada na sua cadeira em frente da do irmão Juan, sabia que não podia ser Denia. Ele teria atirado com a porta, estilhaçando o reboco e fazendo voar os pedaços, antes de abusar dela. Era certo que viria nessa noite, pois de manhã Joana escapara-se até à galeria e gritara a quem passava que chamasse os soldados para o matarem, assim como aos outros carrascos, e a libertarem.

Trocou um olhar perplexo com o padre. Durante um momento não se ouviu nada, excepto o som de alguém a recuperar o fôlego e depois:

— Mamã, mamã.

O murmúrio de Catarina parecia música para os seus ouvidos e mal conteve a sua alegria.

— Catarina, por fim. Acreditais nisto, irmão Juan?

— Alegra-me o coração vê-la aqui convosco. — As faces do velho padre enrugaram-se num sorriso de felicidade.

— O tio arranjou-me uma nova criada que é uma grande ajuda. Descobriu que o marquês e a mulher estão a receber um sobrinho que vai ser nomeado capelão, creio eu, e é provável que não saiam dos seus aposentos — anunciou Catarina, lutando para tirar o véu, enquanto segurava uma coisa debaixo do braço. A coberta transformou-se prontamente numa cama e um cãozinho minúsculo instalado nas dobras de veludo. Feito isto, Catarina beijou as mãos da mãe e sentou-se a seus pés.

— Irmão Juan — riu-se Joana —, alguma vez haveis visto algo parecido?

O padre observou a criaturinha que tremia.

— O que vai ser quando crescer?

Catarina riu-se.

— Não muito maior, mas só sei isto. É uma cadela de colo.

— Então, deixai-me tê-la ao meu colo. — Joana estendeu os braços para o animal, pegando-lhe com ambas as mãos. — Meu Deus, quase não existe. Onde é que a haveis arranjado?

— Foi o meu irmão. É uma companhia maravilhosa. Se, ao menos, pudésseis ter uma. Adora pedir-me comida; senta-se com toda a elegância e ergue as patinhas da frente. — Estendeu a mão para o colo de Joana para brincar com a coleira de cetim da sua companheira. — Fiz isto especialmente para ela, fui eu própria que cosi os botões de diamante.

— Diamantes numa coleira de cão? Onde os arranjastes?

— Mais tarde, mamã, escutai, tenho muito que vos contar. Consegui finalmente escrever ao meu irmão. Tinha de lhe responder a uma carta que ele me escrevera, muito irado, sobre a minha alegada deslealdade, quando os senhores da Santa Aliança aqui estiveram. Denia deu a entender que eu estava com eles. Mas não disse que foi ele quem insistiu que eu escrevesse ou lhes concedesse uma audiência para se certificar de que ele próprio não perdia a posição de governador quando eles chegassem ao poder.

— Isso parece mesmo do cavalheiro dúplice que conhecemos tão bem. Mas dissestes que tínheis finalmente escrito. Denia disse-me que estáveis em contacto regular com Carlos, onde quer que ele esteja.

— Sim, mas nunca era eu a escrever as cartas. Quando o meu irmão me escreve, Denia tira-me a carta, mal me dando tempo de a ler, para preparar a resposta que mais tarde me dita. Sou, então, obrigada a assinar sem acrescentar nada. — Depois acrescentou, excitada:

— Desta vez, fui eu quem escreveu a carta. Denia desconhece a sua existência. Vai seguir amanhã.

O Irmão Juan tentou temperar a exuberância dela.

— Minha filha, como esperais que a carta saia do palácio? Nunca houve tantos olhos a escrutinar, tantos ouvidos a escutar, tantas mãos a revistar.

Joana sentiu uma crescente onda de medo. As cartas eram perigosas e só traziam infelicidade. Quantas vezes ela própria estivera à sua mercê? Mas estava feito e tinha de ter esperança.

Catarina considerou as palavras do padre.

— Tendes razão, claro. A minha outra correspondência foi descoberta com uma carta minha para a esposa de Dom Fradique e levei até agora para ter a certeza da lealdade desta rapariga. Entretanto, a marquesa revista os meus aposentos e a mim própria, na esperança de encontrar uma nota escondida.

Joana sabia que a sua preocupação tinha fundamento.

— Não haverá limites para a arrogância de Denia, para a sua insolência? Irmão Juan, os regentes têm de ser informados deste escândalo contra a minha filha.

— Bem, bem, bem, será que ouvi mencionar o meu nome nesta agradável reunião? — Denia saiu da escuridão e abeirou-se da luz.

— Não costumais entrar furtivamente, sem ataques de fúria, a esbracejar de exasperação. Como me desapontais. — Joana estava determinada a manter-se forte ao ver a confiança da filha a desvanecer-se. — Temos estado a gozar da companhia uns dos outros e esperávamos ter mais algum tempo juntos, enquanto vós estáveis ocupado...

— Dizei-me, um bom pai, ficaria toda a noite sentado à mesa e negligenciaria quem estivesse ao seu cuidado?

— Viestes espiar! — Catarina lutou contra as lágrimas.

— Cuidado com a língua, minha jovem — cortou Denia. — Ainda bem que decidi substituir todas as vossas aias, ensinaram-vos maus hábitos. Não me deixais outra hipótese senão informar Sua Majestade da vossa falta de respeito descarada. Sei que não ficará nada satisfeito ao saber da vossa atitude para comigo e com a marquesa. Quanto mais cedo aprenderdes o vosso lugar, melhor. Só então permitirei a mesada extra que Sua Majestade deseja que recebeis.

Joana agarrou os braços da cadeira para evitar dar um salto e bater--lhe.

— Quem pensais que sois? Deixai-me lembrar-vos de que sois um marquês e de que a minha filha é uma princesa real.

— Enquanto vós, desde que os malditos dos *comuneros* cá estiveram, vos haveis tornado insuportavelmente arrogante. Nunca sabereis até que ponto me enojais com os vossos ares.

Catarina tremia de raiva.

— Não tendes o direito de falar para a senhora minha mãe, a rainha Joana, desse modo. Escreverei ao meu irmão a contá-lo.

— Noutra carta ou num pós-escrito a esta? — Estendeu a carta, a carta dela, aquela que Catarina acreditava tão piamente que seria entregue nas mãos do irmão.

Joana viu a história repetir-se. Cartas importantes, cartas escondidas, que causavam dor e angústia a quem as escrevera.

Denia prosseguiu:

— Não temais, eu envio-a, mas acompanhada por uma minha para clarificar um ou dois pontos, digamos.

— Que Deus vos perdoe. — O irmão Juan abanou a cabeça.

— Muitos mortais achá-lo-iam difícil.

— E vós, padre, podeis juntar as vossas coisas, não ficareis aqui muito mais tempo. Assim que o rei Carlos responder ao meu pedido relativo ao vosso despedimento, acompanhar-vos-ei pessoalmente à porta.

Catarina olhou da mãe para o irmão Juan.

— Isso não pode ser! Todos os três regentes o recomendaram.

— Para vosso próprio bem, aparentais saber demais e aprendeis muito lentamente quando deveis falar ou ficar calada. — Virou-se para Joana. — Não vou continuar a tolerar a interferência contínua dos regentes. Recuso-me a ver a minha autoridade enfraquecida. Disse ao rei que não posso levar a cabo os seus desejos com eles constantemente a morderem-me os calcanhares.

A percepção doentia da dimensão do poder daquele homem enchia a sala. Joana ergueu o queixo.

— Agradeço-vos por nos informardes. Compreendo que deve ser muito difícil para vós, afinal eles não passam de meros regentes, encarregados de governar o país.

Denia ignorou o sarcasmo. Havia testemunhas na sala. Desta vez, satisfez-se em mandar Catarina recolher aos seus aposentos como se de uma criada se tratasse.

Joana ouvira o suficiente. Ergueu-se do seu lugar, entregou a cadelinha a Catarina e preparou-se para fazer o seu discurso. Com as mãos cruzadas diante de si e com uma atitude calma e controlada, disse o que tinha de ser dito àquele homem horrível.

— Denia, ao contrário do irmão Juan, acho que Deus não vos perdoará. Pela minha parte, espero que Ele vos condene ao inferno. Não tendes no corpo nem um grama de bondade. Negais-me a mais pequena liberdade, e nem sequer me permitis sair dos meus aposentos. Tratais a minha filha como se fôsseis o padrasto cruel, tendes a audácia de a insultar. Procurais também tirar-nos o nosso querido amigo e conselheiro. Deixai-me assegurar-vos, as coisas não vão ficar assim, descobrirei forma de tornar público o vosso comportamento. Não penseis, nem por um momento, que a subsequente violência sobre mim, sob o disfarce de «pessoas como ela merecem-no», enfraquecerá a minha determinação.

Teve de parar por ali, pois Catarina ficaria devastada se ouvisse as inúmeras verdades ignóbeis sobre o tratamento que recebia às mãos daquele homem. Virou-se para o padre:

— Irmão Juan, se sois forçado a partir, para onde ireis?

— Para o mosteiro de Ávila. Temos lá um amigo que falará bem de mim, se este despedimento levar consigo algum estigma. Estou mais preocupado em deixar-vos sem apoio e companhia.

— Sou uma sobrevivente. Que amigo é esse?

— Hernan Duque é um dos irmãos do mosteiro.

— Hernan Duque, Hernan Duque, como eu amava esse homem. Se fôssemos do mesmo estrato social, gostaria de ter sido sua esposa.

— Mamã!

— Senhora?

— Típico! — riu-se Denia com desdém. — Falta absoluta de disciplina religiosa e obsessão por desejos lascivos. Não admira que o rei receie pela vossa alma. Tendo Deus por testemunha, esforço-me ao máximo por vos manter no caminho estreito e recto da virtude.

— Pfff! Não fazeis ideia do significado da palavra virtude, nem da palavra amor ou, já agora, da palavra respeito. Hernan era um intelectual, um erudito, conhecedor das artes. Passámos juntos muitas horas felizes e os dias pareciam sempre demasiado curtos.

E fora um acompanhante galante! Tão atento, desesperado por agradar, assegurando-se de que tudo estava como ela gostava, compassivo e compreensivo quando as dúvidas e a desconfiança reapareciam de tempos a tempos e a faziam voltar-se contra o mundo. Mas não iria mencionar essas coisas, pois só iriam ser conspurcadas por alguém determinado a manchar algo de bom e de puro.

— Mais uma razão para vos manter isolada, longe de influências perigosas. A educação não é para as mulheres, é um mal a ser evitado a todo o custo.

— A minha mãe, a rainha Isabel, deu às filhas a mesma educação geral que deu ao filho, de forma a que pudessem estar em pé de igualdade com qualquer homem.

— Precisamente. É aí que reside mais um dos vossos problemas de que eu tenho tentado libertar-vos. Não sabeis o vosso lugar. Deixai-me dizer-vos que a rainha Isabel teria sido uma monarca muito má se não fosse o vosso pai, o rei Fernando.

— Os grandes deviam estar aqui para testemunhar esta arrogância.

— Ninguém aqui virá — anunciou Denia, a autoridade ressumando por todos os poros do seu corpo cruel. — Decidi que seria melhor serdes transferida para um lugar mais remoto e seguro. A fortaleza de Arévalo é a minha opção preferida. Não haveria bisbilhotices de cidadãos e é decididamente mais difícil que visitantes curiosos encontrem o caminho para lá. Informei o rei das minhas intenções e tenho tudo pronto para a nossa partida.

Joana engoliu em seco, mas isso não a ajudou. Tinha mantido a compostura até então, mas foi-se completamente abaixo.

Uma gargalhada baixa cresceu sem controlo. Pegou nas mãos de Catarina e do padre e balbuciou:

— É um descuido maravilhoso da parte dele. Este idiota louco pelo poder, tão cheio da sua própria importância, esqueceu-se de que só em Tordesilhas, onde ele comanda, é que tudo é mantido em segredo, fechada no interior das muralhas, por detrás das portas do palácio. Uma vez fora da cidade de Tordesilhas, estarei em Castela, onde ele não tem qualquer jurisdição! Obrigado, Denia, acho que irei gostar muito.

— Maldita sejais!

CAPÍTULO 46

Durante os três anos que se seguiram, o carrasco de Joana alimentou a sua fúria pelo facto de os seus planos para deixar Tordesilhas terem dado em nada, e tornou-lhe a vida ainda mais desgraçada.

De pé, junto de um pequeno baú com incrustações de marfim que trouxera do Tesouro, Joana pensava como era estranho que tivessem passado quase dois anos antes de se atormentar com imagens constantes que não lhe davam descanso: os anéis «emprestados» da marquesa, os botões de diamante cosidos na coleira de um cão... Portanto, para se libertar das dúvidas, trouxera a caixa das jóias para verificar o seu conteúdo e convencer-se de que tudo estava bem.

— Que se passa aqui? — A voz de Denia, fina e aguçada, perfurou o ar.

— Vejo consternação no vosso rosto ou algo mais sinistro?

— Nem uma coisa nem outra — retorquiu ele. — Sua Majestade vai chamar-vos daqui a meia hora.

— Carlos está cá? Porque não me disseram? Bom, decidiu-se finalmente a agraciar-nos com a sua presença.

Denia ignorou-a.

— Estas damas estão aqui para vos ajudar.

Duas das filhas de Denia e as respectivas aias avançaram um pouco.

— Sabeis, Denia, já me tinha esquecido de que arranjastes lugares para toda a vossa família, sois muito empreendedor. Estou interessada em saber qual das jóias vão sugerir, uma vez que têm experiência pessoal quanto à sua adequação a diferentes ocasiões.

Os dedos de Joana afagaram lentamente a tampa decorada, enquanto ela e as jovens trocavam olhares de ódio mútuo.

— Pouco escapa à minha atenção. Ide procurar o meu melhor vestido cinzento. Santo Deus, há quanto tempo não dou uma ordem. Gosto muito. E vou precisar de água quente. Ide!

* * *

O rei Carlos estava sentado no trono de dossel no salão nobre. Sentia-se impaciente, virando e revirando os anéis e brincando com o cabelo curto que se encaracolava em volta das orelhas.

Após uma espera interminável, foram anunciados dois padres.

— Senhor, o geral da Ordem dos Dominicanos e o geral da Ordem dos Franciscanos.

Carlos ergueu o olhar quando entraram, o primeiro de hábito negro e branco, carregando um maço de papéis contra o peito, o segundo de cinzento, os braços escondidos pelas largas mangas do seu hábito.

— Pareceis cansado, Senhor. Espero que não vos encontreis doente — comentou o dominicano.

— Os problemas financeiros são irritantes e cansativos, padre, como outras questões por resolver; portanto, ao trabalho.

O padre dominicano começou a organizar os papéis, abanando a cabeça e largando suspiros de frustração, enquanto ajeitava uma série de cartas e notas.

Carlos observava, afagando ansiosamente a barba nova que ajudava a disfarçar o infeliz queixo dos Habsburgos e lhe emprestava um ar de maturidade e experiência.

— Estou à espera.

— Investiguei profundamente o caso durante meses e a minha conclusão é que a princesa Catarina tem a consciência livre e pode casar com quem vos aprouver.

— Tendes a certeza? Não pode haver qualquer dúvida.

— O noivado com o duque da Saxónia foi anulado. — Apresentou-lhe um dos papéis, que foi rejeitado. — E, quanto ao outro contrato de casamento com o marquês de Brandeburgo, não a obriga legalmente, porque a princesa desconhecia os factos, não sabia... — Remexeu nos papéis, hesitando.

— Que quereis dizer?

— O marquês e a marquesa obrigaram-na a assinar os artigos sem a autorizarem a lê-los. Portanto, ela não fazia ideia nenhuma de que estava a assinar um contrato de casamento.

— Não sabia de nada?

— Absolutamente de nada e, portanto, está livre para obedecer a Vossa Majestade em relação ao contrato com Portugal. Tenho aqui todas as declarações e documentos necessários. A meu ver, a maior dificuldade reside em convencê-la a deixar a mãe.

— Isso não é uma dificuldade. Fará o que eu ordenar — vociferou Carlos.

— E a rainha Joana? É necessário pensar com cuidado. A separação tem de ser feita suavemente e, se me permitis sugerir, com o consentimento das Cortes.

Carlos inclinou-se para a frente, espetando a barba cuidadosamente aparada.

— É essencial manter todas as informações relativas à rainha fora do domínio público. Se queremos manter a paz e a estabilidade, a nação só deve responder perante mim. Não permitirei que ela seja objecto de discussão pública nas Cortes. Só a menção do seu nome podia estimular...

— Com todo o respeito, Senhor, se tiverdes o consentimento das Cortes, tendes o consentimento de Castela. Se o pior acontecer, por exemplo, se o choque da partida de Catarina puser em perigo a vida da rainha, não vos podem culpar.

— Bem visto. E não vejo razões para este casamento não agradar às Cortes; afinal, João de Portugal é neto de Isabel e Fernando.

— Ilustra o vosso desejo de fortalecer os laços entre os dois países. Mais, posso aconselhar-vos a que as Cortes reúnam em Valladolid? A sua proximidade a Tordesilhas e à rainha ajudaria a reforçar a sensação de abertura.

Carlos sorriu, satisfeito.

— Óptimo, óptimo. Estou grato a Deus por se poder tratar disto imediatamente. E agradeço o vosso empenho.

— Um assunto mais leve. Tenho aqui uma carta. Importais-vos de a ler?

— O que é? — Leu em voz alta: — *Beijo as mãos de Vossa Majestade. Se vos lembrais, encontrámo-nos recentemente em Burgos e foi então que vos pedi permissão para regressar a Tordesilhas, para ver a princesa Catarina antes da sua partida para Portugal. Repito respeitosamente o meu pedido.* Quem é este? Ah, já sei, o Irmão Juan de Ávila, um metediço. Não o quero por perto.

Chegou a carta ao lume e pegou-lhe fogo a um dos cantos, ficando a ver a chama a devorar avidamente o pedido do irmão Juan. Deixou cair os restos queimados no lume, esfregou as mãos e regressou ao trono.

— Mandai chamar a princesa Catarina.

* * *

Catarina e Leonor, a mais nova e a mais velha das quatro irmãs, eram iguais em graça e beleza, mas as semelhanças terminavam aí. Carlos estudou-as. Dariam belas noivas.

— Aproximai-vos, Catarina. Escrevestes-me várias cartas com queixas. Será que vos importais de me relembrar da sua natureza?

O tom abrupto e frio era chocante. Catarina repetiu o rosário de queixas contra o marquês, realçando a forma como a situação piorara, mas o rei não quis continuar a ouvir, pois as revelações eram embaraçosas na presença dos dois padres. Por fim, anunciou:

— Em breve haverá grandes mudanças para vós.

— Eu e a mãe ficaremos para sempre gratas.

— A propósito da vossa mãe, ela cumpre as suas devoções religiosas?

Catarina engoliu em seco. Tentou explicar o desenrolar dos acontecimentos, sobretudo quando Joana se recusara a ouvir a missa no corredor e a confessar-se a outro que não o irmão Juan, mas faltavam-lhe as palavras. Tentou terminar em defesa da mãe, afirmando:

— A mãe foi sempre uma grande benfeitora dos franciscanos e das irmãzinhas de Santa Clara. Usa frequentemente um simples vestido cinzento, passando horas em devoção privada para se aproximar do seu estilo de vida. Que mais posso dizer?

— Já ouvi o suficiente. — Carlos olhou ansiosamente na direcção dos padres. O que tinham ouvido sugeria heresia: nada de confissão, nada de missa, vestida de freira. Seria a sua mãe uma herética? Se assim fosse e nada se fizesse, as almas de toda a família seriam arrastadas com a dela para a perdição, incluindo a sua.

Mandaram chamar Joana. Os padres trocaram murmúrios entre si.

CAPÍTULO 47

Esperaram muito tempo por Joana, o que sobrecarregou ainda mais o ambiente.

Carlos reclinou-se e fechou os olhos. Tinha duas questões importantes para resolver: os planos para a sua família e a necessidade urgente de reconduzir a mãe ao caminho da virtude. De qual trataria primeiro?

A chegada de Joana foi, por fim, anunciada, podendo-se iniciar a temida confrontação.

Os padres curvaram a cabeça, Catarina e Leonor fizeram uma vénia e Carlos retomou a sua pose real.

A senhora que atravessou a sala não tinha qualquer semelhança com uma figura real e muito menos com uma mãe. As rugas do seu rosto eram um registo de dor e conflito. A boca curvava-se numa linha de amargura e o cabelo que fugia da touca caía-lhe sobre os ombros em madeixas enredadas. Um velho vestido de veludo cinzento reflectia os seus quarenta e cinco anos. Era uma mulher velha, uma estranha, um incómodo.

Joana parou diante do filho, rígida de determinação, o queixo esticado, os olhos e a boca apertados de fúria.

Ia ser mais difícil do que Carlos imaginara. Joana parecia querer desafiá-lo. Após alguma hesitação, desceu do estrado para a cumprimentar.

— Querida mãe, que bom ver-vos.

— Calma, Carlos. Com que então, «querida mãe»! Deixai-me lembrar-vos da altura em que permitistes aos vossos amigos que me roubassem a minha querida Catarina. Deixai-me também lembrar-vos de que me roubastes o meu reino e me deixastes como prisioneira do cruel Denia. — Virou-se para a porta, onde o carrasco pairava.

Carlos ia falar, mas ela silenciou-o.

— Por favor, fazei-me a cortesia de não tentardes negá-lo. Nem sequer comeceis a apresentar desculpas. Portanto, sou posta de lado, um estorvo indesejável. Assim seja, e agora isto! — Mandou trazer o pequeno baú. — Dizei-me, Carlos, dizei-me, a vossa própria mãe! — Batia com a mão no peito. — Por que motivo haveis pilhado os meus aposentos?

— Doce mãe! — implorou ele.

— Não vos atrevais a falar até eu ter terminado! — gritou Joana. — Dizei-me porque, depois de me roubardes o ouro, os meus rubis, as minhas safiras e os meus diamantes, vos destes ao trabalho de os substituir por isto?

Pegou no baú e despejou o conteúdo no chão. Trinta ou mais pedrinhas chocalharam pelas lajes.

Joana apontou, continuando a gritar:

— Que cruel falsidade foi esta? Porque havia um filho de tratar assim a sua mãe? Que traição é esta? Santo Deus, tenho de me sentar.

O coração martelava-lhe contra as costelas, atroando-lhe os ouvidos. Tropeçou em direcção ao trono, empurrando Carlos para o lado.

Leonor, Catarina e os padres olhavam para o chão, procurando as pedras.

Carlos não tinha saída, a prova da sua culpa espalhada em volta dos pés. Teve de engolir a fúria.

— Deixai-me explicar, embora não precise, se assim o entender. Desde que herdei o trono, houve sempre despesas extraordinárias. Foi preciso dinheiro para acalmar agitações na Alemanha e na Flandres, para obter a coroa imperial, para acabar com a revolta aqui em Espanha e, ultimamente, para a guerra contra a França. De qualquer modo, senti que tinha o direito de tirar o que, afinal, são jóias da Coroa. Tenho todas as intenções de as repor assim que Espanha esteja em paz.

Joana mirava-o, perscrutando-lhe a alma e abanando a cabeça perante as suas mentiras. Carlos sentiu-se desmascarado. Ela sabia que ele tiraria e faria tudo o que lhe agradasse, pois considerava-o um seu direito.

— As vossas palavras não desculpam a vossa duplicidade. E, quanto a substituí-las, nunca tereis o suficiente para as vossas necessidades sem fim. Quanto mais pensais roubar-me e com que desculpas?

Carlos recuperara a compostura.

— Era preciso dinheiro e não havia. Preciso ainda mais do que poderia obter com as vossas jóias, muito mais. Felizmente, encontrei por fim a solução. Consegui, pelo menos, um milhão de ducados. — Era uma soma inacreditável e conseguida mesmo depois de todos os grandes bancos da Europa lhe terem negado. — Vou casar com a princesa Isabel de Portugal. Concordarão que o seu dote é impressionante.

Joana lutou com a sua memória. Houvera tantas sugestões de noivas e tantas promessas de casamento. Teria alguma vez ouvido falar na hipótese desta princesa, sua sobrinha?

— Um milhão de ducados! Casas reais! São todos agiotas, ou pedem emprestado, ou são mercadores, apenas buscam a melhor oferta, mais nada. Onde acabará tudo?

— Com contratos de casamento.

— Contratos? Há mais que um?

— Leonor vai casar-se.

A princesa avançou com a mão no peito, tentando acalmar o bater do coração, sorrindo, pois a mãe e a irmã iam finalmente ouvir a feliz notícia. Ia casar com o seu querido de infância, o conde Federico.

— Leonor vai casar com um prisioneiro meu, Francisco, rei de França.

— Não é verdade, não é verdade, não pode ser! Haveis-me prometido que me podia casar com Federico! — O irmão faltara à palavra pela segunda vez. — Haveis renegado o contrato de casamento com João, obrigando-me a casar com o seu pai nojento, Manuel, um corcunda, um inválido sempre a babar-se. Cumpri o meu dever. Dissestes que a sua morte me deixava livre para seguir o meu coração. Foram estas as vossas palavras. Confiei em vós. Não tendes o direito de me tratar assim.

— Tenho todo o direito. Recordai-vos da vossa posição, Senhora. Governarei esta casa como governo a nação. Sou o rei. Decido por todos.

— Não o farei! — Fora buscar a coragem à sua irmã mais nova.

— Sabeis que sim. Não tendes escolha, e Francisco também não, se quiser a liberdade. Se vos serve de consolação, o vosso futuro marido é apenas quatro anos mais velho e é bonito. — Lançou o que pensava ser um sorriso caloroso e fraternal, cheio de compreensão, à irmã, e depois virou-se para Joana. — Leonor será rainha de França e, como prenda de casamento, receberá a Borgonha, a qual será, por fim, devolvida à nossa família. Não estais impressionada?

Joana olhou para as duas filhas, ambas com um ar profundamente infeliz.

— Como vedes, estamos tão maravilhadas que nem conseguimos falar.

— Bem, pelo menos, sei que Catarina ficará contente. Ao contrário da irmã, não se mostrará ingrata. Disse-vos há pouco que haveria uma grande mudança para vós, Catarina. Também vos ides casar. Estais prometida ao rei João de Portugal, irmão da minha futura esposa, Isabel. Já não precisareis de ficar aqui a sofrer todos esses desconfortos de que vos queixáveis há pouco. Que me dizeis? O quê, nem um sorriso?

Catarina estava contentíssima. Liberdade! Quantas vezes sonhara que um dia se libertaria daquela prisão? Eram óptimas notícias. Era mais que isso. Iria para Portugal, seria noiva de um rei. Era demasiado bom para ser verdade. Mas e a mãe? Iria abandoná-la tão facilmente? Quem ficaria ali para a proteger?

— Não! Não! Não! — Os uivos de Joana cortavam o ar. — Não! Não me podeis fazer isto. Ela é tudo o que tenho! Santo Deus, ela é a minha vida. — Desceu do trono, aos tropeções, andando sem rumo pela sala, prisioneira da sua angústia. Olhava em seu redor como louca e torcia as mãos, mordendo os nós dos dedos. Parou, descansando contra um aparador. Pegou em dois candelabros, virou-se, atirou-os a Carlos, gritando: — Tirastes-me tudo o mais, mas não me levareis a minha Catarina.

Seguiram-se pratos, travessas de ouro e jarros, despedaçados contra a mobília, estilhaçando-se no chão no meio dos soluços de Joana:

— Ela não irá.

Assim que Joana se acalmou, o padre franciscano abeirou-se dela e ajoelhou-se. Incitou-a a mostrar alegria pela filha. Repreendeu-a pelo seu egoísmo ao interpor-se no caminho da felicidade da filha. Apelou para que pedisse perdão como verdadeira filha de Deus para o seu comportamento impróprio.

Joana secou rapidamente as faces molhadas e depois olhou para ele com um olhar furioso e incrédulo.

— Egoísta? Eu sou egoísta, quando Catarina é tudo o que me resta e me acabaram de dizer que a vou perder para sempre? Catarina é o meu consolo, a minha única alegria neste buraco infernal. Atreveis-vos a julgar-me, não sabendo nada de mim e da forma como sou tratada, sem fazer ideia das condições deste lugar? Que presunção em criticar-me! Já agora vos digo, padre, nunca mais me confessarei. Não enquanto o meu corpo respirar — sibilou Joana, raivosa. — Nem pedirei perdão. Onde, em nome de Deus, está a vossa compaixão? Onde está a vossa compreensão? E a vossa caridade? Onde estão as palavras reconfortantes? Saí da minha vista. Meteis-me nojo!

— Tenho de vos avisar de que assim provocais a excomunhão.

— A voz do franciscano era dura e sonora, mas, tendo ouvido Catarina e presenciado aquele ataque de fúria, via que o assunto era sério.

— Parece que precisais de ser lembrada de que a confissão é uma obrigação absoluta imposta pela divina instituição. Tendes de humildemente pedir perdão a Deus e a absolvição do nosso Pai Celestial. Se vos recusardes a ouvir a Igreja, sois uma pagã e ficareis fora da Igreja, que é onde está o demónio. O meu senhor, o rei Carlos, tem todos os motivos para temer por vós.

CAPÍTULO 48

Os anos de 1525 a 1533 haviam passado sobre o palácio de Tordesilhas sem deixar marca. Os dias escuros sucediam-se, aumentando ainda mais a infelicidade e a idade dos habitantes. O marquês, já debilitado, percorria lentamente o corredor. Parou e recuperou o fôlego junto dos aposentos de Joana. Estava mais magro que nunca, o cabelo branco já esparso, formando uma franja irregular sob o gorro negro.

Um guarda abriu-lhe a porta e ele anunciou:

— Está aqui uma pessoa para vos ver — arfou.

Não houve resposta.

— Não melhorámos as nossas maneiras nos últimos oito anos, pois não? — A frase transbordava de sarcasmo cansado.

Joana deu meia-volta, agarrou numa das vassouras das criadas e começou a ameaçá-lo com ela para o afastar.

— Sabeis que não posso tolerar este tipo de comportamento.

— O marquês deu um passo em frente.

Joana deixou cair a vassoura, fechou os olhos e ergueu um braço para se proteger dos murros que se seguiriam. Mas não houve necessidade, pois naquela altura Denia já só era capaz de administrar castigos verbais.

Como nada acontecesse, perguntou:

— Onde está ele?

— Foi-se embora, Senhora, virou-se e foi-se embora. Mas é verdade, tendes uma visita. Já sabíamos, mas não quisemos dizer. Houve uma grande discussão.

— Seja amigo ou inimigo, é importante. — Joana começou a rir--se, nervosa.

— É um almirante, o vosso tio, diz ele. Disse qualquer coisa de já não vos ver há oito anos.

— Oito anos?

Vozes masculinas alteradas percorriam o corredor, vozes idosas, iradas.

— Garanto-vos que vou aos aposentos da rainha para a ver! Se ela está indisposta e não pode sair, sei que não se importa que o seu velho tio a vá visitar.

— Insisto que tendes de esperar por ela aqui fora.

— Vim a mando do rei. Sou família. Vim fazer uma visita familiar. Deixai-me passar. — E o almirante empurrou-o com a bengala.

Dom Fradique, a bengala de novo inactiva, entrou a coxear nos aposentos da sobrinha. Com os olhos lacrimosos, observou a figura que estivera, em tempos, havia décadas, sob a sua tutela, bela e terna, uma jovem de olhos cor de avelã e cabelos arruivados, uma rapariga cheia de vida. Agora tinha mais de cinquenta anos, uma mulher velha e enrugada, o cabelo grisalho descuidado que não via um pente ou uma escova há muitos anos. Um feio vestido cinzento, ou algo do género, agarrava-se-lhe ao corpo magro. Precisou de todas as suas forças para não chorar.

Se os seus pobres olhos não o enganavam, aquele vestido cinzento havia muito que não era lavado e estava coberto de nódoas, acumuladas ao longo dos anos. O quarto exalava um odor pesado e fétido que vinha de Joana. Quando se teria lavado pela última vez ou mudado a roupa interior?

Deu um passo em frente e curvou uma perna cautelosamente.

— Devia ajoelhar-me, bem sei, mas talvez não me conseguisse voltar a erguer.

Joana estudou-o, enquanto ele lhe beijava a mão. Quem seria aquele velho senhor de olhar amável e uma linda barba? Seria quem lhe diziam que era, o seu tio? E depois aconteceu. Foi como a chegada de um novo dia, o sol matinal que traz o calor depois do frio da noite. O velho rosto evocava cenas de outros tempos, outros lugares; havia navios e mar alto e naufrágios, palácios com banquetes e bailes, salões enormes inundados de luzes e de música.

Fez um sorriso hesitante.

— Eu conheço-vos! Tinha tanto medo de não ter a certeza. Raramente vejo alguém e as pessoas e os lugares misturam-se. Mas agora sei que sois mesmo vós. Sois o meu tio, o meu querido tio Fradique.

— E vós sois a minha sobrinha favorita.

— Temos tanto para falar. Ireis ficar muito tempo?

— Uns dias.

— Mesmo assim — Joana franziu o sobrolho —, não teremos muito tempo. — Apontou por cima do ombro dele para a porta. — Aquele homem talvez não permita outra visita.

— Tende a certeza de que isso não acontecerá. Gostaríeis de ir dar um passeio? — Não desejava ficar nem mais um momento que o necessário naquele quarto.

— Sim, claro, um passeio. Parece óptimo. Normalmente não tenho autorização para deixar os meus aposentos, embora às vezes me escape e corra até ao fundo do corredor. Depois grito para alguém me vir salvar, mas nunca vem ninguém.

O relato foi monótono e desprovido de emoção e Dom Fradique duvidou de que fosse verdadeiro. Mas supondo que sim e a sua frágil sobrinha procurasse desesperadamente ajuda e não houvesse ninguém para a socorrer?

— Denia fica tão zangado e...

— O marquês zanga-se e depois?

Joana olhou em seu redor, levando um dedo de aviso aos lábios.

— Chiu. Mas eu sou demasiado forte para ele. Nunca ganhará, vereis.

— Que é isto, Joana, estais a dizer-me que o marquês é violento? — Dom Fradique sabia que devia ser pura invenção, pois era incapaz de assustar um rato.

— Oh, sim — respondeu com desdém. — Mesmo assim, prometei, nem uma palavra.

Embora incapaz de acreditar nas palavras de Joana, tudo o que vira e ouvira desde a sua chegada formava uma imagem terrível. Joana estava prisioneira e tinha aspecto disso. Aquele quarto era a sua cela e não podia pôr o pé fora da porta sem ser castigada. Aqueles últimos oito anos de encarceramento sem o apoio de Catarina talvez tivessem quebrado os últimos fios que a ligavam à... nem conseguia pensar na palavra. Esperava que a carta que ia escrever ao rei trouxesse algumas mudanças. Algo tinha de ser feito e depressa. Depois, parou, bateu com a mão na testa, resmungando baixinho:

— Espera lá, idiota, Carlos esteve aqui, viu como as coisas eram. Santo Deus, como pode permitir isto?

Percorreram lentamente o corredor e chegaram à antecâmara do salão nobre, dirigindo-se para uma velha mesa de xadrez com duas cadeiras, as peças nos seus lugares, à espera, como haviam esperado anos a fio a chegada dos jogadores.

— Tendes novas para mim, tio?

— Nada de importante, vim falar disto e daquilo. Sabíeis que tendes um neto e duas netas?

— Ah, sim, vieram cá uma vez. Uns amores. Dona Maria e Dom Filipe e a bebé com o meu nome. A mãe deles é uma beleza. Sabeis como me lembro? — Sorriu e fez-lhe sinal que se aproximasse. — Lembro--me porque ela trazia um dos colares de ouro meus preferidos.

— E a vossa querida Catarina deu-vos mais uma neta.

A agonia envolveu-a de novo, a imagem ainda nítida, daqueles momentos em que ficou a ver o séquito a levar-lhe a filha pela ponte, atravessando a planície até não restar mais nada. Ficara à janela durante dois dias, recusando-se a mover-se, fazendo força para que Catarina voltasse, nunca desviando o olhar daquele ponto do horizonte onde a vira pela última vez.

— Tiraram-ma.

— Ela tinha de ir para Portugal, Joana. As coisas são assim, mas deveis alegrar-vos por o parto ter corrido bem.

— Catarina nunca regressou. Fiquei sozinha com os meus carrascos.

Don Fradique tentou um tópico novo.

— Ouvistes falar da coroação de Carlos como imperador do Sacro Império Romano? Foi esplêndida para além de todas as palavras.

— Como seria de esperar. E pergunto-me de quem eram as jóias que ele roubou para a tornar numa ocasião tão brilhante. Devem certamente ter sido precisas muito mais que as que me roubou.

Dom Fradique riu-se e bateu com a palma da mão no joelho.

— Joana — gargalhou —, continuais a mesma. Nunca tivestes medo de dar voz às vossas opiniões.

— Só digo a verdade, tio.

— Bem, é um facto que tirou a maior parte das jóias da mulher, no valor de noventa mil ducados, prometendo devolvê-las, claro.

— Ah! Podia dizer-lhe que ele nunca devolve, só tira. Não passa de um ladrão.

O almirante levou o dedo aos lábios e apontou para a porta. Joana assentiu. Compreendeu que Denia devia estar à escuta e sorriu. Era excitante, eram conspiradores, partilhando segredos.

— Seja como for — continuou Dom Fradique —, o manto e a coroa tinham tanto ouro e tantas pedras preciosas que era impossível calcular o preço ou o peso. E acreditais que, a seguir à cerimónia, atiraram moedas de prata e de ouro à multidão?

— Acredito. Deve ter adorado fazer o papel de grande imperador. Provavelmente imagina-se maior que Carlos Magno. É o homem mais vaidoso e egoísta que conheço. E digo-vos mais: o dinheiro atirado à multidão pertencia a outrem, não a ele.

— Chiu, Joana. — É melhor não continuar a falar de Carlos.

— Sabeis que Leonor casou?

— Sim, casou com o rei português.

— Ele morreu. Catarina casou com o filho dele, coroado como rei João.

— Catarina nunca regressou e eu esperei eternamente. Foi como uma faca espetada no coração. Tiraram-me a minha única filha.

O almirante não tinha intenção de repisar aquele assunto.

— Tendes mais cinco filhos.

— A sério? Todos estranhos, à excepção de Catarina. Ela era minha, inteiramente minha.

Dom Fradique apressou-se a continuar:

— Leonor casou com o rei Francisco de França.

Viu-a franzir o sobrolho e lutar no meio da confusão, forçada a substituir o velho monarca português pelo rei francês. Na verdade, compreendia-se que seria difícil, pensou, quando os dias se transformavam em meses e depois em anos, e todas as notícias lhe eram deliberadamente ocultadas.

Por fim, Joana assentiu.

— Pois foi, pois foi, lembro-me agora. Foi política. Foi um negócio de Carlos e usou a irmã.

— Tendes razão, claro. A Borgonha foi-vos devolvida, e à vossa família, e Carlos entregou os dois filhos de Francisco.

— Ele tanto rouba crianças como jóias! Como é que ficaram em poder dele?

— Francisco era prisioneiro de Carlos, mas foi libertado em troca dos dois rapazes. Ficaram reféns até ao fim das negociações. Depois foram libertados. Leonor acompanhou-os a França.

— Os homens conseguem ser as criaturas mais cruéis. Imaginai, dois meninos, sem ninguém que os amasse ou cuidasse deles, num país estrangeiro, aterrorizados. Imagino que os franceses não tenham gostado muito de Leonor.

— As guerras são muito complicadas.

Joana interrompeu-o.

— Lembrais-vos de Margarida da Áustria, a minha cunhada? Deram-lhe os meus filhos.

— É verdade que educou quatro deles.

— Ainda o continua a fazer?

— Não, são todos crescidos e casaram. — Não valia a pena explicar. — Infelizmente, Margarida morreu num acidente estúpido. Partiu-se uma taça de vidro no seu quarto e um fragmento alojou-se no seu chinelo. Cortou o pé e este infectou. Foi muito triste, sei que gostáveis muito dela.

Todavia, as recordações de Joana viajavam para o passado.

— Ela casou com o meu irmão.

— Lembrais-vos!

— Oh, sim, lembro-me de algumas coisas. — Entreteve-se a fazer pregas na saia e depois concentrou-se nas nódoas das mangas.

— Querido João. A mãe chamava-lhe sempre o seu anjo. Quando éramos pequenos, eu chamava-lhe Joãozito. Era tão especial. Tenho uma imagem dele aqui — disse, batendo na testa. — Uma vez disse que eu era uma lutadora e devia sempre lutar pelo que estava certo, pelo que era meu de direito. E eu lutei, tio. Travei muitas batalhas. Não sei se ganhei alguma totalmente, mas continuei a lutar. — Estava sentada com tanto orgulho. — Quem sabe se algum dia serei vitoriosa.

— Ninguém vos iguala em espírito e em ânimo, sem qualquer dúvida. — Afagou-lhe a mão.

Joana riu-se com malícia.

— Sim, mas e a minha alma? Sabíeis que todos aqui andam obcecados com o facto de raramente me confessar e recusar ir à missa?

O almirante ficou alarmado; era uma questão demasiado séria para ser tratada de ânimo leve.

— Joana, tendes de ter cuidado. Não receio pela vossa alma, mas vivemos tempos difíceis. A Inquisição não cessou a guerra santa contra os heréticos e seria perigoso se aqueles que vos rodeiam dessem a entender que, com essas acções, vós...

— Sugeris que devia ser hipócrita e cumprir sem sinceridade os meus deveres, não fazendo nada para endireitar as coisas?

— Não. Oh, Joana, não sei a resposta. Como vos hei-de aconselhar? Se, ao menos, encontrásseis outra forma de protestar. Não seria possível chegar a um compromisso?

— Quereis que me renda tão prontamente? Como dizia Juan, tenho de continuar a batalha.

— Então, que Deus esteja convosco.

A conversa chegara naturalmente ao fim. Não havia mais nada para discutir, naquele ou noutro dia. Ao proferir aquelas palavras, sabia que eram a sua bênção para Joana. Nunca mais se veriam, pois não valeria a pena regressar. Também estava velho, demasiado velho, para se envolver em questões religiosas e, em todo o caso, faltava-lhe a coragem para essa luta. O seu falhanço desesperava-o, ainda mais por saber que qualquer carta que enviasse a Carlos seria posta de lado, fechada. O marquês tinha razão.

— Joana, quereis comer alguma coisa comigo?

— Não, normalmente como sozinha. Tenho pouco apetite e tenho a certeza de que gostaríeis de algo mais que pão e queijo. Estou farta desta comida.

Aquela revelação de mais outra atrocidade contra a sobrinha era insuportável. Acompanhou-a ao quarto e ficou a ver a porta fechar-se. Deixou-se cair num banco, entalando a bengala entre os pés, e mergulhou o rosto nas mãos nodosas. Lágrimas silenciosas rolaram-lhe pelas faces, perdendo-se na barba branca.

Uma criada da cozinha atravessou o corredor, transportando duas taças de barro e um jarro. Pousou-os no chão, perto da porta. Dom Fradique abanou a cabeça perante tal visão. Numa taça havia uma fatia de queijo seco e gretado, na outra um pedaço de pão. O jarro estava cheio de água.

Aquilo despedaçou-lhe o coração e o seu velho corpo protestou, irado.

— O que é isso?

— A refeição da rainha.

— Quem a mandou vir?

— O amo diz que, como parece que ela não come muito, seria um pecado estragar boa comida, portanto ela fica com o pão e o queijo e nós comemos o que é cozinhado para ela. E gostamos muito, mesmo que não o devesse dizer.

— Portanto, enquanto a rainha só recebe isto, vossemecês jantam carne de vaca, frango, porco?

— Como vos disse, Senhor, porque ela nem sempre tem vontade de comer.

— E porque é deixado ali, no chão, por amor de Deus?

A mulher retorceu-se, relutante em responder.

— Senhor, por favor, já era assim antes do meu tempo. Nunca se sabe qual a sua disposição. Por vezes, fica muito irada quando vê a comida e, nesse caso, atira-nos coisas. Portanto, deixamo-la aqui, fora da porta. Se ela quiser, vem buscá-la. Poupa muitos aborrecimentos, sabeis, como alguém ter de a castigar se ela atingir alguém... Já falei demais. — Fez uma vénia e desapareceu.

Então era assim que viam Joana: um animal, uma besta selvagem ou algo pior, que tinha de ser alimentada a uma distância segura.

Pensou na Joana com quem passara a última hora. Sim, mostrara ânimo, do tipo que nunca incitaria à censura se fosse homem. Fosse como fosse, era a rainha e tinha liberdade para fazer e dizer o que lhe apetecesse. A escolha da palavra liberdade, admoestou-se Don Fradique, era infeliz.

Que acontecera a todas aquelas promessas de tratar Joana como rainha?

Ignoradas! Em vez disso, tinham deliberadamente começado a transformá-la num monstro para que agora pudessem tomar as medidas apropriadas a fim de lidar com a sua própria criação.

E onde se encaixava Joana em tudo aquilo? Após muitos anos sem qualquer outra vivência, habituara-se a desempenhar esse mesmo papel.

— Santo Deus que estais no céu — chorou —, por favor concedei--lhe misericórdia e justiça, pois aqui ninguém o fará.

CAPÍTULO 49

Joana tinha setenta e quatro anos (devia ser, porque alguém dissera que se estava no ano de 1554) e congratulou-se mais uma vez pela sua notável resistência.

Muitos ter-se-iam deixado quebrar pelos anos de maus tratos às mãos dos Denia, mas não Joana. Não deu esse prazer aos seus inimigos. Se ao menos o almirante ou algum amigo há muito perdido pudesse ali estar para partilhar a sua satisfação.

Fechou a tampa do cofre com as ninharias que lhe restavam e depois colocou-o com uma precisão deliberada ao lado de uma caixa de cabedal oblonga que continha talvez o seu bem mais precioso. Fernando, o seu filho predilecto, enviara-lha de Viena havia alguns anos, desejando ser recordado no seu sexagésimo nono ou septuagésimo aniversário, não sabia bem qual.

O cofre e a caixa acompanhavam-na para onde quer que fosse no interior do palácio. Os seus aposentos estavam a ser reparados e decorados e, portanto, fora transferida para aquele alojamento mais espaçoso. Já acontecera antes e, assim, sabia que a sua estada ali seria apenas temporária.

Tendo disposto o cofre a seu gosto e acariciado uma vez mais a caixa de cabedal, instalou-se na cadeira, pronta a falar com o cavalheiro de meia-idade sentado do outro lado da mesa.

— Como está o vosso pai? — inquiriu ritualmente a Dom Luís, o novo marquês de Denia.

— Na mesma — mentiu Dom Luís, como era costume, pois herdara o título pela morte do pai, havia quase vinte anos.

— Que doença tão persistente tem o homem para durar tanto tempo? Não que sinta falta da sua companhia. Podeis dizer ao vosso pai que não se apresse a regressar ao cumprimento dos seus deveres por causa de mim, uma vez que sois tão mau quanto ele.

O marquês estava impaciente por partir, pois achava as visitas a Joana uma irritante perda de tempo. Era raro ir visitá-la e só o fazia quando era necessário. Naquele dia viera inspeccionar o quarto antes de permitir a entrada de Francisco de Borja. Não, não gostava nada de participar em conversas aborrecidas com aquela bruxa maluca de setenta e tal anos, definhada, encovada e desdentada, que se recusava a morrer e a libertá-lo do seu dever para com o rei Carlos.

— Tendes uma visita.

Joana olhou-o sem expressão.

— Tendes uma visita — repetiu, admirando os anéis, os fios de ouro em volta do pescoço. Vinham todos do tesouro de Joana, alguns pelas mãos do pai, e logo, passando para ele, outros seleccionados por si.

Ele e a família tinham passado bem durante muitos anos sob o generoso auspício do rei Carlos. A sua lealdade fora faustosamente paga. Cada um tinha uma mesada muito generosa e o número de criados, soldados e guardas de Joana, mas na realidade dos Denia, chegara ao grandioso total de trezentos e representava, pelo menos, um quarto da população da cidade. O palácio estava sumptuosamente decorado, como devia ser, pronto a receber hóspedes importantes, em especial o rei, embora as suas visitas fossem pouco frequentes. Entretanto, tudo estava ao dispor de Dom Luís e sua família. Era-lhe indiferente que Joana comesse, dormisse, mudasse de roupa ou outra coisa qualquer, desde que permanecesse em segurança.

Como a rainha continuasse a ignorá-lo, deu meia-volta e saiu, resmungando sobre a sua paciência de Jó.

Joana não lhe respondera porque estava preocupada. Perguntava-se quem viria visitá-la e porquê. Decidira não criticar nada nem ninguém, pois aprendera essa lição havia muito, quando as suas queixas ao próprio filho nada tinham conseguido a não ser castigos brutais por parte dos Denia.

Este regressou acompanhado por um padre vestido de negro. Curvaram-se e o marquês anunciou:

— Com a vossa permissão, Vossa Alteza, este é o padre Francisco.

Joana repreendeu-o, rindo-se:

— Mas que deferência! Seu hipócrita e logo na frente de um padre.

O padre jesuíta não deu por nada. Estava pasmado. Da última vez que vira Joana, ela era ainda uma mulher atraente. Mesmo então, era óbvio que a sua beleza começava a esbater-se e a sua escolha de traje e a falta de interesse pela sua aparência não ajudavam; mas aquilo era um choque brutal. Aquela Joana parecia uma velha freira quebrada pelo trabalho, pouco mais que um esqueleto vestido de lã cinzenta grosseira, ali deixada para passar os dias que lhe restavam sentada à lareira, dormitando e babando-se, enquanto o resto da comunidade tratava da sua vida. Que esperara ele? Ela era muito velha e a maior parte das pessoas morriam muito antes da sua idade. Afastou a inquietação e centrou os seus pensamentos na razão que o trouxera ali.

— Vossa Alteza, fui enviado pelo rei de Nápoles.

— Oh, a sério — disse Joana, estreitando os olhos para ele. — Não fazia ideia de que existia. O meu pai foi rei de Nápoles, mas morreu e eu herdei o título. Suponho que vos referis a Carlos. Ele rouba tudo.

— O rei Carlos achou melhor que o vosso neto, Filipe, ficasse com esse título. Foi o rei Filipe quem me enviou.

— Podeis assegurar-lhe de que nada desejo. — Permaneceria fiel à sua palavra, calando-se sobre as condições daquele local.

— Creio que é mais o que ele quer de vós, Senhora.

Joana não gostou do tom dele.

— Acho absolutamente extraordinário que alguém queira alguma coisa de mim. Tiraram-me tudo o que tive em tempos, sem pedir. — Estendeu a mão sobre o cofre e a caixa de cabedal para os proteger. — Mas não me tiram mais nada. Isto fica comigo de dia e de noite. — Interrompeu-se. — Lembro-me agora, vi-o recentemente e não me pediu nada.

— Sua Majestade disse-me que parara aqui antes de partir para Inglaterra. Vai casar com a rainha Maria Tudor. Mas, mais importante, foi numa missão de Deus.

— Mencionou qualquer coisa sobre casar-se. Já tinha sido casado, com uma donzela muito bonita, um pouco gordinha, mas ninguém é perfeito.

— O rei Filipe foi salvar o povo inglês. Guiá-los-á de regresso à Igreja. Vive e fala como um verdadeiro católico.

— Bravo! — aplaudiu Joana. — Fico feliz por ele e pela sua cruzada. — E pôs o assunto de lado com um gesto da mão.

O padre Francisco foi direito ao assunto da sua visita.

— Senhora, podeis dizer que sois uma verdadeira católica? Não estais, talvez, a viver um pouco como os ingleses, sem a santa missa, sem as imagens e as estátuas sagradas, sem os sacramentos? — Pensava que era melhor ela ser suavemente punida, recordarem-lhe que estava a falhar à família ao negligenciar os seus deveres, especialmente quando a morte podia vir rapidamente e sem se anunciar, dada a sua avançada idade. A não ser, claro, que não estivesse sã de espírito, como muitos acreditavam, o que seria um assunto diferente. — O rei Filipe não está em posição de acusar outros quando a mesma falha se aloja dentro da sua própria família.

Um sorriso desdentado iluminou-lhe subitamente o rosto.

— Já sei! Estivestes aqui há muitos anos, em criança, como pajem.

— Era muito mais interessante falar daquilo. — Sim, fostes pajem da minha filha Catarina. Sois Francisco de Borja, neto do meu pai. A vossa mãe foi concebida do lado errado dos lençóis — ironizou, acenando-lhe com um dedo reprovador.

Era um facto, embora mencioná-lo talvez fosse um pouco indelicado, mas fê-lo pensar na capacidade dela de reter e recordar factos. Primeiro Nápoles, o filho de Filipe e agora isto; afinal, a sua mente talvez estivesse sã. Provavelmente, Filipe tinha razão ao preocupar-se com ela.

— O rei Filipe deseja que eu vos reconduza ao caminho da piedade, trazendo-vos de volta para a Madre Igreja. Receia pela vossa alma, que não esteja pronta...

— Receia pela minha alma! — zombou ela. — Digo-vos que há muito mais gente cujas almas correm um perigo muito maior que eu e que merecem muito mais a sua atenção imediata.

Ele não se deixou atemorizar.

— Podeis dizer-me com toda a honestidade que acreditais nos artigos da fé prescritos pela Igreja? — Era esta a grande preocupação de Carlos e Filipe e a razão da sua ida ali.

Joana mostrou-se pasmada e ofendida.

— Como poderia não acreditar? É claro que acredito!

— E acreditais que o Filho de Deus veio ao mundo para nos redimir?

— Claro que sim!

— Então, recebereis a confissão?

— É claro, padre. Santo Deus, mas que espalhafato. — Todavia, tinha de pensar que parte da sua alma deixaria a descoberto e se devia aceitar a culpa por incidentes a que a tinham forçado pelas acções de outros, em especial os Denia. Que culpa deveria aceitar? Era capaz de ser demasiado complicado, especialmente se mencionasse que falara das suas más acções directamente com Deus, recusando a assistência de padres que desprezava.

Por fim, decidiu confessar-se, admitindo a sua teimosia, o seu mau feitio, o espírito rebelde, a linguagem maldosa.

— Houve um tempo em que me confessava regularmente e tomava a comunhão. Ia à missa. Tinha estátuas dos santos e relicários nos meus aposentos. Sim, isso tudo... — Os pensamentos de Joana vaguearam.

— E depois que aconteceu? Porque haveis parado? — O padre precisava do maior número de informações possível, fossem razões ou desculpas.

— A culpa não foi minha. Acreditai, padre, ainda o desejo, mas aproximai-vos, escutai. — Obrigou-o a inclinar a cabeça de modo a sussurrar-lhe ao ouvido. — As aias ao meu serviço não o permitem. São todas umas bruxas pecaminosas, fazem pouco de mim.

Afinal, talvez se tivesse enganado acerca do estado da mente dela.

— Estais certamente enganada!

Joana protegeu a caixa oblonga de possíveis inimigos.

— É por isso que não lhes permito que vejam isto. Gozam com o meu crucifixo, guardado aqui em segurança — sussurrou ela. — Fazem pouco dos relicários, das imagens, do meu rosário e...

— Não pode ser!

Mas Joana, entusiasmada, não se calava.

— Até cuspiram nas minhas estátuas. Em São Domingos, São Francisco, São Pedro...

O padre Francisco estava convencido de que aquilo era pura invenção.

— Não posso acreditar, deve haver um mal-entendido.

Joana apressou-se a continuar. Não se sentia tão animada havia séculos.

— Quando eu dizia as minhas orações, tiravam-me o saltério e às vezes viravam-no ao contrário. Outras vezes gritavam para abafar as minhas palavras de súplica.

— Estais enganada, vamos... — queria regressar ao seu papel de guia e mentor.

Joana fê-lo calar-se.

— Até puseram porcarias na água benta.

Era ridículo. Tinha de ser firme com ela.

— Senhora, esses actos pecaminosos não podem ter sido cometidos por nenhuma das vossas aias. Ninguém se atreveria a ofender Deus desse modo. — Talvez agora pudesse retomar a sua missão de salvar a alma dela.

— Pensando bem, padre, acho que tendes razão. — Inclinou-se para ele como se concordasse. Se ele viera salvar-lhe a alma, sentia-se obrigada a dar-lhe algo contra o qual batalhar, para o manter proveitosamente ocupado. E era uma forma mais agradável de chamar a atenção do que recusar-se a comer. — Talvez elas fossem os espíritos dos mortos. Que achais? — Esperou ansiosamente a resposta dele.

Agora o padre Francisco desejava ter aceitado as histórias das aias.

— Nem por um momento...

— Então escutai. Um dia, quando a minha neta Dona Joana esteve aqui, sentada aí onde estais, fizeram-lhe o mesmo.

— De quem estamos a falar?

— Dizem que são os espíritos do conde de Miranda e do comendador-mor. Não foi a primeira vez. Vêm aqui muitas vezes e fazem coisas muito desrespeitosas, tal como se fossem bruxas.

O padre Francisco pensou na bela e jovem princesa Joana, já viúva, a quem confessava regularmente e de quem se tornara íntimo, pois ambos partilhavam profundas convicções religiosas. Ela teria buscado a sua ajuda. Abanou a cabeça. Estava a ser levado para águas turvas.

— Acreditais em mim, padre? — perguntou Joana, olhando para ele com toda a inocência. — Eu sugeria o seguinte: mandai embora estas senhoras, ou espíritos, e depois já posso ir à missa. Toda a gente ficaria contente. Incluindo Filipe.

— Ficai descansada, de uma maneira ou de outra vou chegar ao fundo disto. E, se se descobrir que as vossas aias são culpadas, mando chamar o Santo Ofício da Inquisição para as tratar como heréticas. Entretanto, vou escrever ao meu amigo irmão Domingo de Soto, que é um perito neste campo.

Joana assentiu e sorriu. Por fim, tinha alguém que a escutava, que fazia o que lhe pedia. Até iam consultar um especialista! E aquilo era só o princípio. Descobrira o estratagema perfeito. Só precisava de dar tempo ao tempo, observar e esperar. Todas as acusações dirigidas contra ela ao longo dos anos, todas as acções contra ela transformavam-se nas suas munições.

CAPÍTULO 50

Uns meses mais tarde, o padre Francisco, o jesuíta, estava a escrever o seu último relatório para o rei Filipe, quando o irmão Domingo de Soto, o eminente teólogo, foi anunciado. Pôs a pena de lado e levantou-se da secretária para o receber.

— Agradeço a Deus a vossa presença, irmão. — Francisco abraçou-o pelos ombros.

O irmão Domingo retribuiu-lhe as calorosas boas-vindas.

— Meu amigo, tinha de vir. Embora tenha achado as vossas primeiras cartas intrigantes, não me preocuparam muito. Parecíeis estar a lidar admiravelmente com o problema. Tal como vós, fiquei convencido de que a rainha se queria desculpar, por vezes de forma estranha, do seu laxismo. Sempre foi assim com quem quer negar os seus próprios defeitos. E, como haveis observado, a neta, uma jovem muito devota, não teria hesitado em comunicar que algo de malevolente se passava aqui. No entanto, chegou a carta que sugeria problemas mais graves. Ouvi o vosso grito de ajuda e aqui estou. Como está Sua Majestade?

— Nada bem, o que torna isto ainda mais preocupante. Desde a queda, há algum tempo, quando magoou as costas e as pernas, tem evidenciado um declínio gradual.

— Até que ponto está doente?

— Não está propriamente doente, mas é raro sair do leito. Quando o faz, ajudam-na a sentar-se numa cadeira, onde fica todo o dia. Só consegue dar uns passos a muito custo. Os médicos não puderam fazer qualquer diagnóstico, uma vez que ela se recusa a deixá-los aproximarem-se.

— Então, pode deteriorar-se rapidamente?

— Há essa possibilidade. É por isso que acho que não podemos perder tempo. A propósito, mandei retirar as tais mulheres supostamente ofensivas e, sob a sugestão do rei Filipe e para satisfazer a rainha, disse-lhe que compareceram perante a Santa Inquisição, foram julgadas e depois presas. Parece ter resultado e tenho a certeza de que Deus me perdoará as mentiras numa situação destas. Mas vamos lá falar do tal assunto que não me atrevi a pôr por escrito. — Baixou a voz para um murmúrio quase inaudível. — Mesmo antes do acidente, tinha-a convencido a juntar-se a nós para a missa, mas assim que viu a toalha do altar, bem, só posso dizer que enlouqueceu, furiosa, aos gritos.

— Dizeis que a toalha do altar foi a causa? — O irmão Domingo olhou cautelosamente em seu redor.

— Exactamente. É uma peça excepcional de arte flamenga. Brocado dourado com os Reis Magos bordados a seda colorida e fio de ouro.

O irmão Domingo pegou-lhe no braço e levou-o para longe das portas. Só Francisco podia ouvir o que ia dizer.

— Eis, em poucas palavras, o que se passa: não são os Reis Magos, são três falsos convertidos. Mouros! Três dos muitos que poluem a nossa terra, que fingem ter-se convertido à fé cristã, enquanto continuam a adorar ocultamente um falso profeta, aderindo em segredo aos seus costumes e rituais heréticos. E lá estão numa toalha de altar, escarnecendo de Deus e das nossas crenças cristãs. O nosso problema é o seguinte: será a rainha uma apoiante firme dos que ousam prosseguir esta blasfémia hedionda e teria receio de que a sua culpa tivesse sido descoberta?

— Não, não, isto está a ir longe demais. — Achava absurdo, mas não o diria claramente. — Contudo, mostrei o meu choque e a minha consternação pela impiedade das suas acções, mas fiquei ainda mais perturbado pela sua recusa em aceitar qualquer culpa. Limitava-se a repetir alterosamente que era igual às pobres irmãzinhas de Santa Clara e se ofendia com tanta ostentação. Insistia que um altar precisava apenas de uma toalha das mais simples. E é isto que me perturba, isto cheira desagradavelmente a luteranismo. E, contudo, como pode ela conhecer Martinho Lutero?

A única resposta do irmão Domingo foi um sorriso de superioridade, enquanto erguia as suas eruditas sobrancelhas.

— Bom, irmão Domingo, vamos ver a rainha?

Joana estava sentada no quarto, tendo por única companhia uma modesta criada, de pé, junto à porta, com a cara virada para a parede, segundo as instruções de Joana, para não poder ver o que fosse retirado do cofre e da caixa de cabedal oblonga, sempre presentes.

Abriu a caixa e tirou cuidadosamente o crucifixo. Segurou-o com os seus dedos amarelados, cheios de gretas. Uma imagem fugidia do seu filho predilecto, Fernando (pensava muito nele como seu único filho, uma vez que Carlos era um velhaco e perdera todos os direitos), trouxe-lhe algum alívio às dores incessantes das pernas e das costas. Recordou o tempo em que era menino, seis anos apenas, e em como a sua teimosia obrigara o pai a devolver-lho.

Os seus pensamentos enredaram-se numa recapitulação aleatória de outras estratégias que usara ao longo dos anos para lutar pelo que era justo e lhe pertencia por direito. Ao lembrar-se, ria-se baixinho, suspirando por vezes. Era verdade que os seus ataques de berros e gritos haviam-se revelado um falhanço, embora, na altura, lhe tivessem dado alguma satisfação. As acções de improviso tinham tido mais êxito, mas fora a sua teimosia a mais eficaz das suas campanhas. Todavia, esta última táctica, fazê-los questionar a sua insanidade, obrigando-os a renovar as dúvidas em relação à sua obediência à igreja, ou, inversamente, declará-la por fim louca, era a melhor de todas. Era por isso de dar raiva que, assim que começara a gozar aquele novo papel, tivesse tido aquele maldito acidente.

Caíra, e da pior maneira, e agora era incapaz de se mexer sem sofrer dores insuportáveis nas pernas e ao fundo das costas. Vestir-se era uma agonia. A higiene pessoal tornara-se uma tal tortura que preferiu, primeiro, adiá-la e, depois, abandoná-la por completo.

Queixava-se amargamente, claro, de Denia, o culpado do acidente. Após anos a vê-lo, e à sua família, a usar as suas jóias, estava decidida que ele não ficaria com as poucas peças que lhe restavam, nem aquele belo crucifixo, o belo presente de Fernando, o único presente que qualquer dos filhos alguma vez lhe dera.

Se, ao menos, Denia não tivesse tido a desfaçatez de abrir a caixa, de tocar e erguer a cruz de ouro com o seu Cristo nas derradeiras horas de agonia, os olhos cobiçosos demorando-se sobre ela, Joana nunca teria tentado saltar os poucos degraus que lhe restavam e tro-peçado, ao estender o braço para a arrancar das mãos do ladrão.

Joana ergueu o olhar e fechou apressadamente o crucifixo tão esti-mado quando os dois padres entraram. Sentia-se muito satisfeita por ter a atenção não de um, mas de dois padres.

O padre Francisco apresentou o visitante. O irmão Domingo inclinou a cabeça para esconder o choque e enterrou o nariz nas mãos erguidas em prece para não inalar o fedor que provinha dela.

— Estou honrado por vos servir — cumprimentou Domingo a lamentável figura à sua frente.

Uns olhos encovados num rosto cadavérico observaram-no, inquiridores. Uma mão que mais parecia uma garra coçou os tufos de cabelo branco que lhe restavam no crânio manchado, desalojando os piolhos e fazendo cair uns quantos, que se juntaram aos que se alojavam na gola da camisa.

Joana ofereceu a mão para o habitual beijo, mas retirou-a rapidamente, pois ultimamente sentia uma profunda aversão a que lhe tocassem. Fez sinal à mulher para que trouxesse cadeiras; o braço estendido revelou um outro exército de piolhos sobre o punho da camisa e, em redor do braço, a prova do seu festim sem controlo.

— Preferimos ficar de pé — sugeriu rapidamente o irmão Domingo; igualmente depressa foi direito ao assunto:

— Estou aqui por causa das damas de quem vos queixastes ao padre Francisco.

— Ah, sim, as que estão presas. É bem feita. E devo dizer-vos, padre Francisco, de que desde que partiram não tive mais problemas dessa natureza.

— Isso mesmo prometi-vos eu, Senhora. — Francisco sorria, apesar da mentira.

Todavia, o irmão Domingo não estava preparado para ver as suas opiniões ignoradas.

— Deixai-me dizer-vos que a única culpa das aias foi falta de respeito pela sua ama, cujo comportamento grosseiro e descontrolado deu um mau exemplo e que, ao agir assim, as condenou a consequências muito graves! — Olhou-a, furioso, determinado a não ceder. Não lhe permitiria passar a sua culpa a outros.

O quarto encheu-se subitamente com as gargalhadas ruidosas de Joana. Bateu palmas e fustigou os braços da cadeira.

— Bem, Deus me valha, eu estou convencida! Vós sois o neto do secretário da minha mãe!

— Sim, mas...

— Graças a Deus que sois vós quem veio tratar dos terríveis problemas que aqui temos.

— O problema maior sois vós! — Domingo foi incapaz de controlar a cólera. — Temos de vos levar a reconhecer as vossas obrigações como verdadeira filha da Igreja.

Joana não admitia que lhe falassem assim e apontou-lhe um dedo nojento.

— Se precisais de ser recordado, a vossa tarefa é libertar-me de todos os que se opõem terminantemente a que eu cumpra essas mesmas obrigações. Estais aqui para fazer isso e nada mais. Assim que tiverdes cumprido o vosso dever e melhorado a situação, poderei então julgar qual o momento apropriado para recomeçar. Não serei apressada.

— Parece que não compreendeis a vossa posição — persistiu ele.

— Tenho de averiguar... o padre Francisco diz-me que haveis professado a fé católica, que fazeis o sinal da cruz com água benta, que...

Joana estava a ficar impaciente.

— Sim, porque essas mulheres se foram! — O homem era um impertinente e estava a causar-lhe dores mais fortes que nunca.

— Portanto, temos de discutir o assunto da missa.

Já chegava!

— Estou demasiado doente para isso. E, de qualquer modo, estou demasiado preocupada com o gato.

Ajeitou-se cuidadosamente na cadeira para observar e esperar, enquanto as suas palavras atingiam o efeito desejado. Os padres trocaram vários olhares interrogativos e Francisco abanou a cabeça.

Domingo fechou os olhos e orou pela orientação de Deus.

— E que gato é esse?

— Um gato-de-algália gigante. Já comeu uma princesa em Navarra. E digo-vos mais: comeu o espírito da minha mãe. No outro dia, fiquei a ver, horrorizada, enquanto ele arrancava a carne do meu pai. Digo-vos que estou aterrorizada. Está sempre escondido, à minha espera. Tenho de ser extremamente vigilante. Pode estar em qualquer lado, por detrás de uma porta, debaixo de uma cadeira, debaixo da cama, até atrás de vós. — Inclinou-se cuidadosamente para o lado a fim de olhar em volta do irmão Domingo.

Os padres viraram-se para verificar. Joana ficou satisfeita, animada com a ideia de o gato e os espíritos os manterem ocupados por algum tempo. Os relatórios subsequentes deviam ser dignos de ler.

Domingo perdeu completamente a calma e gritou, roxo de fúria:

— Os vossos pais morreram há mais de quarenta anos! Os seus espíritos estão no céu, a salvo de qualquer animal, quer coma ou não espíritos.

No entanto, aquilo era preocupante. Seria o gato um Anticristo, um demónio? Teria Joana testemunhado verdadeiramente a presença do demónio? Estaria conivente com ele? Ou estaria, como dizia Francisco, simplesmente a gozar com eles? Ou enlouquecera? Como podia ter a certeza?

Furioso, Domingo endireitou-se:

— Padre Francisco, deveis tratar de mandar aspergir os aposentos e a cama da rainha com água benta e tendes de insistir que vá à missa. Estes actos provarão o seu catolicismo e protegê-la-ão do mal que se infiltrou neste lugar. Despeço-me, Senhora. — Curvou-se e saiu do quarto, seguido de Francisco.

Caminharam pelo corredor num silêncio desconfortável, até que Domingo falou por fim:

— Compreendo agora a ansiedade do rei relativa ao facto de ela estar pronta a enfrentar Deus quando chegar a altura. Contudo, devo acautelar-vos de que, em nenhuma circunstância, poderá tomar a comunhão. Deixai-me realçar também que, caso a morte se aproxime, só podeis administrar-lhe a extrema-unção. — Esfregou nervosamente o queixo, antes de oferecer o último conselho, um aviso sério: — Se algum cristão lhe oferecesse os sacramentos, a sua própria alma seria amaldiçoada.

— Mas não sentis um pouco que tudo isto não passa de uma pose, uma busca de atenção, após anos de solidão?

— Padre Francisco! — Domingo queria lembrar-lhe que era um teólogo eminente, uma autoridade no tema da heresia, e gostaria de lhe lembrar como estava furioso por um tal estado de coisas se ter desenvolvido na casa real, sem qualquer intervenção até então. E não iriam gozar com ele. — Por um lado, ela está sob a influência de poderes heréticos; por outro, pode ter o espírito e a alma de um recém-nascido e falta-lhe compreensão. Seja como for, não podeis, de forma alguma, e isso inclui o enfraquecimento da vossa resolução, oferecer-lhe mais nada senão a extrema-unção, caso a morte advenha. Não há mais nada a discutir.

Tinha de voltar para junto dos seus livros. A resposta devia lá estar, algures.

CAPÍTULO 51

Após a partida de Domingo de Soto, o Outono deu calmamente lugar ao Inverno, o pior em muitos anos. Tordesilhas viu-se envolta num espesso manto branco e gelado. Mesmo em Fevereiro de 1555, nem as casas da cidade nem o palácio ofereciam abrigo adequado contra os ataques constantes das tempestades.

No quarto de Joana, a única excepção, pesadas tapeçarias e um fogo a arder na lareira impediam a entrada do Inverno. A porta fora aberta apenas o tempo necessário à passagem dos inúmeros baldes de água quente para o banho diário da rainha. Quatro aias, quatro jovens ajudantes e o médico de Joana, o gordíssimo doutor Cara, enchiam o pequeno espaço que restava entre a cama, uma mesinha e a banheira.

O médico, satisfeito com o resultado dos medicamentos escolhidos, dirigiu-se às cortinas fechadas:

— E como estão as dores esta manhã, Senhora?

— Quase nada — foi a resposta abafada. — Também dormi melhor.

— Excelente! — Mas suspirou, pois perdera-se muito tempo valioso devido à teimosia dela em deixá-lo aproximar-se.

Passara um ano desde a queda e Joana estivera quase todo esse tempo confinada à cama ou à cadeira. Acabara por perder o uso das pernas, que incharam imenso e lhe doíam insuportavelmente; teve, por fim, de admitir derrota e permitir que o doutor Cara a examinasse.

O seu regime de banhos diários e a aplicação de grandes doses de pomadas haviam diminuído a dor e reduzido o inchaço.

Como continuava determinada a não assistir à missa, havia uma alegada ameaça de excomunhão que pairava sobre ela. Todos falavam disso. Desejava retomar as visitas do padre Francisco, esperando, contudo, que não trouxesse consigo o outro padre inflexível, o qual estragaria a agradável conversa que planeava ter.

Todavia, um incidente com água a ferver deixara-a gravemente queimada nas costas, obrigando a um redobrar de esforços, mais dor e mais humilhação. As conversas com o padre Francisco teriam de ser adiadas.

CAPÍTULO 52

Os dolorosos dias de Fevereiro estenderam-se para Março. O doutor Cara chegou para a sua habitual visita diária, mas naquele dia não haveria tempo para amabilidades. O médico estava verdadeiramente zangado, farto de se dirigir à sua doente através de uma parede de pesado brocado, farto de lhe negarem o acesso. Bastava!

Sem um momento de hesitação, puxou para trás as cortinas do dossel. Foi atingido por uma rajada de um fedor quente e fumegante que o fez cambalear. Tapou o nariz e a boca com a manga e engoliu em seco para não vomitar.

Precisou de uns segundos para se recompor.

— Senhora — começou, dirigindo-se a Joana —, porque haveis permitido que o nosso bom trabalho se desfizesse tão depressa? — Deslocou-se rapidamente para o outro lado da cama, puxando mais cortinas.

Joana enterrou a cara na dobra do braço, incapaz de o enfrentar.

— Ide-vos embora.

Mas ele não estava com disposição para isso. Sentia-se furioso e ia levar a sua avante.

— As bolhas estavam a começar a curar-se, quando começastes todo este disparate. Parastes de usar as pomadas e de seguir as minhas instruções. Recusaste-vos a mover, dia e noite deitada sobre o mesmo lado. Hoje ireis ser virada. Insisto. E também vos vou examinar. E mais — prosseguiu com a voz apertada pela raiva —, os lençóis serão trocados. Há quantas semanas...?

— Ide-vos embora! Fico como estou. Ordeno-o. Sou a rainha.

O doutor Cara explodiu.

— Sois a minha paciente. Aqui quem dá ordens sou eu!

— Recuso que me toquem.

A ideia da indignidade de algo semelhante era demasiado vergonhosa e Joana não a suportava. Orou para que a deixassem na sua própria porcaria. Era dela e continuaria a tolerá-la.

— Senhora, recuso-me a ouvir mais. Santo Deus, não permitiria que um animal dormisse num atoleiro destes.

Estalou os dedos:

— Digam aos criados que tragam os colchões. Quero que dois de vocês ergam Sua Majestade.

Joana berrou e uivou, mas foi tirada da cama e colocada num colchão lavado, no chão. O colchão sujo, empapado de urina e fezes, foi enrolado e levado do quarto. Os pajens fizeram um biombo de lençóis, enquanto as aias despiam a camisa nojenta e limpavam os excrementos das nádegas e das pernas.

Agora que estava limpa e muito mais confortável, perguntava a si própria por que resistira tanto tempo. O que teria a outra Joana feito naquelas circunstâncias? Teria querido proteger-se de ser tratada como um bebé? Ou estaria pronta a tratar isso apenas como uma situação delicada? Sabia a resposta e sentiu que agira muito mal.

Após a ter examinado, o médico concluiu que as bolhas do escaldão não tinham sarado; tinham reaberto e ficado infectadas. Ambas as nádegas estavam cobertas de feridas. Havia também sinais de carne apodrecida.

— Não há tempo a perder. Já mandei buscar os meus ferros.

— Vai doer, mas é necessário, Senhora.

Duas aias seguraram-lhe nos braços e duas nos pés enquanto lhe aplicavam os ferros. Fumo e o cheiro pungente de carne queimada encheu-lhes as narinas. Os gritos aflitivos de Joana enchiam o quarto, o palácio, escapando mesmo para a estreita rua que passava debaixo da janela.

As notícias da gravidade da doença da rainha Joana espalharam-se pela pequena cidade e o povo acorreu às igrejas para orar pela sua amada monarca.

A neta de Joana chegou ao fim do dia e dirigiu-se imediatamente para o leito da avó.

— Quem vos pediu que viésseis?

— A marquesa mandou-me chamar, honrada avó.

— Que típico, provavelmente neste momento está de joelhos a orar pela minha morte.

— Avó! Sois muito injusta.

— E que sabeis vós?

— Todo o povo da cidade ora por vós.

— As deles são preces honestas, são os únicos que alguma vez se importaram comigo.

— Talvez isto vos agrade: mandei chamar outros médicos.

— Quero que me deixem em paz. O doutor Cara fez tudo o que havia a fazer. Não há mais interferências. Deixai tudo como está.

— Bem, vou certamente mandar vir o padre Francisco.

— Se achais necessário — vociferou Joana. Queria que a deixassem em paz, desejando que a neta nunca tivesse vindo. Não precisava de ninguém. Depois, remoeu a ideia: — Sim, fazei isso, mandai vir o padre Francisco. Tenho umas coisas a tratar com ele.

CAPÍTULO 53

Passou um mês de agonia indescritível.

— Onde está o padre Francisco? — Joana mal se conseguia ouvir, a voz num murmúrio, quebrada. Falar era um enorme esforço devido à língua inchada.

— Estou aqui. Nunca me afasto do vosso lado.

— Padre — lágrimas ardentes escorriam-lhe pelas faces até à almofada —, serei perdoada pelo que disse ontem? A minha ira não se dirigia a vós nem à Igreja. Não devia ter explodido contra vós, sois um bom homem. Sei que disse umas coisas más. Ouvis-me?

— Sim, oiço-vos. As vossas palavras não foram más, foram injustas. Foi errado dizer que, durante anos, ninguém se preocupara com a vossa saúde e bem-estar, mas agora que o fim está próximo há uma grande agitação por causa da vossa alma.

Mais tarde, Joana confessou-se, relatando os destinatários do seu mau feitio: a mãe, o pai, o marido, o governador Ferrer e, por fim, os Denia. Depois arrependeu-se da sua falta de apreço pelos muitos que haviam dado o seu tempo e paciência para a ajudar e confortar: o seu tio Fradique, Zayda, Maria, Marta, Hernan Duque, o irmão Juan de Ávila e outros, cujos nomes esquecera.

— Deus será misericordioso convosco e receber-vos-á como uma verdadeira filha. — Num repente de fervor de que se arrependeu imediatamente, Francisco sugeriu que tomasse a comunhão, convidando-a a receber o corpo de Cristo.

A testa de Joana cobriu-se de um suor gelado.

— Vou vomitar! — Um jorro de bílis fumegante irrompeu dela.

Enquanto as aias puxavam para trás as cobertas e lhe despiam a camisa manchada, Francisco aproximou-se de Denia. O marquês estivera todo o tempo sentado junto do fogo, a sua atenção presa no magnífico crucifixo de ouro que tinha na mão.

— Um momento. — Denia voltou a colocar o crucifixo sobre o forro de cetim almofadado, fechou a tampa da caixa de cabedal e enfiou-a na bolsa de pele de gamo que trazia à cintura. Sorriu para o padre.

— Há dois meses que o rei Carlos não me paga o salário, mas isto serve de compensação. Que desejais?

— Desejo tanto ajudar Sua Majestade que me deixei envolver emocionalmente. Foi a própria rainha que me salvou de cometer um grave erro. Preciso do irmão Domingo de Soto. Far-me-eis o favor de lhe escrever?

— Se achais necessário. Pessoalmente, penso que é uma perda de tempo. É repisar a mesma história.

— Quero que a carta seja enviada com urgência!

O irmão Domingo chegou dois dias depois. Visitou Joana, falou com ela e estava agora pronto a dar a Francisco o benefício das suas conclusões.

— Sua Majestade parece estar na posse de todas as suas faculdades. Dissestes que se confessou e se mostrou uma verdadeira filha da Igreja. Contudo, isso pode não durar e convém-nos exercer o maior cuidado. Está gravemente doente e continua a vomitar. Temo pensar nas consequências se algo dessa natureza ocorresse depois de receber o corpo de Cristo. Sim, a própria rainha resolveu a situação. O vosso único recurso é oferecer a extrema-unção e sem demora. Não vos preocupeis com a alma dela ou as dos seus familiares. Todos estarão seguros.

— Ficar-vos-ei para sempre grato, irmão.

O quarto foi arrumado e o pessoal da casa convocado.

Sentia-se uma tranquilidade no ar, uma certa resignação.

— Vossa Alteza, haveis chegado ao fim dos vossos dias na terra, ao fim dos vossos trabalhos e tendes de vos preparar para ir ao encontro de Nosso Senhor. Tendes de Lhe pedir perdão, do fundo do coração, por o ter ofendido.

— Peço perdão por todos os meus excessos. — A voz de Joana era fraca e a respiração difícil. — Apenas desejo que me... a vossa serva pecadora... — Faltava-lhe a voz.

O irmão Francisco ofereceu-lhe o crucifixo. Ela beijou-o ao de leve e tentou dizer as palavras do credo.

O seu corpo foi ungido com óleos, enquanto se diziam as palavras do ritual. Joana tinha os olhos fechados e sussurrava para uma sucessão de imagens que não chamara:

— Meu belo Filipe, que gracejáveis com todas as coisinhas bonitas; desprezastes o meu amor, pisaste-lo. Negastes-me qualquer amizade, negastes a minha liberdade. Ah, pai, também vós me usastes como se eu fosse vossa propriedade para usardes como quisésseis. Porque só sentistes inveja de mim? Queríeis o poder todo e aprisionastes-me para eu não o poder partilhar. Eu só queria ser amada e, contudo, vós e Filipe só tentaram magoar-me. E, Carlos, pensei que ainda vos visse. Nunca mostrastes qualquer compaixão por mim. Um dia compreendereis que, se não fosse eu, teríeis perdido a Espanha. Pergunto-me se vireis a arrepender-vos da forma como vós e os vossos amigos me trataram, me roubaram? Não passam de vilões, todos vós.

Uma nova imagem apareceu, mais forte que as restantes.

— Meu querido irmão Juan, fostes a pessoa mais querida e doce que conheci. A mãe tinha razão, éreis um anjo.

A exaustão envolveu-a, empurrando-a para um sono profundo.

Na manhã seguinte, Sexta-Feira Santa, os sinos anunciaram o dia da agonia final do Salvador.

Joana abriu os olhos. Juan acompanhara-a na sua última batalha e deixara-a para que descansasse. Mexeu-se e não sentiu dor. Moveu os braços e as pernas, descobrindo que conseguia mover de novo as pernas, sem dor. A náusea também desaparecera, juntamente com o sabor amargo que lhe enchia a boca e a garganta.

— Padre Francisco?

— Estou aqui, minha filha.

— Por favor, o crucifixo.

— Tenho-o aqui. Tenho-o mantido sobre vós enquanto dormis. E tenho outra coisa. — Deu-lhe um medalhão com jóias da Virgem Maria.

Joana apalpou-o e passou os dedos pelo lado inferior para se certificar. E lá estava o seu nome.

— Isto é meu. — Fora uma prenda da mãe no dia do seu décimo quinto aniversário. Usara-o no dia em que lhe tinham comunicado o contrato de casamento.

Puxou-o para si, beijou-o e colocou-o sobre o peito. Iria viajar com ela. Segurou no crucifixo para beijar os pés do Salvador, libertando-o depois, para as mãos que o aguardavam, dizendo:

— Querido Jesus, que fostes crucificado, ficai comigo...

A rainha Joana faleceu às seis horas da manhã de Sexta-Feira Santa, a 12 de Abril de 1555.

Tinha setenta e cinco anos e passara quarenta e seis desses anos encarcerada em Tordesilhas.

EPÍLOGO

Tordesilhas
12 de Abril de 1555
O governador declarou dez dias de luto. Todos foram obrigados a vestir de negro e nada colorido podia estar pendurado de janelas ou varandas. Não haveria música, nem danças, espectáculos, ou cantares nas ruas.

15 de Abril de 1555
Numa cerimónia solene onde compareceram inúmeros dignitários políticos e eclesiásticos, o corpo de Joana foi transferido para a Capela Real do Convento de Santa Clara e colocado no mesmo sepulcro onde fora sepultado o seu marido Filipe, quarenta e seis anos antes. Uma cerca de madeira com doze brasões foi colocada em redor do sepulcro, com guardas colocados nos quatro cantos.

23 de Abril de 1555
Os governantes da cidade, trajados de cerimónia e empunhando os bastões cerimoniais, atravessaram a cidade numa procissão solene para assistirem a uma missa de requiem por Joana.

Valladolid
Abril de 1555
Dois membros da família de Joana assistiram a um serviço fúnebre na catedral; o seu bisneto, príncipe Carlos, com os grandes de Espanha; a princesa Joana permaneceu no coro superior, tal era a sua dor e mágoa que se recusou a ser vista em público.

Flandres
Setembro de 1555
Honras funerárias completas foram concedidas a Joana.

Dois cavaleiros encabeçaram um cortejo, os cavalos com caparazão de veludo negro, ostentando uma cruz vermelha simples, orlada a ouro e com o brasão de Joana em cada canto. Uma coroa com jóias incrustadas foi transportada num almofadão dourado. Seguiam-se os arautos com os brasões de Castela, Leão, Aragão e Sicília. Um arauto inglês precedia o neto de Joana, Filipe (Philip, rei consorte de Inglaterra). Ia a pé, com uma capa negra com capuz.

Por fim, seguiam os embaixadores e os nobres e, em seguida, centenas de pobres vestidos de negro, empunhando tochas.

Mosteiro de Yuste
Setembro de 1558
No seu leito de morte, Carlos exprimiu o desejo de que trouxessem os restos mortais de sua mãe para o Mosteiro de Yuste, para repousarem junto aos seus.

Madrid
Outubro de 1573
O rei Filipe ordenou que os restos mortais de sua mãe fossem transladados de Tordesilhas para Granada.

Granada
1603
Cinquenta anos após a sua morte, Joana recuperou por fim o seu estatuto e a sua dignidade. Foi colocada em repouso junto do marido, Filipe, e dos pais, a rainha Isabel e o rei Fernando, na Capela Real da Catedral de Granada.

A sua efígie mostra-a na flor da juventude, uma jovem rainha, bela, serena, em paz.

GRANDES NARRATIVAS

1. O Mundo de Sofia,
JOSTEIN GAARDER
2. Os Filhos do Graal,
PETER BERLING
3. Outrora Agora,
AUGUSTO ABELAIRA
4. O Riso de Deus,
ANTÓNIO ALÇADA BAPTISTA
5. O Xangô de Baker Street,
JÔ SOARES
6. Crónica Esquecida d'El Rei D. João II,
SEOMARA DA VEIGA FERREIRA
7. Prisão Maior,
GUILHERME PEREIRA
8. Vai Aonde Te Leva o Coração,
SUSANNA TAMARO
9. O Mistério do Jogo das Paciências,
JOSTEIN GAARDER
10. Os Nós e os Laços,
ANTÓNIO ALÇADA BAPTISTA
11. Não É o Fim do Mundo,
ANA NOBRE DE GUSMÃO
12. O Perfume,
PATRICK SÜSKIND
13. Um Amor Feliz,
DAVID MOURÃO-FERREIRA
14. A Desordem do Teu Nome,
JUAN JOSÉ MILLÁS
15. Com a Cabeça nas Nuvens,
SUSANNA TAMARO
16. Os Cem Sentidos Secretos,
AMY TAN
17. A História Interminável,
MICHAEL ENDE
18. A Pele do Tambor,
ARTURO PÉREZ-REVERTE
19. Concerto no Fim da Viagem,
ERIK FOSNES HANSEN
20. Persuasão,
JANE AUSTEN
21. Neandertal,
JOHN DARNTON
22. Cidadela,
ANTOINE DE SAINT-EXUPÉRY
23. Gaivotas em Terra,
DAVID MOURÃO-FERREIRA
24. A Voz de Lila,
CHIMO
25. A Alma do Mundo,
SUSANNA TAMARO
26. Higiene do Assassino,
AMÉLIE NOTHOMB
27. Enseada Amena,
AUGUSTO ABELAIRA
28. Mr. Vertigo,
PAUL AUSTER
29. A República dos Sonhos,
NÉLIDA PIÑON
30. Os Pioneiros,
LUÍSA BELTRÃO
31. O Enigma e o Espelho,
JOSTEIN GAARDER
32. Benjamim,
CHICO BUARQUE
33. Os Impetuosos,
LUÍSA BELTRÃO
34. Os Bem-Aventurados,
LUÍSA BELTRÃO
35. Os Mal-Amados,
LUÍSA BELTRÃO
36. Território Comanche,
ARTURO PÉREZ-REVERTE
37. O Grande Gatsby,
F. SCOTT FITZGERALD
38. A Música do Acaso,
PAUL AUSTER
39. Para Uma Voz Só,
SUSANNA TAMARO
40. A Homenagem a Vénus,
AMADEU LOPES SABINO
41. Malena É Um Nome de Tango,
ALMUDENA GRANDES
42. As Cinzas de Angela,
FRANK McCOURT
43. O Sangue dos Reis,
PETER BERLING
44. Peças em Fuga,
ANNE MICHAELS
45. Crónicas de Um Portuense Arrependido,
ALBANO ESTRELA

46. Leviathan,
PAUL AUSTER
47. A Filha do Canibal,
ROSA MONTERO
48. A Pesca à Linha – Algumas Memórias,
ANTÓNIO ALÇADA BAPTISTA
49. O Fogo Interior,
CARLOS CASTANEDA
50. Pedro e Paula,
HELDER MACEDO
51. Dia da Independência,
RICHARD FORD
52. A Memória das Pedras,
CAROL SHIELDS
53. Querida Mathilda,
SUSANNA TAMARO
54. Palácio da Lua,
PAUL AUSTER
55. A Tragédia do Titanic,
WALTER LORD
56. A Carta de Amor,
CATHLEEN SCHINE
57. Profundo como o Mar,
JACQUELYN MITCHARD
58. O Diário de Bridget Jones,
HELEN FIELDING
59. As Filhas de Hanna,
MARIANNE FREDRIKSSON
60. Leonor Teles ou o Canto da Salamandra,
SEOMARA DA VEIGA FERREIRA
61. Uma Longa História,
GÜNTER GRASS
62. Educação para a Tristeza,
LUÍSA COSTA GOMES
63. Histórias do Paranormal – Volume I,
Direcção de RIC ALEXANDER
64. Sete Mulheres,
ALMUDENA GRANDES
65. O Anatomista,
FEDERICO ANDAHAZI
66. A Vida É Breve,
JOSTEIN GAARDER
67. Memórias de Uma Gueixa,
ARTHUR GOLDEN
68. As Contadoras de Histórias,
FERNANDA BOTELHO
69. O Diário da Nossa Paixão,
NICHOLAS SPARKS
70. Histórias do Paranormal – Volume II,
Direcção de RIC ALEXANDER
71. Peregrinação Interior – Volume I,
ANTÓNIO ALÇADA BAPTISTA
72. O Jogo de Morte,
PAOLO MAURENSIG
73. Amantes e Inimigos,
ROSA MONTERO
74. As Palavras Que Nunca Te Direi,
NICHOLAS SPARKS
75. Alexandre, O Grande – O Filho do Sonho,
VALERIO MASSIMO MANFREDI
76. Peregrinação Interior – Volume II,
ANTÓNIO ALÇADA BAPTISTA
77. Este É o Teu Reino,
ABILIO ESTÉVEZ
78. O Homem Que Matou Getúlio Vargas,
JÔ SOARES
79. As Piedosas,
FEDERICO ANDAHAZI
80. A Evolução de Jane,
CATHLEEN SCHINE
81. Alexandre, O Grande – O Segredo do Oráculo,
VALERIO MASSIMO MANFREDI
82. Um Mês com Montalbano,
ANDREA CAMILLERI
83. O Tecido do Outono,
ANTÓNIO ALÇADA BAPTISTA
84. O Violinista,
PAOLO MAURENSIG
85. As Visões de Simão,
MARIANNE FREDRIKSSON
86. As Desventuras de Margaret,
CATHLEEN SCHINE
87. Terra de Lobos,
NICHOLAS EVANS
88. Manual de Caça e Pesca para Raparigas,
MELISSA BANK
89. Alexandre, o Grande – No Fim do Mundo,
VALERIO MASSIMO MANFREDI
90. Atlas de Geografia Humana,
ALMUDENA GRANDES

91. Um Momento Inesquecível,
NICHOLAS SPARKS
92. O Último Dia,
GLENN KLEIER
93. O Círculo Mágico,
KATHERINE NEVILLE
94. Receitas de Amor para Mulheres Tristes,
HÉCTOR ABAD FACIOLINCE
95. Todos Vulneráveis,
LUÍSA BELTRÃO
96. A Concessão do Telefone,
ANDREA CAMILLERI
97. Doce Companhia,
LAURA RESTREPO
98. A Namorada dos Meus Sonhos,
MIKE GAYLE
99. A Mais Amada,
JACQUELYN MITCHARD
100. Ricos, Famosos e Beneméritos,
HELEN FIELDING
101. As Bailarinas Mortas,
ANTONIO SOLER
102. Paixões,
ROSA MONTERO
103. As Casas da Celeste,
THERESA SCHEDEL
104. A Cidadela Branca,
ORHAN PAMUK
105. Esta É a Minha Terra,
FRANK McCOURT
106. Simplesmente Divina,
WENDY HOLDEN
107. Uma Proposta de Casamento,
MIKE GAYLE
108. O Novo Diário de Bridget Jones,
HELEN FIELDING
109. Crazy – A História de Um Jovem,
BENJAMIN LEBERT
110. Finalmente Juntos,
JOSIE LLOYD e EMLYN REES
111. Os Pássaros da Morte,
MO HAYDER
112. A Papisa Joana,
DONNA WOOLFOLK CROSS
113. O Aloendro Branco,
JANET FITCH
114. O Terceiro Servo,
JOEL NETO
115. O Tempo nas Palavras,
ANTÓNIO ALÇADA BAPTISTA
116. Vícios e Virtudes,
HELDER MACEDO
117. Uma História de Família,
SOFIA MARRECAS FERREIRA
118. Almas à Deriva,
RICHARD MASON
119. Corações em Silêncio,
NICHOLAS SPARKS
120. O Casamento de Amanda,
JENNY COLGAN
121. Enquanto Estiveres Aí,
MARC LEVY
122. Um Olhar Mil Abismos,
MARIA TERESA LOUREIRO
123. A Marca do Anjo,
NANCY HUSTON
124. O Quarto do Pólen,
ZOË JENNY
125. Responde-me,
SUSANNA TAMARO
126. O Convidado de Alberta,
BIRGIT VANDERBEKE
127. A Outra Metade da Laranja,
JOANA MIRANDA
128. Uma Viagem Espiritual,
BILLY MILLS e NICHOLAS SPARKS
129. Fragmentos de Amor Furtivo,
HÉCTOR ABAD FACIOLINCE
130. Os Homens São como Chocolate,
TINA GRUBE
131. Para Ti, Uma Vida Nova,
TIAGO REBELO
132. Manuela,
PHILIPPE LABRO
133. A Ilha Décima,
MARIA LUÍSA SOARES
134. Maya,
JOSTEIN GAARDER
135. Amor É Uma Palavra de Quatro Letras,
CLAIRE CALMAN